—*下册*—

莫忘初心，许你朝夕

沐笙箫 作品

青岛出版社
QINGDAO PUBLISHING HOUSE

Chapter 7
莫染初心，染指终生

首饰店很大，服务员也是眼尖之人，于是便细心地介绍起来，裴若水和店员正试戴着项链，童染直起身体，走到一旁的戒指专柜。

只扫了一眼，她便看中了一个银蓝色的尾戒。

“把这个拿给我看一下可以吗？”

“好的。”

服务员将尾戒从柜子里拿出来，一边开始推销：“小姐，这款是男士的尾戒，我们店里只此一款，是我们首席设计师设计的，很适合送给男朋友和老公的哦。”

童染拿在手里看着，那尾戒在白亮的灯光下闪着银蓝色的光芒，她转过来，发现上面雕刻着一只飞跃的腾龙。

龙这样只存在于神话故事中的物种，最适合像莫南爵这种神一般的男人。

“请问这个尾戒多少钱？”

“价格是七千七百七十七。”

童染越看越觉得像是为莫南爵量身定做的，他的手指修长白皙，戴在小拇指上，肯定很耀眼。

“小姐，要为您包起来吗？”服务员见她动了心，拿出包装盒子来，“这款很适合的哦，名字叫作‘染指终生’，送给心仪的男士是个很好的兆头呢。”

童染下意识地摸了摸颈间被衣服遮住的项链。

莫染初心，染指终生……

他送了她一根项链，她也该回赠个礼物才对吧？

这么想着，童染直起身体，将尾戒递给服务员：“那，帮我包起来吧。”

“哇，小染，你买了什么？”裴若水听到声音凑上前来，看到那尾戒，不由得暧昧地笑起来，“哎哟，还说没什么没什么，这不连戒指都买上了吗？”

“去去去，就你想法多。”

童染一边和她开着玩笑，一边从包里拿出自己的工行卡递给服务员。

“等等！”裴若水见状急忙制止，“你怎么不用那张金卡？花自己的钱做什么？”

童染按住她要夺卡的手：“若水，我送给他的礼物，肯定是要用自己的钱。”

她的那张工行卡里，有一万块钱，是她以前在琴行带学生的时候攒下来的，左手已经不能再弹琴之后，那笔钱，也就再没碰过。

他为她被注射 Devils Kiss，她也许一辈子都还不起，用她曾经弹琴的钱为他买个礼物，也算是她的一点心意。

见童染态度坚决，裴若水也不好再多说什么。

等到她们出了银座大楼的时候，天已经快要黑了，童染看了下时间，已经快要七点了，莫南爵说七点叫司机来接她的。

“别心神不宁了，总裁的司机不是马上就要来了吗？”裴若水推了推她的肩，打趣道，“我看你下午不买东西不是因为不想买，是因为想总裁想得没心思了吧？”

“你再胡说八道，小心我咬死你。”

童染笑着瞪她一眼，二人说说笑笑地走出来，刚走到街边，便迎面撞上来一个人。

童染一开始还没认出来，那男生倒是一眼就认出了她："童染！"

她一怔，几秒钟之后瞬间反应过来："罗成！"

以前她还在南音艺术学院念书的时候，提起同班同学罗成，所有人的第一反应，就是——韩青青！

罗成追韩青青，已经追到一种海枯石烂的地步，能用的手段都用尽了，不管浪漫还是刺激的，到最后，却还是没有俘获韩青青的心。

也是因为这个关系，罗成经常来找童染商量追韩青青的对策，二人也渐渐地成了好朋友。

只是，韩青青突然消失，再加上童染好久没去学校了，罗成和童染也就断了联系。

"你到哪里去了？"罗成盯着她看，"越来越漂亮了啊小染，你要是把头发披下来，我可能就真的认不出你了。"

见到老同学，童染自然也是开心的："罗成，你最近还好吗？"

"还不错，听说你找了新的学校，所以都不来南音上课了？"

"……是的。"

虽然童染已经和同学说去别的学校进修，但是罗成看出童染浑身上下都是名牌，又成熟了些，也明白了是怎么回事。

肯定是傍上大款了。

"对了，你最近有青青的消息吗？"提到韩青青，罗成的眼神瞬间黯淡下去，"我最近也去过她家，可是都说还是没消息……"

这个名字，童染听到更是觉得心里难受，她垂眸摇了摇头："没有，她也从来没有和我联系过……"

"小染，快要七点了噢。"裴若水小声提醒。

童染闻言，便礼貌地冲罗成笑了笑："罗成，我有事先走了，有空我们再聚。"

"好，再见。"

罗成站在原地，下意识地望向裴若水和童染的背影。

就这么一瞬间，恰好裴若水也回过头来，二人目光相碰，却只是一下子，裴若水便将头转了回去。

但是，就是这么一瞬间，罗成却以为自己眼花了，因为那双眼睛和看过来的目光，令他突然觉得无比熟悉……

和裴若水道别之后，童染站在银座的大街边上，正在犹豫要不要给莫南爵打个电话，突然一辆黑色的轿车就停在了身边。

她吓了一跳，车窗就摇了下来，男人俊美的脸出现在玻璃后，看到她后挑了下眉："还不上车？"

"你……"童染一怔，"你怎么来了？"

莫南爵跷着腿坐在后座上，冷淡地瞥了她一眼："你站在那儿不动，是想让我下车证明给你看下，我为什么来？"

"……"

童染想都没想赶忙拉开车门上了车。

街边，黑色的轿车一开走，一辆红色的奥迪见状便拐了个弯，又从后方开进了银座大楼。

裴若水锁了车走下来，托了下墨镜，抬腿走了进去。

她脚步很快，并没有四处逛，而是直接上了电梯，走进了方才和童染逛的那家首饰店。

"您好，欢迎光临。"

服务员刚一迎上来，裴若水便摘下了墨镜，服务员一眼便认出了她是方才来过的顾客："您好，您还需要什么吗？"

"刚才我和我姐妹买的那款男士的尾戒，"说着，裴若水走到刚才童染看戒指的那个柜台，低下头去看了看，"还有吗？"

"没有了小姐，那款男士尾戒是独家定制款，只限一款的"。

"是这样的，"裴若水看了一圈，这才将身体直起来，对着女服务员诚恳地道，"我姐妹是买给她男朋友的，他们快要结婚了，就下个月，所以她就拿这个当作礼物，但是我姐妹不好意思开口，她其实想要个和那款男士搭配的女士尾戒，这一凑成一对，寓意深刻嘛。"

"原来是这样，"服务员赞同地点点头，如果是要结婚了，肯定是要成双成对的，她善解人意地开口询问，"那小姐，您的意思是，要一款一模一样的女士尾戒对吗？"

裴若水点头："是的，你们这边可以加急做出来吗？就要和那款'染指终生'一模一样的女款。"

“这个……”服务员为难地看了一眼后方的店长，见店长摆手，继而摇头，“小姐，这个恐怕是不行的，我们店里还从来没有这样的事情……”

“从来没有的事情，我可以破先例不是吗？”裴若水说着，便从包里掏出一张卡，顺着光滑的玻璃推过去，“我加钱，你们赶工给我做出来，而且不需要设计，只要一模一样的花纹，这有什么不行的？”

“这……”

服务员面露难色，和裴若水道了句稍等，便转身去和店长商量。

裴若水神态自若地倚在玻璃柜台边，低头看着里面金光闪闪的首饰。

有钱能使鬼推磨，何况只不过是通知厂家做一款女士尾戒，店长就能捞一笔额外的钱。

这种稳赚不赔还会增加顾客好感度的买卖，傻子才会拒绝。

果不其然，不过十几分钟，那服务员便走了过来，压低声音道：“小姐，我和店长商量了，像这样的情况，是可以给您加急做的，只不过因为不是我们店里计划之中的设计和款式，所以，需要多增加些额外的加急费。”

裴若水既然已经拿出了卡，自然不会讨价还价，她勾起嘴角点下头：“好，你们说加多少就加多少。”

服务员见她没有拒绝，便拿出张单子：“这是取货单，您签个字吧，价格上面都有。”

裴若水接过来后扫了一眼，也没什么不满意的，便随手签了个假名字，抬起头道：“明天是礼拜天，我后天早上，也就是礼拜一，一定要拿到女款尾戒，因为他们那个时候要筹备婚宴了，麻烦您了。”

“好的，到时候我们会通知您的。”

从首饰店出来之后，裴若水也无心再逛，便直接下了楼，准备开车回家。

她刚走到停车场门口，掏出车钥匙，便听到身后有人喊了一句：“嗨，你好。”

她有些警惕地回过头，入目，便是一张阳光帅气的脸庞。

“你是谁？”裴若水放冷口气。

“你不记得我了？”罗成上前两步，冲她笑了下，“我和小染是朋友，你们刚刚不是一起逛街的吗？”

裴若水显然不想理他，她自顾自地走到车边解了锁："那又怎么样？"

"我们可以聊聊吗？"

"我和你有什么好聊的？"裴若水冷冷瞥了他一眼，拉开车门就要坐上去，"抱歉，我们并不认识。"

罗成急忙侧身挡在驾驶座边上："现在不是认识了吗？"

"你这人是不是神经有问题？"见他这样耍无赖，裴若水妆容精致的脸庞更加冷淡，"如果说句话就认识了，那么有只狗冲你叫两声，你难道就也变成狗了吗？"

"说话这么犀利？"罗成不怒，却将挡着驾驶座的身体退开了去，"好吧，我不和你争。"

裴若水白了他一眼："让开。"

说着，她手扶着车门，右腿刚跨进去，罗成却伸出手，直接拉住她搭在车门上的手，他目光真诚，灼灼地盯着她，突然开口喊道："青青。"

他的声音很轻，却带着深深的情感。

"什么青青？"裴若水怔了下，而后用力甩开罗成的手，力道之大，竟生生让罗成一个大男人退后了几步！

"你这人是不是真的脑残？什么青青紫紫，你要发神经去精神病院！"

说着，裴若水跨上了车，砰的一声，直接甩上了车门！

"你等等，等等！"

见她要走，罗成又冲上来，伸手用力地拍着车窗，发出砰砰的声音。

这时候处于下班高峰期，四周的巡警和路人，都不由得好奇回头看。

"你开个窗户，我有话说，就一句话！"

裴若水也知道如果在这里闹起来很麻烦又丢脸，她无奈地叹口气，只得将车窗打开，捺着性子说道："罗先生，你叫罗成对吧？我不认识你，也不是你口中的青青紫紫，你让开，我现在要回家，可以吗？"

"当然可以，我想说的就是抱歉，毕竟是我刚刚冲动认错人了。"罗成口气诚恳，见她肯开窗户，自然是好言相向地开口，"那我现在道歉，你接受吗？"

裴若水懒得和他多扯，只得点头："我接受，可以了吧？"

罗成闻言一喜，赶忙接着道："那美女，我们交个朋友吧？"

也许，他真的是中了韩青青的魔咒，对和她气场相同的女人，完全无法抗拒。

"不好意思，我从来不和神经病交朋友。"裴若水冷冷地看他一眼，将墨镜戴上，"你如果想交朋友，可以打车去第四医院，车费我出。"

说完，她从车边上的格子里抽出一百块钱，直接甩出车窗。

罗成明显一愣："你……"

"让开！"

裴若水却不再理他，直接猛踩下油门，红色的奥迪直接沿着停车场的侧栏快速地驶了出去。

"这性格……"

罗成摸了摸头，这性格还真和韩青青不太一样，青青以前虽然泼辣大胆，但是也不至于这么绝情毒舌……

也许，真的是他感觉错了。

由于路上有些堵车，等车开到帝豪龙苑的时候，已经将近晚上八点了。

周管家提前接了电话，早已准备好了晚餐。

吃过之后，莫南爵便上楼进了书房。

童染见他一直穿着西装便知道，他八成是从早上开始，就一直在帝爵待到晚上七点去接她。

童染上楼洗澡后，坐在主卧里的软沙发上，手里紧握着那个尾戒的盒子，手指轻轻地摩挲着，没来由地一阵紧张。

甚至，连平日里被她抱惯了的楠楠，这会儿也被冷落了，只能可怜地窝在她的脚边，时不时地咬一下她的裤腿，表示自己想要抱抱。

可是童染现在的心思完全不在楠楠身上，她见书房门紧闭，莫南爵肯定正在处理公事，便小心地打开了首饰盒。

红绒的盒子里面，那枚银蓝色的尾戒在开着橙色灯光的房间里，绽放出耀眼的光芒。

尾戒的内圈，雕刻着极小的"染指终生"四个字。

她在店里的时候已经看了很多遍，可是这会儿还是细细地看着，越看，越觉得喜欢。

而后，她轻轻地拿出尾戒，试着朝自己的小拇指上套了下。

她的手指很纤细，不同于莫南爵的修长，是那种女人特有的秀气，尾戒套在她小拇指上，足足大了一圈。

童染皱了皱眉头，这样的礼物，于他来说，着实……小了点。

七千七百七十七，这样的价格，莫南爵可能连眼皮都不会抬一下。

还没送出去，童染便担心了起来，她从来没有送过男人东西，以前和洛大哥在一起的时候，从来都只有他送她，她没有主动过……

想到洛大哥，童染心跳骤然一顿，她将尾戒从小拇指上取了下来，放进了红绒盒子里。

她在心里对自己说，这个尾戒，只是回赠而已。

刚盖上盒子，书房门锁就动了下，随后，莫南爵便推门走了出来。

童染手一抖，红绒的盒子便顺着滚下来，掉在了软沙发的沙发垫里。

她吓了一跳，却不敢伸手去掏出来，只能愣愣地坐着。

“你一脸失神地在做什么？”莫南爵穿了件深蓝色的休闲衬衫，皱眉睨了她一眼。

童染神色不自然地干笑两声：“没……没什么，就在等你。”

莫南爵霸道地搂住她的细腰，享受着手心传来滑嫩的触感，在她耳边低声将话题岔开：“今天，什么都没买吗？”

童染自然知道他为什么会这么问，那张卡是副卡，如果她刷了，他肯定会接到提示，所以她轻点了下头：“嗯。”

“为什么不买？”

“……没什么特别喜欢的。”

莫南爵挑起她耳际的碎发：“是不想买，还是不想花我的钱？”

“……”被看穿了吗？

童染红着脸抬起头：“莫南爵，你把卡给我，你不怕我带着钱跑了吗？”

“你觉得，除非我同意你跑，不然你能跑得了吗？”莫南爵闻言勾起薄唇，俊美的脸庞在橙黄色的灯光下有一种致命的魅惑，“或者说，没了它，你就算跑了，能活得下去吗？”

话落，他颀长的身体向下俯，便直接将她压在了偌大的软沙发上。

随即，炙热的吻就落了下来。

童染急忙伸手撑住他的胸膛：“你先等等……”

莫南爵不耐烦地抬起头，直接握住她的小手，顺着她青葱的十指碎吻了起来：“等什么？”

“我有事情和你说……”

“什么事情？”莫南爵警觉地拧起眉。

童染拍开他的手：“我有个东西要给你。”

童染见止不住他的动作，只能伸手朝沙发缝隙里摸去，摸到那个红绒的盒子，急忙朝他怀里一塞：“这个……给你。”

“什么？”莫南爵见她还真的塞了个东西过来，这才顿了下动作，左手还搂着她的细腰，右手接过去，食指将盖子打开。

就那么一瞬间，他竟然浑身一震！

而后，视线定格在首饰盒上。

童染有些莫名地紧张，紧睨着他的神色，见他不动，只得动了动被压着的肩膀：“莫南爵，你……不喜欢吗？”

“你什么时候买的？”莫南爵这才开口，视线依旧没有离开首饰盒。

“就今天。”她老实回答。

“今天？”莫南爵皱了下眉，“你用什么钱买的？”

“用我自己的卡，”童染怕他又误会什么，急忙补了句，“是我原来在琴行弹琴带学生攒下来的钱。”

“多少钱？”

“七千七百七十七。”童染有些不高兴地伸出手，将他手里的盒子夺了过来，“你不喜欢就算了，我明天拿去退了。”

“你敢！”

童染也学着他冷哼一声，小腿在他腰侧蹬了下：“反正你又不喜欢，退不退的，难不成你还稀罕那点钱？”

他摊开手掌，掌心内，一枚银蓝色的尾戒静静地躺着：“帮我戴上。”

“好。”

童染点下头，刚要伸手去接，莫南爵却将尾戒拿起，直接放在她的粉唇边：“我要你用嘴帮我戴上。”

“……为什么？”

“因为这样记忆深刻。”

“……”

“快点！”

童染无奈，抿了下粉唇，他递过来时，她却突然开口：“莫南爵，这款尾戒叫染指终生。”

“染指终生？”莫南爵指尖转了下，果然在尾戒内圈看到了这四个娟秀的小字。

他邪肆地勾唇：“童染，你要染指我的终生？”

童染怒瞪他一眼，贝齿轻咬住尾戒的一端，顺着他右手修长的小拇指就套了进去。

莫南爵伸出手，修长白皙的小拇指上，银蓝色的尾戒镶嵌其上，随着他的动作，折射出奢华耀眼的光芒。

这样的尾戒，也就只有他戴着，才能将那种尊贵的味道体现得淋漓尽致。

“好看。”她由衷地点头，真的很适合他。

“我忘了告诉你，”莫南爵将她的秀发拨开，下巴抵在她的颈窝里，“在美洲的一些国家，用嘴戴戒指，就代表着‘戒由心生，至死不放’的意思。”

“……啊？”

“其实，也就是求婚。”莫南爵这才邪肆地勾唇。

“鬼才和你求婚——”她一掌甩过去。

莫南爵不怒，精准地咬住她甩过来的纤细手指：“求都求了，还能抵赖？”

随即，他抱着她起身走到床边。

“童染。”

“嗯？”

“从今天开始，我不会再弄疼你，”莫南爵说着，将戴着尾戒的右手同她的右手相握，童染甚至能感觉到那尾戒被他的体温焐热，“我会让你也跟着我一起舒服。”

对他突如其来的温柔，她怔了下，下意识地问：“为什么？”

“因为你已经和我求婚了。”

“……”

“乖，”莫南爵不再逗她，而是俯下身，直接吻住她的嘴角，“童染，既然你染我一指，那么，我要你一生。”

周末一天的时间总是过得很快，周一的早晨，太阳又如往常般升起。

裴若水拎着垃圾袋从公寓匆匆忙忙地下来，她看了一眼时间，七点十五分。

她开车到银座差不多要半个小时，拿了尾戒后，再从银座开车到帝爵，也差不多半个小时。

八点上班打卡，很明显，她的时间来不及。

可是，对方已经通知了她今天早上去拿。

裴若水嘴里咬着一片土司，就算蹬着七厘米的高跟鞋也走得很快，心想，要不今天就迟到一下，顶多扣点工资，也关系不大。

这么想着，她稍稍放慢了脚步，刚从公寓的楼梯口走到车库，便看见自己的奥迪车旁边站着一个人。

裴若水怔了下，看清来人是谁之后，化满浓妆的脸庞顿时冷了下来：“你怎么会知道我住在这里？”

罗成扔掉手里快要燃尽的烟头，他上前两步，扫视了一圈裴若水：“你出来得可真早，我真怀疑，如果你每天都这个时间出门，是不是工资会被扣光？”

“关你什么事？”裴若水冷冷地看他一眼，“你最好不要再跟踪我，否则我会报警。”

罗成也跟着她的脚步上前，单手撑在她车子的引擎盖上：“谁说我跟踪你了？”

裴若水扶着车门看向他，语气已有薄怒：“我们昨天才认识，你今天就知道我住在这里，并且一大早的还来发神经病，难道这不是跟踪吗？”

“你这人怎么这么自恋呢？”罗成耸耸肩，随便朝边上的单元楼一指，“我也住这里，难道这里被你承包了？”

“我不管你住这里还是住第四医院，那是你的事情，总之你让开，别挡我的道。”

“我们说点别的吧，比如……”罗成稳住呼吸，忽然大力地将她的车门拉开，扯住她的右臂，“你是什么时候回来的？”

“你放开我！”裴若水用力甩开他，“你这人怎么这么不要脸，死缠烂打的？！”

“我死缠烂打的技术，你又不是第一天见，至于这么惊讶吗？”

罗成这会儿用了真力气，直接将她从驾驶座里拖了出来，裴若水毕竟是女人，力气敌不过他，气极便一巴掌甩到他脸上：“你到底想做什么？”

啪——

罗成被打得偏过头去，他的脸色瞬间沉了下来，而后，突然转过身，搂住裴若水便将她按在车门上：“我就想问问你是什么时候回来的！我就想问问你，这么久了，你走了这么久，就从来没有想过我们一次吗？”

“我听不懂你在说什么！”

“韩青青！你知不知道我有多想你？你知不知道我等了你多久？”

“我不是韩青青！”裴若水怒吼一声，尖细高跟鞋就直接朝罗成的脚背上踩了下去，“我已经说了很多次，我不是什么韩青青！以前不是现在不是以后更不可能是！你给我滚！滚！”

脚上传来剧痛，罗成却也顾不得，他一手扯住她，身体探入车里，将放在副驾驶座上的垃圾袋拽了出来，用力地朝地上一摔！

“你不是韩青青，为什么早上下来看到我在等你，就连垃圾都忘了扔？”罗成说着蹲下身，从被甩出来的垃圾中，捡起一个牛奶盒，“你不是韩青青，为什么也一样爱喝这种巧克力口味的牛奶？我记得我以前买过三箱给你，你一个月不到就喝完了！哪怕你人变了，可是习惯不会变！”

“你这人无不无聊？”

裴若水冷眼看着他的动作，自始至终没有一丝一毫的情绪波动，声音也是异常地冷静：“你要我说给你听吗？第一，忘了扔垃圾只是因为现在垃圾是统一在大门口扔，并不是在这里。第二，这种牛奶，全国起码有三亿人在喝，难道在喝的这些人，都是你口中的什么韩青青吗？那未免也太可笑了！”

罗成被她说得一愣，突然间也不知道该怎么回答她。

“我并没有冒犯你的意思，我只是想要一个答案……”

“我该说的都说得很清楚了。”

“我不管你换了个样子回来是为什么，又为什么瞒着小染，但是青青，你想做什么可以告诉我，我都会帮你的，我是爱你的……”

“罗先生，你再这么不听劝，我就真的要报警了。”

不管她说什么，从她那天下午回过头的那一眼，他心中便有一种强烈的感觉，她就是韩青青。

也许真的是他认错了，又也许是她不肯承认，总之，只要有找到韩青青的希望，他罗成就绝对不会放弃！

帝爵大厦顶层。

童染坐在办公桌前有条不紊地接着电话，已经有过工作经验，所以现在处理起来不会像第一天那么手忙脚乱。

她正在记录着会议名单，内线电话便响了起来，接通后，莫南爵沉稳磁性的声音传了出来：“让营销部主管带着明年的销售范围计划表上来一趟。”

而后，不等她回答，他便已经挂了电话。

他在工作中从来都是这样，童染也不觉得有什么，她是总裁秘书兼助理，所以可以看到帝爵集团的出勤以及现在在岗人员表。

她点了两下鼠标，移动到现在在岗情况，十七层的营销部，主管裴若水的位置显示的是红色的。

这就表明，她还没有来上班。

童染皱起秀眉，并没有告诉莫南爵，而是站起身走到洗手间，掏出手机给裴若水打了个电话。

不过几秒钟，那边便接了起来，童染急忙问道:“若水，你没来上班吗？”

“噢，我已经在路上了。”

此时，裴若水恰好从银座的首饰店走出来，手里还拿着那款定做的女士尾戒。

“马上就能到吗？”童染有些担心，毕竟莫南爵的脾气，如果知道裴若水没来上班而且还没有请假，说不定会不高兴……

她压低了声音："若水，你尽量快点过来，总裁找你有事情。"

"好的，我在四环路这边堵着车呢，我抄近道走吧。"

裴若水走进电梯，用侧脸夹着手机，再次确认尾戒的款式无误后，这才将盒子盖好放进包里，继续开口说道："今天早上在小区遇到一个神经病，非说我撞着他了要赔，现在已经没事了，小染，你先帮我顶一下啊，我马上就到公司。"

"好的，反正你尽量快些，"童染朝外面看了一眼，"不过要注意安全啊，到了之后你就直接上来，记着带明年的销售范围计划表。"

"好，谢谢你啊小染。"

"不用啦，跟我客气什么。"

挂了电话之后，童染稍稍松了一口气，她刚走出洗手间，便见莫南爵双手环胸，笔挺地站在门口。

"你在跟谁打电话？"莫南爵也是刚刚发现她不在位置上。

童染心下一惊，忙摇头："没什么，一个朋友而已。"

"你的隐私，必须在我允许的范围之内。"

话落，莫南爵也懒得和她说那么多，直接大步上前，一手搂住她的细腰，一手绕到她的背后，直接握住她的左手腕！

而后，扳着她的肩，直接将她用力地抵在了玻璃门上！

随即而来的，是狂风暴雨般的热吻！

玻璃门外，蓦地传来一声饱含惊讶的女声："总……总裁。"

童染一惊，门口的玻璃门并不是磨砂的，也就是说，如果有人站在外面，刚才的事情就被别人悉数收入眼底！

思及此，她忙转过头一看，只见裴若水抱着文件夹站在门口，手还呈敲门的姿势顿在半空中，微张着小嘴："我……我待会儿再上来吧。"

莫南爵俊脸冰冷地瞥她一眼，视线带着警告扫过童染，仿佛在说：等下再找你算账。

而后，他修长的食指轻弹下西装的领口，转身就朝内室走去。

末了，还甩下一句冰冷的话："拿进来。"

砰——

直到内室的玻璃门被大力甩上，童染才回过神来。

门口的裴若水显然也被吓住了，她惊讶地看向童染，已然忘了还隔着玻璃门："怎么回事？"

童染走过去拉开门让她进来，摇了摇头："没事。"

"总裁刚才……在强吻你？"裴若水暧昧地看向她还泛红的嘴角，将眼里的精光掩下去，只剩一抹艳羡，"天啊，小染，你好幸福啊！这是多少女孩子的梦想啊！"

"幸福？若水，你就别逗我了。"童染翻了个白眼，应该是羞愤才对吧？

"好啦好啦，我开个玩笑的，"裴若水拍了拍她的肩，"我先进去了，耽误太久了该挨骂了，今天早上的事情谢谢你啊小染。"

童染由衷地绽开笑容，她亲昵地帮裴若水拉了拉领子："若水，别和我客气，早上的事情解决了吗？那人没有继续赖着你吧？"

"没事，也就是个故意碰瓷的，给点钱就打发了，算我倒霉呗。"裴若水也回以微笑，而后吐了下舌头，"好了，我真的要进去了，要不然总裁待会儿一生气把我给开了。"

"快去吧。"

童染转身走回办公桌，在她坐下去看电脑屏幕的一瞬间，裴若水正好推开内室的门。

而后，她将右手伸进职业装的口袋里，快速地将那枚女士尾戒套在了自己的小拇指上。

内室偌大的办公桌前，莫南爵正低头翻阅着计划书。

"总裁。"裴若水将计划表放在办公桌上。

"放着，出去。"

"总裁，我还有事情要汇报，"裴若水咬咬唇，侧眸看了一眼外面，见童染正接着电话，这才开口，"我想和您汇报一下意大利那边的销售情况，最近不容乐观。"

莫南爵头也不抬："说。"

"是这样的，"裴若水俯下身，拿起桌上的计划表递到男人面前，右手指着上面的数字，"意大利方面，最近减少了百分之三的销售额度，应该是和代言的影星有关系……”

莫南爵听她说着，半晌才将目光移到计划表上，浅眯的桃花眼刚扫过上面的销售曲线。

蓦地，定格在女子的右手之上。

“总裁，需要替换掉代言的影星吗？”

莫南爵紧抿着唇。

半晌听不见回答，裴若水试探性地唤了一句：“总裁？”

莫南爵眉头紧皱，视线聚焦在她右手小拇指上的尾戒，突然开口问道：“你这是哪里来的？”

裴若水一怔：“总裁，您说什么？”

“我说，这个尾戒。”男人抽掉她手里的计划表，这样看得更加清楚，那尾戒的上面，雕刻着一只凤。

他的尾戒上，是一条龙。

龙和凤，明眼人一看便知，这尾戒从做工到样式，都属于同一款。

“这尾戒……”

裴若水好像刚想开口，瞥见莫南爵右手上也戴着一款尾戒，她见状一惊，急忙将右手藏到背后，顺带着退后两步：“没什么。”

“说。”

裴若水佯装害怕，连连摇着头：“总裁，真的没什么……”

莫南爵眯起眼睛，冷下声音：“我问你哪里来的！”

裴若水闻言浑身一震，也不敢再不开口，只得断断续续地说道：“是，是小染给我的……”

“她为什么给你？”

“是……是这样的，那天，也就是前天下午我们去逛街，然后她买了两枚情侣尾戒，好像……好像是要送人的。”

“说下去。”

“买了之后小染打了几个电话，好像对方没有接，然后……然后我们等了一会儿，还是没人来，最后快要七点了，小染就说应该是等不到了，我看她心情好像不是很好。”

莫南爵左手搭在椅背上，食指在腿上轻敲着：“就这样？”

“然后，小染说不想白白浪费掉自己的钱，就……就顺手把这款女士的尾戒送给我了，她说……”

说着，裴若水又止住了声音。

莫南爵烦躁地拧眉：“她说什么？”

“她说，男士的，她随便找个人送掉就算了。”

话落，莫南爵俊脸明显一沉。

裴若水见状吓了一跳，她咬着唇攥紧衣袖：“总……总裁，您别生气，我也不知道小染会把男士的送给您，要不然……要不然打死我，我也不敢戴在手上的……”

首饰店那边，她已经打好了招呼，如果有人来问这款尾戒，就是她姐妹的未婚夫，为求保密，所以，首饰店的人是不会透露戒指的任何信息的。

所以，店员是不敢多说什么的。

再者，童染买的时候并没有开发票，她折回去买的时候，连带着童染买的男士尾戒一起向店员开的发票，哪怕查的话，也算是可以证明，两款尾戒是一起买的。

这些都是两手准备，裴若水认准的是，莫南爵并不会大费周章地去查，因为这并不是什么大事。

但是，星星之火，到最后，是可以燎原的。

蓦地，莫南爵开口，声音低沉：“这件事情，就当我没有问过你，闭紧你的嘴巴。要是被我听到在外面乱传，我会让你一辈子开不了口。”

裴若水低眉顺目，端正地点头：“是，总裁，我知道了。”

“还有，你手上的那枚尾戒，我希望，刚才是它最后一次出现在这个世界上。”

“是，总裁。”

裴若水闻言也不敢怠慢，忙将右手小拇指上的尾戒取下来，放进口袋里：“总裁，您放心，我今天之内就会处理掉，不会给您添不必要的麻烦。”

莫南爵重新拿起桌上的计划表，扫也没扫她一眼，冷声道：“出去。”

“那，总裁，我就先走了，计划表放在这里了。”裴若水恭敬地点了下头，而后走出来，带上了门。

她一出来，正在安排会议座位表的童染便抬起头，朝里面瞅了一眼，见莫南爵进了一旁的单人视频会议室，这才小声道："若水，没事吧？"

"没事，"裴若水早已恢复了正常的模样，她笑着摇头，"总裁还挺好的，没有问我迟到的事情，没有生我的气。"

"那就好，我还担心你被骂。"

"有你帮我撑着，总裁哪能骂我呢？"

"去去去！你再说我挠你痒了。"

裴若水暧昧地笑了下："好啦，我先走了，对了，"她说着拉过童染的手，"小染，过几天，我也不确定是哪天，你能陪我去吃个饭吗？"

童染斜睨她一眼，打趣道："怎么，刚才不是才笑我，这么快就想着报答我啦？"

"不是，是和我男朋友……还有他的家人。"

裴若水说着低下头去，神色有些许悲戚："我的家人都不在锦海市，可是我男朋友说，希望我能够和他家人一起吃个饭，想让我们认识认识，我刚来帝爵上班，在这里也不认识什么人，但是我又不想一个人去……"

"你家人还不知道你和男朋友的事情吗？"

童染见是这样关键的事情，也不再开玩笑，认真地问道："我陪你去是没问题的，可关键是，这样重要的饭局，你家人如果不来的话，对方的家人是不是会不高兴？"

"主要是，我和我男朋友的事情，我家人还不知道，总不能让他们为了一顿不确定的饭特意赶过来吧？万一要是闹得不欢而散，我爸妈还不得打死我啊。"

裴若水说着有些哀求地看向她："小染，我知道这样的饭局很尴尬也很无聊，但是我在锦海市什么人也不认识，只能找你陪我去了……"

童染反握住她的手拍了拍，由衷地道："若水，你别想那么多了，我陪你去。"

"真的吗？"裴若水眼睛一下子亮了起来，她高兴地拉着童染的手，"那，小染，谢谢你了，具体时间还没定，也就这个礼拜，我到时候通知你。"

"好，那到时候联系。"

"那我先下去忙了噢。"

裴若水点点头，她推开玻璃门走出去，还不忘回头朝童染挥了挥手。

而将头转过来时，嘴角却弯起了一抹寓意深刻的笑容。

到了下班时间，莫南爵一如既往地比别人都迟些走，童染也一如既往地一边安排着明天的日程，一边等他。

该做的都做完了，童染百无聊赖地趴在桌上，纤细的小腿有一下没一下地在椅子上晃着，手中拿着一支笔，在A4纸上漫无目的地涂涂画画。

她的手很巧，虽然没有学过，但是画出来的东西还是很不错的，不一会儿，一张俊脸就在她的笔下跃然而生。

童染拿起来端详了一会儿，嗯，鼻子够挺，眼睛够魅，脸庞够俊，嘴唇够薄……

可是，总觉得有哪里不对劲?

她眯起星眸，半晌，才提笔在俊脸的边上画上一个说话框，然后在里面写上八个大字：“我莫南爵是个浑蛋！”

啧，这样一看，才有莫南爵的味道。

想着，她又提笔给俊脸上添了两行清泪，再顺便把原本抿着的薄唇改成一个傻乐傻乐的弧度。

就连眼角和剑眉也稍微改成了喜剧效果……

“噗——哈哈哈！”童染拿着A4纸，越看上面的人越觉得搞笑，是长得很帅，但被她这么一改，好像给改残了……

正当她捧着画自娱自乐笑得天翻地覆的时候，内室的磨砂玻璃门蓦地被推开。

莫南爵系着袖扣从里面走出来。

走到她的办公桌边，他停下脚步，扯了下西装领带，眉梢清冷地看着她。

“呃……”童染的笑声戛然而止，手里还竖着那张涂改无数次的A4纸。

静默了半晌，童染勇敢地主动打破沉默，她站起身，装作若无其事地将A4纸扔进了抽屉里：“那个，我们走吧。”

却不料，莫南爵大手朝她面前一伸：“拿来。”

“什么东西？”

“刚刚那张纸。”

“……只是张普通的纸而已。”他有必要非看不可吗？

“第二遍我就不只是用嘴说了。”

“……”难不成用鼻子说吗？

童染咬咬牙，可是却不能不照做，她弯下腰在抽屉里一阵翻找，故意将画着画的那张A4纸拨动到里面去。

可是，正当她准备随便抽一张出来的时候，莫南爵却突然上前两步，修长的手指一夹，轻而易举地将那张她努力藏起来的A4纸抽了出来。

她吓了一跳，急忙伸手就要去抢：“不是这个……”

莫南爵冷着脸，抬手将A4纸举到她够不着的高度，抬眸扫了一眼。

就这么一眼，他原本就冷然的脸色，变得更加低沉！

“童染，你每天来上班，就是在画这种无聊的东西？”

“不是的，”童染急忙摇头否认，“因为已经属于下班时间了，我在等你又很无聊，所以才画的……”

“哦？”莫南爵眉梢一挑，“你承认是你画的了？”

“……”

“下次再被我看见你画这些乱七八糟的东西，我就让你一辈子也接触不到纸和笔。”

莫南爵冷冷地开口，却并没有把那张画丢掉，而是折起来之后，放进了口袋里。

童染愣愣地看着他的动作，一时之间，也忘记了该做什么。

因为已经过了高峰期，一路上并没有堵车。

车里的气氛出奇地沉静。

童染坐在后座的左边，有些奇怪地侧眸看了一眼身边的男人。

莫南爵双腿交叠着，修长的右手搭在车窗边，他侧着俊脸，黑眸随着窗外晃动的街灯而渐渐眯起，薄唇轻抿。

右手小拇指上的尾戒，绽放出银蓝色的光芒。

从上车到现在，他一句话都没有说。

她习惯性地点开微博主页，刷新了下，第一条，就是傅氏集团的官方微博。

【今日，洛总和洛太太一同去花卉园，为开业大典剪彩，两人恩爱有加，场面盛况空前。】

图片上，洛萧和傅青霜都穿着礼服，二人一同举着一大把红色的玫瑰花，双双面向镜头，笑得灿烂。

细心的人不难看出，洛萧的手，始终是覆在傅青霜手背之上的。

童染心尖震了下，她垂眸看着那张照片，握着手机的五指不自觉地收紧。

而后，她控制住情绪，指尖向下滑去，立马看到了被置顶的一条评论。

【网友提问：不对啊，标题有误啊，怎么变成洛太太了啊，洛萧和傅青霜不是还没结婚呢吗？之前只是订婚典礼啊，坑我们啊！】

这条评论被置顶，是因为得到了傅氏集团官方微博的回复。

【傅氏集团回复：是这样的，洛总和太太的感情一直很好，犹胜夫妻，再加上婚期将近，所以媒体朋友们也就这样写了。在婚礼的当天，会邀请很多业界的亲朋好友共同庆祝，届时本微博将会有第一时间的通知。谢谢您的关注和关心。】

犹胜夫妻。

婚期将至。

还没等她手指滑过返回键，眼前骤然闪过一个黑影。

紧接着，握着手机的手顿时一空。

“你做什么？”

童染吓了一跳，糟糕，手机的界面还停留在傅氏集团的官方微博上！

要是被他看到的话，以莫南爵这种多疑和敏锐的性格，指不定会想到什么！

想着，她朝他那边挪了过去，伸手就要去抢：“莫南爵，你还给我！”

莫南爵显然不可能让她抢到，他将手机放进自己胸前的口袋里，眯起眼睛冷睨着她：“还给你什么？”

“手机！”

“你想要手机做什么？”

“那是我的手机。”

“你人都是我的，何况一支手机？”

“你为什么这么想要这支手机？”莫南爵修长的指尖玩转着纯白色的手机，“莫不是里面藏着哪个野男人的联系方式？”

“我说过，不说话，就当你是默认了。”莫南爵冷冷地开口。

而后，他突然从口袋里掏出手机，手腕扬了下，直接从半开的车窗口扔了出去！

童染大惊失色，她急忙扑到车窗边想要将手机捞回来：“莫南爵，你疯了是不是？”

可是手机早已飞出去，白色的物体在路面上滚了两下，最后好不容易停了下来，却刚好被一辆飞驰而来的大货车直接轧成了碎片——

嘎嘣！

童染甚至还清晰地听到了机身被碾碎的声音。

帝豪龙苑的餐厅里，周管家已经准备好了西式和中式两种晚餐，童染进去的时候，并没有看到莫南爵坐在桌边。

“童小姐。”周管家看到她，盛好汤后放在了桌边。

“谢谢您。”

童染微笑地点头，而后朝楼上看了一眼：“莫南爵他……”

“少主说……”周管家为难地看向她，顿了下还是按照莫南爵的吩咐说道，“少主说，让您用完晚餐后，快点滚上楼。”

“……”

“童小姐，少主就是这个脾性，其实也不能怪他的……”周管家朝楼上看了一眼，这才继续说道，“少主是很在乎您的，他心里有您，这个我能看出来。”

“周管家，您是跟着莫南爵从美国过来的吗？”

“是的，我算是看着少主长大的了，他还这么小的时候，”周管家比画了下，“我就跟在他身边了，少主也曾经天天对我发火……”周管家说着摇摇头，浑浊的眼里露出怜惜的神色，“少主这样喜怒无常的性子也不是一天两天造成的，他有他的苦衷，受够了苦楚，他小时候也是个可怜的孩子……”

“谁让你多嘴的？”

蓦地，楼梯上传来一声清冷的厉喝声。

莫南爵双手环着胸，冷冷地站在楼梯上俯视着他们。

他向来都是以这种姿态出现在大家面前。

周管家轻咳一声，赶忙止住前面的话题，恭敬地垂首：“少主。”

莫南爵睨他一眼：“下次再让我听到你胡说八道的，你就可以卷铺盖养老去了。”

“是，少主。”

童染也不想连累了周管家，毕竟，是她先问起来的：“你别误会，是我问的，和周管家没关系……”

“知道错就滚上来。”

说完这句话，莫南爵一甩手，就转身回了房间。

“……”

主卧的门并没有锁，童染进去的时候，就见莫南爵靠在软沙发上，手里，还拿着几份文件翻看着。

她带上门，端着汤走过去：“先喝了汤再看吧。”

莫南爵将手里的文件甩到一边，忽然用力扯住她的手腕，将她强搂进怀里。

莫南爵半眯着桃花眼，将瓷碗递到嘴边，薄唇轻抿了一小口后，对准童染的唇，直接喂了下去。

就这么一小碗汤，莫南爵来来回回喂了二三十口，才见了底。

最后，男人舌尖轻舔了下她的嘴角，意犹未尽地松开了她。

一得到自由，童染赶忙用手背抹了抹唇瓣：“莫南爵，你不嫌脏吗？”

“怎么，难不成你嫌脏？”看见她一脸的嫌弃，他脸色瞬间沉了下来。

童染懒得和他多争辩，转身就走。

“你给我站住！”莫南爵见状怒吼一声，“童染，你现在胆子大得不行了是不是？”

童染听见身后震动整栋别墅的怒吼，也没回头，而是径直走进了试衣间。

出来时，手里拿着银白色的吹风机。

莫南爵轻眯起眼角，感觉到阵阵暖风穿梭在他沾着水珠的发间，连带着的，还有一双柔软而又冰凉的小手。

这副场景，日后，莫南爵每每回忆起来，都觉得像是陷进他心里的一根细针，再怎么努力，也不可能拔得出来。

童染纤细如葱白般的手指顺着他深棕色的发丝捋了几下，直到感觉不到湿意，这才关了吹风机："已经干了。"

说完，她便直起身体准备把吹风机放回去。

刚擦过莫南爵的肩膀，腰部却骤然一紧，下一瞬，身体整个跌进了一个宽厚冰冷的怀抱。

"好，说正经的，"莫南爵郑重其事地点了下头，这会儿手倒也老实，搂在了她的细腰上，"为什么要给我吹头发？"

"我是你的私人秘书，这只是在尽我的职责而已。"

莫南爵颠了下腿，让童染的后背贴在自己的胸膛上，他扬起右手，小拇指连同那耀眼的银蓝色尾戒，便贴在了她白皙的侧脸上。

莫南爵眯起眼睛，终于开口："那，送尾戒也是职责？"

见她不说话，他剑眉轻拧，扳过她的脸面向自己："童染，我在问你话。"

童染皱了下眉，虽然她掩饰得很好，但是眼里的那一抹不自然，还是被莫南爵敏锐地捕捉到了。

她眼里的不自然，只是因为连自己都无法解释，为什么会想要送他戒指。

早上在帝爵顶层的办公室，裴若水的那番话还言犹在耳，虽然莫南爵并不太相信，因为女人之间的这种尔虞我诈钩心斗角，他真的很讨厌。

但是，她此时此刻的反应，加上她早上偷偷摸摸打电话，再加上那块怀表……

"说话。"他并没有依言放开她，索性搂住她的肩头，将她侧抱在怀里。

"你要我说什么？"这个姿势让童染有一种被审问的感觉。

莫南爵皱眉，其实，他也不知道自己想问的是什么，他只是想，只是希望，她是为他买的，是特意为他买的。

莫南爵抿紧的薄唇松开：“戒指，你是想买给谁的？”

“当然是买给你的，怎么这么问？”童染怔了下，而后反应过来，小脸上浮起一抹不悦，“莫南爵，你什么意思？”

“没什么意思，随口一问。”

“你在怀疑我什么？”

“怎么，你承认你有地方可以让我怀疑？”

“没什么，你信就信，不信，就把它扔了吧。”

说完，她站起身就朝浴室走去。刚走了没两步，身体便被拥进一个怀抱里。

莫南爵贴着她的后背，低沉的声音在她耳边响起：“童染，说，你买这枚戒指，是因为爱我。”

她还因为刚才的问题而心情不爽，闻言无奈地叹口气：“莫南爵，你又发什么疯？”

这男人的脑袋里到底在想些什么？

“你只要说，我就信你。”莫南爵双臂搂紧她。

童染没好气地回了一句：“我说你是浑蛋，你也信我吗？”

“你如果敢说，我就信。”

“……”好吧，她可不想说了之后白白受罪。

“莫南爵。”见身后的男人只是抱着她，良久都没有说话，童染抬眸，轻轻地唤了一声。

虽然是背对着的，看不见他的脸，她白净的小脸上依旧是一副很认真的表情：“我既然买了尾戒，送给了你，那么，这枚尾戒就是你的。虽然并不值钱，但是也是我为你买的，只是为你。我不可能做出买给别人，最后却又送给了你这样的事情，那不只侮辱你侮辱我，也侮辱了这枚尾戒。”

顿了下，她才又补了一句：“希望这一点，你可以相信我。”

莫南爵闻言，并未露出一丝一毫的疑虑，只是轻点了下头：“好，我相信你。”

童染一怔，没有料到他会这么轻易地相信：“真的？”

“我说了，只要你说，我就信你。”

莫南爵下意识地摸向自己戴着尾戒的右手。

其实，方才哪怕她不解释，或者是直接和自己吵起来，这枚尾戒，他也是怎么都舍不得扔的。

因为，这是她第一次送他东西，更是她染指他的证据。

接下来的一段时间，整个帝爵都特别忙，据说，是一年一度的国际金融会议在澳大利亚举行。

这类型的会议，莫南爵虽然从不露面，但是许多消息却源源不断地需要从他手里过。

这个男人，就算人不在会议室，却依旧操控着正在进行的一切。

从周一上班开始，童染手头的三部外线电话就没有停过，各种各样的人打进来，一直忙到周六中午，童染觉得自己已经快要残废了。

好不容易挨到了下班时间，童染从座位上站起身，伸了个懒腰，就见裴若水抱着文件走进来。

“小染，总裁呢？”裴若水笑意盈盈地看着她，“怎么了，昨晚又劳累过度啦？”

“你再讲我真的会咬你！”童染冲她比了个杀无赦的手势，而后低头朝液晶电脑屏幕上看了一眼，“总裁去开会了，估计不到晚上出不来了。”

“要这么久？”

“万达集团的企划案，很麻烦，对方的人一两周了还在犹豫不决。”

童染说着揉揉太阳穴，莫南爵真是脑力精力双重惊人，要是一天到晚让她看这个企划案那个企划案，又都复杂得很，她真的撑不了两天就会疯掉。

“那这个报表就先放这儿吧，下周一看也不迟。”

裴若水说着将文件放下，突然拉起童染的手，问道：“小染，你晚上有空吗？”

童染回想起之前她说过的饭局，点头道：“是和你男朋友家人吃饭吗？”

“是的，今天早上来电话了，说已经订好晚上在锦欢大酒店的位置了，我忙到现在才跟你说，也不知道你有空没……”

“有的，我还能有什么事情？”

“你下午还要在公司帮忙吧？”裴若水侧眸看了下时间，“那五点钟我来公司楼下接你噢。”

“好。”

和裴若水道别后，童染忙了整整一个下午，如她所料，一直到晚上五点，裴若水给她办公室座机打电话说在楼下的时候，莫南爵还在十七层开会。

想了想，她抽出一张A4纸，用加粗的记号笔在上面写了她去做什么和所去的酒店地址，摆在了莫南爵办公桌上最显眼的地方。

童染走进总裁内室将身上的职业套装换下来，甚至还用座机打电话给楼下的裴若水，问她穿了什么衣服，避开她穿的颜色，最终，才做了决定。

她挑了件双臂双肩镂空的白色束身雪纺衫，下身搭配桃红色的紧身铅笔裤，简单又清新，却不经意中显出高挑和纤细的身材。

刚走出帝爵大厅，童染就看到裴若水的车停在门口，她走过去拉开车门坐上去：“若水，你等很久了吧？”

“没呢，我也才刚来，”裴若水笑着看向她，打量了一阵，由衷地感叹道，“小染，你的身材可真好。”

“哪里好了，都没长几两肉。”

“要肉做什么？女人嘛，该有肉的地方有就行了，别的地方，还是像你这样纤瘦的好。”裴若水边发动车子，边艳羡地说道，“不愧是总裁看中的女人，小染，我看整个帝爵也找不出一个比你脸蛋身材好的。”

“你这一天不贫我会死是吧？”童染佯装生气地斜睨她一眼，却并未将她话里的深意放在心里，她现在的心思，完全放在了一会儿的饭局上。

毕竟，在童染看来，结婚是一件很庄重的大事，和男朋友的家人见面，就是迈入婚姻殿堂前最重要的一步。

她满面愁容地替裴若水担心起来：“若水，你说，等会儿吃饭的时候，我该帮你说什么啊？还是不说话安静点比较好？”

“就正常地说话吧，他人很绅士的，我估计他的家人应该也不会太难说话的。”

“那就好，若水，我会适时帮你说几句的，你记得要多和他家人聊聊，对了，这次来的是他的父母吗？”

“不是，他说，可能是妹妹和妹夫，好像也是住在一起的吧，不过他没和我细说，只是说很重要的家人会来。”

“没事，有你姐们儿我在。”童染怕裴若水因此而紧张，还装作强壮地拍了拍胸脯打保证。

裴若水微笑着点头，她开着车，在指示牌变成红灯时踩刹车停住，这时候天已经完全黑了下来，四周，都是绚烂霓虹的彩灯，照射在车窗上，倒映出七彩的光晕。

童染见状，情不自禁地伸手去触碰那些光芒。就在快要碰到的时候，一旁的裴若水突然开口，声音带着几分夜色的朦胧：“小染，你一直是一个人吗？”

“什么？”童染闻言怔了下，纤细的手指收了回来。

“哦，没什么，我只是突然想到，你好像一直都和总裁在一起，没看到你和朋友在一起。”

略微顿了下，裴若水侧过头，妆容精致的脸庞面对着童染，乍一看，倒是有几分不自然：“你没有闺蜜和好朋友吗？”

见她低眸不语，隐约露出继续悲伤的神色，裴若水咬了下嘴唇：“小染，对不起……我是不是说错了什么？”

“没事的，若水，和你没关系，你别多想了。”童染摇摇头，强挤出一个笑容，“我只是回想起了以前的一些事情，所以有点难过，没关系，都过去了。”

“是……和你好朋友有关系的事情吗？”裴若水双手握紧方向盘，眼睛紧盯着她。

“算是吧，”童染点点头，顺着她的话题就说了下去，“我曾经有一个很好很好的姐们儿，真的很好，好到无法形容……我们形影不离，每天都腻歪在一起，那时候的日子真的很开心。”

裴若水下意识地攥紧双拳，继续问道：“那然后呢？”

“然后，出了点事，她……就消失了。”说着，童染小脸上掩饰不住浓浓的哀伤，她忍住就要喷薄而出的情绪，将脸别过去，望向道路上一片茫茫车海，“一直到现在，我都没有找到她。”

“你有去找过吗？”裴若水闻言眯起眼睛，她并没有去看童染的神色，而是抬眸看向红灯，还剩十七秒。

“当然有，我曾经无数次地去找她，家里、学校、我们曾经一起去的地方……可是无论我怎么找，她就好像人间蒸发了一样，什么都没有留下，就这么渺无踪迹了，我怎么也找不到……”

童染越说越觉得心里难过，她闭上眼睛，大伯母对她并不好，所以从小到大，这么久以来，韩青青在她心里的分量，真的仅仅次于洛萧。

如果洛萧对她来说是温暖的依靠和关怀，那么韩青青就是她无话不说的知心知己。

韩青青出事到失踪，她比罗成要急上千千万万倍。

“那，她是为了什么才出事的？是因为你吗？”沉默了半晌，裴若水突然又开口问道。

童染显然没想到她会问得这么详细，顿了下，才开口道：“具体我也不清楚，那天晚上我和她……”

童染话还没说完，后面堵成一长串的车子已经开始用力地按着喇叭。

有些车里的司机都不耐烦地探出头来，素质不好的，已经破口大骂了起来。

“喂！搞什么鬼啊？大马路上的停着聊天看电影还是搞车震啊？”

“是不是瞎了没看到红灯已经过了吗？神经病啊！”

裴若水和童染被这些怒吼声一惊，沉思中的二人这才回过神来，童染急忙探出头去道歉：“对不起对不起，我们这就走。”

她这边说着，驾驶座上的裴若水赶忙踩下了油门。

她们本来在等红灯，可是红灯早已过去很久了，她们都忘了这茬，居然将车子停在大马路上就聊了起来……

直到奥迪车平稳地驶上大道，童染这才松了一口气：“吓死我了，我还以为出什么事了呢。”

“小染，对不起啊，都怪我一直问你，”裴若水按照路标开进锦欢大酒店，“我只是一时好奇，没别的意思。”

童染微笑着摇摇头：“没事的若水，你别老和我说对不起。”

“那，如果你那个朋友回来了，你会怎么样？”

“她……”童染说着喉间哽咽了下，“她不会回来了……”

这句“不会回来”，在裴若水听来，像是十分笃定的语气，就好像，童染咬定对方绝不会出现。

思及此，她踩了下刹车：“小染，你这么肯定她不会回来，是不希望她回来吗？”

童染怔了下，忙摇头：“怎么可……”

能字还没出口，裴若水的手机便响了起来。她接起来说了几句，挂了后忙将车子开进停车场停好：“小染，我男朋友说他一会儿要到了，我们得先进去点好菜，不然就不礼貌了。”

“好。”

下了车后朝酒店走去，她们也没时间再继续刚刚的话题。她们到了订好的位置坐下后，唤来服务员便开始点菜。

裴若水也不看价格，只是扫一眼菜名，一连点了十七个菜，个个都是上千的。

童染见状吃了一惊，虽然她见惯了莫南爵比这还要大手大脚的点菜方式，但是如果放到她们这种普通人身上，总归还是太贵了。她轻扯了下裴若水的袖子：“若水，你悠着点……”

光是菜加起来，都已经上万了……

“没关系的，你别担心。”裴若水又点了几个菜，才将菜单递过去。

服务员走开后，她才开口道：“我男朋友给了我钱的。”说着，她扬了下手里奥迪车的钥匙，脸上溢满女人被宠爱的幸福感，“这辆车子，还有现在住的公寓，我的衣服包包和化妆品，都是他给我买的。”

“他对你真好。”

“我们是真心相爱的。”裴若水跟着强调了句。

“一定要幸福。”

童染笑着点头，突然想起，她现在所有的东西，吃的用的穿的，也都是莫南爵给她买的……

“小染，你发什么呆呢，他来了！”

正当她出神之际，裴若水忙兴高采烈地朝大厅那边挥着手，然后偷偷用手肘撞了下她的胳膊：“小染！小染！”

童染这才回过神，她收回思绪后也站了起来，抬眸看去，一个穿着淡紫色西装的男人朝这里走了过来。

童染觉得这男人有点眼熟，不着痕迹地拧起眉，想了半天，也没想起是谁。

她们坐在大厅靠窗的位置，男人很快便走了过来，裴若水很是高兴，走过去同他拥抱了下：“怎么这么迟？”

“路上堵车了，抱歉若水，我们那边过来好多个红灯的。”

“没事，你来了就好。”

男人果然如裴若水所说的那般谦和有礼，全身上下都散发着绅士的气息，一看穿着，便知道定是名门大户的公子哥。

童染自然不会打扰他们，只是静静地站在一旁看着，他们见到时激动的模样，一看便知是正在热恋中的情侣。

二人拥抱着说了好一会儿话，裴若水才像是突然想起了什么，她急忙拉着男人到童染面前，亲昵地挽着他的胳膊说道：“我给你介绍下，这是我的好朋友，我们一起在帝爵上班，上次跟你打电话的时候，就是和她一起逛街的。”

童染见状上前一步，礼貌地伸出手：“你好，我是童染。”

“你好，听说你平常很照顾我们若水，谢谢。”男人也绅士地伸出手，同她轻握了下，嘴边荡漾着浅笑，“我叫傅锦辰。”

我叫傅锦辰。

这五个字刚一出口，童染浑身一震，猛然如遭雷击！

对，没错，傅青霜的哥哥，就叫傅锦辰！

她曾经在各大杂志上，微博上，甚至是QQ弹窗上，都看到过，媒体说——

傅氏女婿洛萧居然成功地挤掉了傅氏长子傅锦辰，顺利地登上了傅氏总裁的位置！

这么说起来，洛大哥，还是他的妹夫……还要叫他一声哥哥。

童染只觉得一阵晕眩，这么巧……为什么偏偏这么巧？

童染贝齿紧咬住下唇，突然莫名地紧张和不安起来。

裴若水见她脸色很差，急忙松开傅锦辰走到她身边："小染，你怎么了？没事吧？"

"没事。"

童染强颜欢笑地摇了下头，怕裴若水担心，或者误会了她这副模样是因为和傅锦辰有什么关系，只得随便扯了个借口，低下头在她耳边小声道："我可能是大姨妈来了肚子疼，你别管我，坐一下就好了。"

见她这么说，裴若水也不好再多问，拉着她坐了下来："那你等会儿多喝点热水。"

傅锦辰也拉开椅子，在裴若水对面坐了下来："若水，你们点菜了吗？"

"我已经点了，都是上等的，你放心吧。"裴若水看了下时间，柳叶眉轻拧起，"都过了快半个小时了，怎么你家人还没来？"

"你别生气，我都打电话催过了，已经在路上了。"

傅锦辰将餐前汤推到裴若水面前，他显然是很喜欢她的，对于她今天只带了朋友而没带家人，他也没有多问。

坐了一会儿，他岔开话题说道："若水，今天来的是我妹妹，我父母不太喜欢出入公共场合，不过他们说了，下次直接邀请你去我们家。"

妹妹……

童染心头一刺。

虽然她并没有和傅青霜见过几次面，甚至连话也没正式说过几句，但是，她真的不希望和傅青霜同在一张桌子上共进晚餐。

"没事，只要你来了就好。"裴若水显然并不在意这些，闻言只是漫不经心地点点头，"就你妹妹一个人？那你妹夫不来吗？"

提到妹夫这两个字，傅锦辰色顿时一沉，显然并不太高兴，毕竟是洛萧横插一脚进来，生生地抢走了他本来可以稳坐的总裁位置。

但是碍于面子，傅锦辰却不得不勉强地扯了下嘴角："这个，我不太清楚，也许他会陪青霜一起来吧。"

许是看见她额头沁出的汗珠，裴若水将她发抖的手拉过来，拍了拍她的背，低声凑到她耳边："小染，你现在肚子很疼吗？先多喝点热水，我帮你点了份红枣汤，待会儿你别说话都可以，但你可不能丢下我啊，只要你在，我就不会那么害怕了。我也没见过他妹妹，好担心啊……”

“好，我没事的。”

童染扯出个笑容，裴若水已经把话说成这样了，而且之前也是她答应陪裴若水来的，所以现在，她肯定是不能走的了。与此同时，通往锦欢大酒店的必经之路上。“怎么堵得这么厉害？每天都这样堵，锦海市的交通真是越来越差了！”副驾驶座上，画着精致妆容的女子玩着手机，时不时地抬头看一眼，不停地抱怨，“天啊，这要堵到什么时候啊……”

“既然知道会堵车，我们又何必要来？”男人冷冷地出声，温和的眉宇间闪过一丝极重的厌恶，“何况这种事情，根本不需要我们来。”

“萧，你别这么说嘛。”

傅青霜以为男人是因为堵车而烦躁，便侧过身体挽住他的胳膊，亲昵地蹭上他的肩头，语气带着几分娇嗔：“这毕竟是锦辰的事情，他是我哥哥，他谈了这么长一段时间的女朋友，我肯定是要见见的嘛。”

感觉到女子温热的身体贴上自己，洛萧握在方向盘上的手隐忍般地紧攥了下，他眉头拧得越发紧：“傅锦辰是你的哥哥，不是我的。”

“萧，你瞎说什么呢？”傅青霜靠在他肩头上，闻言不悦地晃了晃他的手臂，索性整个人勾住了他的腰，“我们都快要结婚了，我的哥哥还不就是你的嘛！我们马上就是夫妻了……”

“我们是不是夫妻，和你哥哥没有半点关系。”洛萧始终冷着脸，他抬起左手，将身上贴着的女人拉开，“青霜，难道你忘了傅锦辰对我说过什么话？”

“萧，你何必记得那么清楚呢，我们都是一家人了，有些话只是气话而已，你别放在心上。”

傅青霜被他推开，却并未生气，而是讨好地去拉他的手。

“气话？”洛萧皱起眉头，不着痕迹地避开她的手，鼻间轻逸出嘲讽，“他的辱骂和诅咒，在你听来也许是气话，可在我听来，那是要付诸行动之前的警示语。”

对于傅锦辰想要加害洛萧，作为亲妹妹的傅青霜自然是不信的：“胡说，我哥哥能对你付诸什么行动？你可是他的亲妹夫！”

“他恨我，”洛萧掩去俊脸上的一抹戾气，眉目温和地看向傅青霜，“青霜，你难道看不出来他恨我吗？”

“他无非就是生个气，觉得这傅氏总裁的位置该是他这个长子坐上去的。”傅青霜满不在乎地轻哼了一声，“萧，反正现在傅氏在你手里，一切都蒸蒸日上，股票和净收入都翻了十几倍，这种情况，爸妈乐得都开花了，权力都给了你，哥他除了一点股份握在手里，还能说什么？”

当初傅父，也就是傅氏集团上任总裁傅文博，要退位下来的时候，并没有按照规矩将位置直接传给自己的长子傅锦辰，而是选择让傅锦辰和已经订婚的洛萧公平竞争。

谁赢了，这总裁之位就是谁的。

因为傅文博一眼就看中了洛萧在这方面的才能，他好歹也在商场上打拼过这么多年，对于一个人是否适合坐上总裁的位置，他相信自己绝对不会看错。

很明显，傅文博认为，洛萧的能力胜过自己亲生儿子千万倍。

这个决定一出，一场傅氏长子和上门女婿之间的夺位战争，在万人瞩目中拉开了序幕——

他分别给洛萧和傅锦辰每个人一百万的启动资金和一百个员工，以一个月的时间为期限，谁签的公司多，赚的钱多，就是胜者。一个月的时间转眼即逝。

在月底的这一天，洛萧和傅锦辰分别带着钱和合同回来了。

各大媒体都在场，争相想要进行采访和第一时间捕捉到结果。

傅锦辰带回来了七份合同，分别来自七个中等企业，和七千万的预付现金。

所有人都在赞叹，傅家长子果然非同凡响，一个月拿下七家企业和七千万现金，这简直是志在必得！

紧接着，一直站在一旁、沉默不语的洛萧打开了文件夹。

他只拿出了一份合同书，还有一张小小的支票。

大家见状都暗自嗤之以鼻，切，这情景，还需要看吗？

很明显是洛萧输了！

可傅文博却没有这么早下定论，他弯腰拿起桌上的合同书和支票，只扫了那么一眼，纵然老练如他，也瞬间惊呆住了！

因为，洛萧拿回来的，是南非金耀国际集团的全部承包合同，和一张可以立即兑换成现金的……价值三亿的支票！

要知道，总部在南非的金耀国际集团，在世界各地所总揽的项目，虽然远比不上常年位居第一的帝爵国际集团，但也已经是名列前茅的佼佼者了！

能签到这样的国际大企业，并且还拿到三亿的首付资金，这……这对于傅氏这样的企业来说，简直就是个神话！

所有的媒体和看戏的人都被这个场景给震撼住了！

竞争已经结束，输赢已有定论。

傅文博自然是说话算话，这么多媒体和公司高层在场，他当即便宣布，下一任傅氏集团总裁，就是他的准女婿——洛萧！

宣布之后，当天就移交了一切法律手续和内部印章，洛萧几乎是立刻就接任了总裁之位！

而傅锦辰，只分得了百分之十六的股份。

这场豪门之间的夺位之争，在所有人的无法置信中，在洛萧跨进傅氏集团的那一刻，彻底落下了帷幕。

傅锦辰恨他，恨他夺走了属于自己的一切，这是毋庸置疑的。

回想起洛萧接手傅氏，最高兴的，自然是傅青霜。

当初揭晓的那一刻，她曾经惊讶地问洛萧，他是怎么做到这一切的？

洛萧只是淡淡地说：青霜，我是为了你。

为了洛萧，她可以和傅锦辰闹翻，可以不要一切，她可以助他得到一切，前提只有一个，他不能离开自己！

想着，傅青霜心里更加泛起了爱意，外面还在堵车，她娇嗔地拉着驾驶座上男人的袖子："萧，我替哥哥以前对你说过的话道歉，你别生他气了，就算看在我的面子上，好不好？"

洛萧眉头紧了下，面上却松了下来，半晌，才吐出一个字："好。"

"我就知道你对我好。"傅青霜扬起笑容，撑起身体在洛萧俊脸上亲了下。

男人浑身一僵，习惯性地侧过了脸。

此时，前方红彤彤的信号灯闪了下，正好通了车。

傅青霜坐回位置系好安全带："萧，我们快走吧，他们该等急了。"

也许是过了高峰期，一路上没再堵车，十五分钟不到，他们就已经到了锦欢大酒店门口。

停好车后，洛萧单手搭在方向盘上，温润的眉头再度拧起："青霜，你自己进去吧，我出去走走……"

"不行，萧，都到门口了，你别想丢下我一个人走。"

原本约定好的时间是五点，傅青霜挽着洛萧走进来时，窗外已经漆黑一片，时针指向七点。

服务员好几次过来询问是否要上菜，傅锦辰都说再稍等一会儿。

裴若水拉着脸坐在那儿，沉下来的表情很明显地写着四个字：我不高兴。

家人这么久没到，傅锦辰自然也很不好意思，他尴尬地晃着水杯。童染见状，拉过裴若水的手轻拍了下："若水，你别急，这个点应该是堵车了，肯定马上就能到了。"

仿佛是印证她的话，下一秒，坐在对面的傅锦辰便站起了身，朝大厅的那边挥了挥手："青霜，在这儿！"

童染心里咯噔一声。

她很怕，怕抬起头，会看到想看却不该看到的人……

傅锦辰对这几个人之间的纠葛完全不知情，他看到傅青霜身边的洛萧，眉头皱了下，却依旧笑脸相迎："妹夫也来了，若水，这是我妹妹、妹夫。"

裴若水虽然心里不满意他们这么晚来，面上却丝毫不表露，乖巧地点头："你们好，我是裴若水。"

洛萧温和地回礼："你好。"

傅青霜只扫了她一眼。这种平庸的女人，还妄想和她的哥哥结婚？

这么一想，傅青霜也没了什么好脸色，她没有回话，挽着洛萧便走到了桌边坐下。

裴若水脸色一沉，傅锦辰朝她使个眼色，而后也拉着她坐了下来。

"这是你的家人吗？"傅青霜看向里面始终低垂着头的女子，觉得有几分熟悉，“是你的妹妹？”

“不是的，是我朋友，”裴若水用手肘撞了下她胳膊，“小染，你没事吧？”

“没事。”

在她抬起头的一瞬间，本来用湿纸巾擦着唇彩的傅青霜脸色骤然一变，她将手里的纸巾朝桌上用力一扔，噌地站了起来：“怎么会是你？”

洛萧刚好也抬眸，二人的视线相撞。傅青霜见洛萧那般深情地看着童染，顿时就气不打一处来，她想想也知道是裴若水带童染来的，便冷笑一声坐了下来，艳唇微张：“第一次见面，裴小姐的家人呢？”

她态度并不好，但碍于傅锦辰，裴若水只得开口回答：“他们都在外地，暂时不方便过来。”

傅青霜冷哼一声：“所以你今天就随便带了个朋友来？”

“不是随便带，”裴若水反驳道，“这是我好姐们儿……”

“好朋友？”傅青霜抓住她的话尾，嘲讽地扬起眸，扫了一遍童染，“裴小姐，如果按你说的是好姐们儿，难道你们关系这么好，她就什么都没告诉你吗？”

童染秀眉一皱，她知道傅青霜肯定是针对自己的，她不想将裴若水和傅锦辰也牵扯进来：“傅小姐，今天是若水和你们见面，她是你哥哥的女朋友，而我只是陪着一起来而已，没有任何别的意思，希望你不要误会。”

她话语客气，尽量地将裴若水撇在事外。

“是吗？你也知道我误会了？”

傅青霜丝毫不领情，她恨极了童染，恨极了这个洛萧深爱的女人，语气越发咄咄逼人：“裴小姐是我哥哥的女朋友，我肯定是处处为我哥哥考虑的。可是今天陪她来的不是别人，而是你，所以我肯定是要误会的。”

裴若水闻言也皱起眉：“你这话什么意思？”

“你的好姐们儿没告诉你她的身份吗？”傅青霜扬起下巴看向童染，将她所有的面子全部不留情地踩在脚下，“你好姐们儿没有告诉你，她的真实身份，是别人男人的情人吗？”

“青霜，你别这样说！”傅锦辰见她说得这么直白，急忙制止，“她是若水的姐们儿，对我们来说也是客人，你不要胡闹。”

“我胡闹？哥，你女朋友的姐们儿是这样的人，难道你一点也不在乎吗？”傅青霜冷瞥童染一眼，语气满是不屑，“保不准，她哪天就把你女朋友给带坏了呢？这种女人，向来脏得很！”

脏得很。

童染放在腿上的小手紧攥成拳，她并不在乎傅青霜怎么说她，她在乎的是……“傅小姐，你有什么资格这样说我的姐们儿？”裴若水不悦地看向傅锦辰，她拉过童染的手，“辰，你得还我姐们儿一个清白，我可以保证，她不是这样的人。”

“你保证有什么用？”傅青霜站了起来，直接抄起桌上冰冷的柠檬水，朝着对面童染的身上就泼了过去！

哗啦——

童染此时全部的心思都不在傅青霜身上，她紧盯着洛萧，等她反应过来时，只觉得浑身一凉！

她推开椅子站起身，胸前大片的衣服都湿了。裴若水惊讶地啊了一声。童染没有接她递过来的纸巾，而是抬头看向傅青霜：“傅小姐，你觉得这样好玩吗？”

傅青霜一手还举着杯子，嘲讽地看她一眼：“指不定，你和你的金主经常玩呢？”

“金主喜欢什么样的，你就知道得这么详细？”童染退开身，任由柠檬水顺着上衣滑落下去，她勾起粉唇，“莫非傅小姐试过？”

傅青霜对裴若水怎样恶劣的态度，童染自然也看得一清二楚！

这种时候，就算是傻子，被打脸打了这么久，也不可能再忍下去了！

“你——”傅青霜没料到她居然会回嘴，“你简直不要脸！”

“我要不要脸无所谓，因为我没有家人在，”童染比傅青霜高挑很多，她居高临下地睨着傅青霜，“可是傅小姐，你这么没教养这么不要脸，你家人知道吗？”

顿了下，童染像是突然想起了什么：“哦，我忘了，你家人都在这里，真不凑巧，你这样他们都知道了。”傅青霜被她堵得一瞬间竟然说不出话来，脸色变得更加难看：“童染，你——”

“你们慢用，我去一下洗手间。”

童染抱歉地看了一眼裴若水，也不再理睬傅青霜，转身便走。

童染顺着金色的地毯走过去，双手撑在洗漱间白色的池台上，拧开水龙头的同时，发现自己的双手竟然都在颤抖。四周传来脚步声，童染回过神，赶忙掬起一捧水朝脸上拍了拍，也顾不得擦干，转身就想离开。

童染抹了抹眼泪，刚走了两步，路过男士洗手间门口的时候，突然有一股大力扯住她的手臂，将她整个人都拽了进去！

童染吓了一跳，以为遇到了电视里那种变态，急忙挥舞着手臂边挣扎边喊叫起来：“你是谁，你放开我……快放开我！”

那人没有说话，只是紧搂着她的细腰，用力拥着她入怀，将她抵在白瓷墙面上。

“小染。”蓦地，头顶传来一声浅薄却温润的男声，“是我。”

童染抬起的右腿一僵，而后浑身都跟着僵硬了起来。

他曾经无数次地想象，当自己再一次能够抱着她的时候，会是什么样的感觉，会是怎么样的心跳……

而当现在终于体验到了，洛萧才近乎沉沦般地感受到，原来，抱着她，令他这般无法自拔地痴迷……

砰砰砰——

蓦地，门口传来大力拍打的声音。

连带着的，还有女子尖锐刺耳的喊叫声：“童染，我知道你在里面，你给我滚出来！”

是傅青霜！

童染一惊，她和洛大哥孤男寡女地在这里面，被傅青霜看到，就真的是怎么也解释不清了！

她着急地看向洛萧，小声道：“洛大哥，我先藏起来，你别说我也在就好……”

“没事。”

洛萧朝她温和地一笑，语气坚定：“你哪里也不用藏。”

话音刚落，男士洗手间的门把动了下，而后，竟被人从外面打开了！

门刚推开，童染还没来得及看清楚，一个人影就快速冲了进来，带着浓浓的愤怒。

“童染，你这个贱人！”

下一瞬，女子扬起的手却被猛地抓住！

洛萧握住她的手腕，声音冷了下来：“青霜，你别这样！”

“萧，你说洗手却一直没回来，所以我才过来找你……”傅青霜怒瞪向童染，语气尖酸刻薄，“童染，你勾引到帝爵总裁莫南爵还不够，又想来勾引我老公吗？！”

“傅小姐，我们什么也没做。”童染眉目平静，她看向傅青霜因生气而有些扭曲的脸庞，“既然是你的老公，那么在夫妻之间，你该多给一些尊重和信任，而不是从头到尾地猜忌和撒泼。”

话落，童染也不再多说什么，侧身走了出去。

童染刚走回桌边，裴若水正和傅锦辰说着话，看到她忙站了起来：“小染，你没事吧？我刚想去找……”

你字还没出口，裴若水惊讶地睁大了眼睛，童染也听到了身后传来高跟鞋嗒嗒嗒的声音，像是有人跑过来。

就在她转过头去的一瞬间——

一壶冰镇的红酒直接冲着她泼了过来！

童染猝不及防，浑身都被浇了个遍，冰凉的酒水沁入皮肤：“啊——”

与此同时，酒店大门口传来一阵清脆的拍手声：“啪啪啪——”

裴若水定睛看去，待看清楚是何人的时候，吓得几乎连话都说不出来了：“总、总裁！”

刹那间，原本安静的酒店瞬间沸腾了起来，所有人都凑上前去——

“真的是爵少！您怎么有空过来了？”

“爵少，您今天就一个人吗？能不能赏脸一起吃个饭？”童染心下一惊，莫南爵居然来了？！一旁的裴若水用力地推了下她：“小染，你还发什么呆啊！真的是总裁来了！”

人群簇拥之中，莫南爵一身尊贵的银灰色西装，他俊脸含笑，轻眯起的桃花眼在细看之下，带着几分清冷之色，大步走了过来。

裴若水急忙走上前，笑盈盈地道：“总裁，您怎么过来了？”

“没想到，这里竟然这么热闹，”莫南爵黑眸在大厅内扫视了一圈，唇边的笑意不减，“看来，是我来迟了，差点就错过了好戏。”

童染站在一旁，闻言将头低了下去。

裴若水叫服务员拿来菜单：“总裁，您吃晚餐了吗？”

莫南爵冷睨她一眼：“怎么，我如果没吃，你是不是也要浇一盘菜到我身上？”

裴若水被他冰冷的眼神一瞪，吓得花容失色：“总裁，我不是这个意思……”

傅锦辰见状，便上前伸手圈住她的肩膀。

莫南爵不再睬他们，而是转头朝童染冷冷一喝：“过来！”

童染始终垂着头，并不知道他是在喊她。

见她不动，莫南爵不悦地皱眉，几步上前扯住她的手臂，将她直接拉进了怀里！

“别动！”莫南爵紧搂着她的腰，不让她挣扎，他冷着脸，“在外面被欺负成这样，回去还不是我帮你洗？”

“……”

童染抬起头来，小脸上还满是未滴落的红酒，白色的镂空雪纺衫上也沾满了酒红色的液体，看起来有一种分外娇媚的美。

她张了张嘴：“我……”

话还没出口，莫南爵却突然俯下身，直接吻住了她的唇瓣！酒店大厅内一片安静，谁也不敢出声打破正在上演的缠绵悱恻之吻。

半晌，一吻终了。

莫南爵抬起俊脸，看向酒店经理：“这种品质的红酒，你们也好意思拿出来卖？”

“爵，爵少，”酒店经理哪敢惹怒他，闻言魂都掉了一半，“我们马上换，这就全部撤掉。”他朝边上的服务员怒目瞪过去，“你们还站着做什么，全部撤掉！”

“是、是……”

“别，”却不料，莫南爵扬了下手阻止，搂着童染的手臂紧了紧，“拿出来卖不怪你们，可是明知是劣质的酒，还拿来泼人，这才是最大的错误。”

说着，他将目光移到傅青霜身上，握住童染肩头的食指顺着她上衣的花纹画着圈，声音听不出来喜怒："洛太太，您说呢？"傅青霜闻言浑身一震。

她手里还拿着泼向童染红酒的酒壶，方才童染走出去之后，洛萧冷言冷语地说了她两句，她一个气不过，甩开洛萧的手，就冲了出来……

却不承想，泼向童染的一瞬间，刚好莫南爵就来了！

"怎么，洛太太不说话？"莫南爵浅笑地看着她，那双桃花眼中透露出来的，却是慑人的凌厉的寒光，"莫不是泼的时候脑子不清醒了，导致这会儿记不起来了？"

傅青霜将手里已经空了的酒壶放到旁边服务员的托盘上，朝莫南爵看去："爵少，这件事情是个误会，事实并不是你看到的那样。"

"哦？"莫南爵很有兴趣地挑起眉梢，"那是什么样，洛太太不如说来听听。"

"我要泼的并不是童小姐，"傅青霜说着，将话锋一转，直接指向了裴若水，"是她。"

Chapter 8
若水清清，清清若水

裴若水听她这么说，开口反驳道："你泼我做什么？"

傅青霜脱口便说："因为像你这样的女人，不配和我哥哥在一起。"

"你说什么？"裴若水杏目圆睁，羞愤地咬牙看向身后的傅锦辰，"辰，你说的带家人和我见面，就是为了让你妹妹这样羞辱我吗？"

"青霜，"傅锦辰拧着眉走上前，搂住裴若水的肩头，"你别这么说若水，她不是你想的那种女孩子……"

傅青霜直接打断他："什么叫我别这么说？我又没说错。"

"你没说错？"裴若水咬住下唇，忽然将目光转到童染身上，声音提高了几分，"方才吃饭的时候你不是说，我的好姐们儿做了别人的情人，所以我和她在一起玩，肯定也不干净。傅小姐，这话你敢承认吗？"

"你……"

"原来是这样。"

莫南爵是什么人，他只需扫一眼傅青霜的表情，便知道裴若水说的那些话，傅青霜确实是说过的，他轻勾起薄唇，搂着童染上前了一步："洛太太，你知道所谓情人的定义是什么吗？"

"爵少要我说什么？"傅青霜攥紧拳头，她从大厅那端的镜子里看到，洛萧一直站在她身后不远处，却没有上前。

莫南爵眉梢一挑，他向来不习惯重复已经说过的问题，一旁的酒店经理见状，急忙狗腿地对傅青霜说道："洛太太，爵少之前问的是你知道所谓情人的定义是什么吗？'"

傅青霜这会儿哪能多说什么，只能选择摇头："爵少，抱歉，我不太清楚。"

"哦？既然洛太太不清楚，那么我来告诉你，"莫南爵勾唇，就好像听到了自己满意的答案，他将视线投向后方站着的洛萧，"这就比如，自己一无所有，一直靠着别人家的根基，吃尽软饭，并且连住都住在别人家，俗称的空手套白狼，站在别人的屋顶上挂自己的旗，这种人，都可以归为洛太太口中的'情人'一类。"

"你……"傅青霜涨红了一张脸，她看向莫南爵，想回嘴却又不知道该说什么，只得扭头看向洛萧。

与傅青霜相反，洛萧却显得淡定很多，他静静地站在那里，温润如玉的俊脸上也没有多余的表情。童染咬着唇，她知道莫南爵是在为自己出气，可是这样下去……真的会彻底闹僵。

傅青霜站在原地，她就算再傻，也看出了莫南爵不会善罢甘休，这种时候，能做的只有妥协了。想着，傅青霜走到童染面前，朝她弯了下腰："童小姐，方才泼酒的事情是我的错，我不该那么冲动，误泼到了你，请你谅解，我真心诚意地跟你道歉，对不起。"

还没等她说话，莫南爵却先一步开了口："洛太太觉得一句对不起就可以结束了吗？"

"爵少，我已经道歉了。"

"道歉，只是变相地承认自己做过。"

"那爵少希望我怎么做？"

"洛太太，我向来不爱和女人多为难，你今天泼的若是别人，不管是谁，我连看都不会多看一眼。"莫南爵轻眯起魅惑的眼角，拉开声线，"可是，你要弄清楚的是，你今天泼的，不是别人，是我莫南爵的女人。就凭这一点，我必须为我的女人讨回一个公道，否则让她在外面白白受人欺负，我莫南爵还能算个男人？"

傅青霜被堵得无话可说，就凭她确实泼了童染这点，她就已经得罪了莫南爵！

她内心懊恼无比，同时却又嫉妒无比，凭什么童染就可以有这么多男人护着？凭什么她被逼成这样，洛萧却连口都不开？

此时，之前被叫去准备的服务员端上金色的托盘，里面放着一个装满红酒的高脚杯："爵少，您要的酒已经拿来了。"

莫南爵满意地勾起唇，他伸出修长的手指，优雅地端起高脚杯，滑过自己鼻间的时候轻嗅了下，这才递到童染面前。

童染怔了下，并没有伸手去接："做什么？"

"我不是告诉过你吗？"男人轻挑眉梢，拉起她的手让她端稳酒杯，"别人若是敢碰你一下，你就十倍地还回去，你手上这酒，怎么着也比之前那种要高档个百来倍。"

童染端着那杯酒，只觉得冰凉的触感从指尖直接渗入身体各个部位，她方才一直没有说话，不仅仅是因为她无法插话，而且她也不知道该说什么。

"愣着做什么？"莫南爵大掌在她腰间摩挲着，俊脸微扬，那狂傲的表情仿佛在说，有我给你撑腰，你怕什么？

童染抬头望向攥紧手的傅青霜，她知道，手上这杯酒，自己是非泼不可的。

如果她不泼，莫南爵不会罢休，那么局面就会一直这么僵持下去。

想着，童染便不再犹豫，她上前两步，抬起手，就直接将高脚杯里的酒朝傅青霜泼了过去！

可就在此时，一直站在后面沉默不语的洛萧突然冲上前，他伸手拽住傅青霜的胳膊，一个用力将她拉至身后。

童染大惊失色，可抬起的手已经收不回去了。

哗啦——

一整杯冰镇红酒便悉数泼在了洛萧的身上！

童染圆睁着一双大眼睛，她还来不及垂下手，高脚杯便从手里滑落，哐当一声摔碎在大理石地面上！

洛萧却没有看她一眼，他退开身，抹了下脸上的酒水，看向莫南爵，声音淡淡的："爵少，酒也泼了，话也说了，我再代我未婚妻赔个不是，您觉得可以吗？"

傅青霜站在他身后，一直堵着的胸口终于松了口气。

"洛总这是在求情吗？"

洛萧毫不避讳地点点头："是。"

莫南爵俊脸含笑，他大手将童染拉到自己身边，让她靠在自己臂弯里："求我可没用，这件事情，我女人说了算。她若是肯原谅你老婆，那我自然没意见，可她若觉得气不过，那我只能顺着她继续下去。"

他这番话，无疑表明自己已经将童染宠上了最高点，在莫南爵面前能够说了算的女人，她绝对是第一个！

所有的人目光都聚集在童染身上。

童染有些无所适从。莫南爵见状抬手轻拍了下她的脑袋："还气吗？"

语气出奇地温柔，就像是哄着她，生怕她不高兴。

童染掩去眸中的不安和担忧，摇了摇头轻声道："不气了，已经没事了。"

"听见了吗？"莫南爵抬起黑眸看向洛萧身后的傅青霜，语气霸道冷硬，"我女人心善放你一马，今天我也就不再追究了。但今后来日方长，咱们商场上总是要见的。"

最后一句话，摆明了是说给洛萧的。他莫南爵，不会轻易放过傅氏！

洛萧自然听得出来莫南爵的意思，他面色无波，只是轻颔下首："那就多谢爵少了。"

童染靠在莫南爵身上，始终半垂着头，这样的场面她真的觉得很尴尬，也许在众人看来，莫南爵很宠她，但，那也是因为他并不知道傅青霜泼她的真正原因……

从他走进酒店开始，她悬着的心就一直没有放下去。

"走，回家。"

莫南爵也不再理睬别人，见她身子有些发颤，以为她是因为冷，便弯下腰，将她直接打横抱了起来！

"我自己会走……"重心一个不稳，童染下意识地伸手环住他的脖子，说出这句话时，声音压得很小。

“省点力气，”莫南爵双臂有力地抱着她，迈着大步朝门口走去，“你的账，我待会儿还要跟你算。”

从酒店出来上车之后，童染便一直被莫南爵搂在怀里，一路上两人都没有说话，直到到了帝豪龙苑门口，他才松开了她。

用人上前打开车门，莫南爵率先下了车，童染刚扶住车门准备跨下来，突然身子一歪，又被某人霸道地打横抱起来。

“你别……”

他别这么突然行吗？

莫南爵紧抿着薄唇，抱着她就朝楼上主卧走去，用人也是见惯了少主和童小姐这样的举动，侧开身子到一边去了。

她挣扎了下，莫南爵却按住她的后脑勺，强迫她趴在自己胸口，语气有些低沉：“以后，有谁敢欺负你，你不用忍。”童染咬住下唇，小心翼翼地说道：“傅青霜可能是单纯讨厌我，或者是因为不喜欢若水和她哥哥在一起，所以才……”

“讨厌你？”莫南爵挑眉看向她，“你做了什么让她讨厌？”

“没什么，女人的直觉。”她赶忙矫正自己的意思，解释道，“上次在千欢，你们在赌的时候，她就坐在我旁边，我们互相看不顺眼……”

她没有撒谎，她和傅青霜，确实都很讨厌对方。

莫南爵也没多怀疑：“我知道你们女人在同性面前好胜心强，放心，”他说着拍了下她的头，薄唇扬起，“我会让傅青霜眼睁睁地看着傅氏倒下去。”

第二天一早，童染醒来的时候，暖暖的太阳已经将主卧照了个遍。

童染揉揉眼睛，伸手拿过闹钟一看，顿时一惊！

居然已经九点二十分了？！

草草地冲了个澡，她围着浴巾出来时，就见莫南爵穿着一身银灰色的休闲装，斜靠在浴室外的门边。

“你……”童染圆睁着一双杏目，“你没去上班？”

莫南爵将她的衣服扔到床边："把衣服换上，车在楼下等。"

那衣服也是休闲套装，并不是职业装，童染疑惑地皱眉："今天不用上班吗？"

莫南爵失笑出声："是谁告诉你每天都要上班的？"

"今天带你去射击场学射击，"莫南爵放下咖啡杯，"你不是一直很怕枪吗？"

"你知道我怕还带我去学？"童染瞪他一眼，这男人八成就是想吓她！

"想要克服自己对一样东西的害怕，唯一的办法就是学会它、掌握它。"

要去的地方似乎是在郊外，一路上车程很长，越偏僻的地方风景越美，这句话果然没错。

加长版的轿车里，莫南爵正跷着腿看着财经报纸，童染靠在车窗边上，看着窗外的绿树，只觉得心情一片晴朗。"少主，到了。"

莫南爵点了下头，下车走进去后，童染才发现里面是一片偌大的草坪，绿油油的，一望无际。

她跟着他走进一个红色瓦片的亭子，视线扫过摆着的长方形桌子，上面放着各式各样的枪。

手枪、狙击枪、冲锋枪……

边上，还配着十来个子弹盒。

童染不由得退后一步，这阵势，是来打仗的吗？

"怎么，才看到就怕了？"莫南爵擦着她的肩膀走到桌边，随意地拿起一把小型的手枪把玩起来，修长的指尖划过枪身，童染甚至能想象那冰凉的触感。

"别站着不动，过来。"莫南爵手法娴熟地给那支手枪装好子弹，上了膛后才递出去，"来，试试。"

"我……不要。"童染喉间哽咽了下，她没有伸手去接，反倒还向后退了步，"莫南爵，用这个打人，是什么感觉？"

"会上瘾的感觉。"莫南爵知道她不敢，索性伸手将她拽到身边。

莫南爵嘴角含笑，被她推得退后了几步，他抬起头时，便见童染举起了枪。

枪口，对准了他的脑袋。

莫南爵眯起眼睛，眼底清澈，毫无惧怕之色：“童染，你想做什么？”

“你、你已经看到了。”童染双手都握住枪把，虽然并不算很沉，但她却觉得几乎要把她的手臂压断，她尽量稳着不让自己的声音颤得太厉害，“莫南爵，我们来做个交易如何？”

“哦？交易？”莫南爵轻挑起眉梢，分明是她拿枪指着他，可从气势上，他却稳占了上风。他睨着童染沁出汗珠的光洁额头：“什么交易，你说来听听。”

“我、我今天放你一命，你要答应放我走。”

“饶我一命？”莫南爵勾唇反问一句，“你拿什么饶我一命？”

“我、我手上有枪，你要是不答应放我走，我就开枪！”

“童染，你拿着我亲手递给你的枪，说要饶我一命，你觉得可能吗？”

莫南爵抬起腿，他上前一步，她便退后一步，直到快要退出亭子，童染这才想起来，自己手里是有枪的，她为什么还要怕他？

“你站住！”她尽量冷着声音，语气却几近哀求，“莫南爵，你答应我吧，用你的一条命换放我走，对你来说很值得。”

“你怎么知道值不值得？”他继续上前。

“你别再过来了！”

“童染，你想过没有，”莫南爵顿住脚步，从开始到现在，她举枪指着他，却一直是她在害怕，他轻笑出声，“我岂会这么轻易地给你杀我的机会？”

“你什么意思？”童染一怔，随即反应过来，她杏目圆睁，“你是说，你给我的这把枪是没有装子弹的？”

她握住枪的手不由得紧了下。

他挽起黑色衬衫的袖扣：“你试试不就知道了？”

“不可能，你刚刚明明装了……”

话落，莫南爵突然上前两步，一把握住她的手，就要去抢她手里的枪！

“不要——”

童染出于下意识的反应，便用力地想要抽回手，他紧握着不放，这么一拉扯之间，她本就扣在扳机上的食指被牵扯着动了下。

枪口对准地面，莫南爵眉头一皱，反应奇快地侧开身子——

而后，只听砰的一声！

子弹斜射入亭台的大理石地面，溅起的石块发出清脆的声响！

“你——”

那一枪是她扣动的扳机，直到好几秒之后，童染还在打出子弹那一瞬间的枪身震动中，久久无法回过神。

方才侧身的时候，莫南爵并未夺过她手中的枪，这会儿走上前，他站定脚步后，目光灼灼地看着她：“童染，你真的那么想离开我？”

“是的，我想，”他这么直白地问，童染也不回避，她坚定地点了点头，“莫南爵，我想要的……不只是你的一个女人，我想要的是稳定的家庭和婚姻。”

顿了下，她抬眸对上他黑曜的瞳仁：“既然你给不了我这些，不如放我走，我们好聚好散，以后如果在某个地方碰到了，还能打个招呼……”

莫南爵闻言，狂狷的眸子内，翻涌起惊天的骇浪，他定定地看着她，声音霸道清冷：“呵，好聚好散？童染，你难道忘了？我们之间，聚由我定，散由我说，你能做主的，只有选择站在我的左边，或者是右边。”他说着抬手搭在她的肩头上，“除此之外，你别无选择。”

他的话霸道无比，童染心头颤了下，故意开口问道：“莫南爵，现在你的左右也许只有我一个，但是如果，以后站着越来越多的女人，我该怎么办？”

“我已经告诉你办法了，”莫南爵拉起她握住手枪的那只手，细细地摩挲着她光滑的手背肌肤，“我教你学枪法，不就是最好的办法了吗？”

“你……”

“我还没说前提，”他显然另有目的，抬起她的手背吻了下，“前提是你必须跟着我，在我身边，我护你周全。”

童染觉得有些无奈，这样兜兜转转的她真的很累：“莫南爵，我没有和你开玩笑，我说的都是心里话……”

“童染，你觉得我在跟你开玩笑？”

莫南爵不悦地眯起眼睛，俊脸上的笑意一扫而光，他皱着眉上前一步：

“好，童染，既然你这么想离开，我就给你一个机会。”

她张了张嘴，想要说声谢谢或是其他，却不料，他并未转身离开，而是拉起她握枪的手，举起后，将黑洞洞的枪口抵在了自己的额头上。

“你……”

童染一惊，想要抽回手，却被莫南爵紧紧地握住，他用力地让枪口抵着自己的额头，声音低沉却又坚定：“童染，我现在给你这个机会了，你若是开了枪，我死了，你自然可以离开。”

童染摇着头，喃喃低语道：“莫南爵，你疯了……”

他疯了才会把自己的命交到她手上……

“你若是开不了这一枪，那么，就代表你不愿意离开。”莫南爵完全无视她的低喃，俊脸上表情庄严而肃穆，黑眸一眨不眨地紧睨着她的神色，“童染，这是我第一次，也是最后一次给你机会，唯一的一次机会你要是错过了，以后就别想着我会放了你！”

“我……”童染摇着的头渐渐停了下来。

“现在，决定权在你。”

“不……”她哆哆嗦嗦地开口，嘴唇因为害怕而变得惨白，“不可以，我不要做这种选择，我不要……”

“开枪！”

“不要……”

“童染，开枪！”

“我不要……”

“我叫你开枪！”

“不——”他一步步地紧逼，童染猛然开始剧烈地摇头，“我不要，我不要——”

“这个世界上没有两全其美的事情！”莫南爵握着她肩的手突然向上，一把抓住她的手腕，迫使枪口更加紧地抵住自己眉心，“童染，我今天第一次把命交到一个女人手上，为的就是告诉你，要么我死你走，要么，我活你留！”

“你这个疯子！”童染吼出声来，她抬腿就朝他的膝盖踢去，声音带着哭腔，“莫南爵，你疯了，你简直疯了！”

“下不了手是吗？”莫南爵看着她如小鹿般惊恐的大眼睛，而后，他握着她手腕的手向前移，食指覆上她扣在扳机上的食指，“我可以帮你。”

童染见状一惊，本能地脱口问道：“你想做什么？”

他该不会是想……

童染惊讶地张大了嘴，满脸的无法置信：“莫南爵，你这样做到底图什么？”

他竟然帮她开枪打自己……他要的到底是什么？

“我图你的一个答案，”莫南爵浅眯起桃花眼，“一个是否离开我的答案。”

“……”

“如果十秒钟过了你还没说话，那么我就按照我一贯的原则，沉默就等于默认。”

男人每数一个数，就像是针尖扎在她的心口，童染紧咬着下唇，瞪大的眼睛逐渐溢出水珠来，一颗一颗，滴落在二人共同站着的大理石地面上。

童染粉唇动了动，可是无论她怎么张口，始终无法发出那再平常不过的一个单音字。

“九。”

男人的声音越发低沉，覆在扳机上的食指，莫南爵甚至能清楚地感觉到，她指尖的颤抖和汗珠。

“十。”

男人薄唇抿了下，终点数字响起。

莫南爵眼底的光彩蓦地黯淡下去，他闭上眼睛，将眼底的那抹失望和薄凉掩藏下去。

她的沉默已经是最好的答案。

莫南爵向来守信用，这也是所有赌场的规矩，他也不再多说，食指调整下位置，就要按着她的指尖扣动扳机——

“我不要——”

童染啊的一声尖叫起来，她几乎是使出了浑身的力气，膝盖抬起，在男人小腹上用力一顶！

“嗯——”莫南爵吃痛闷哼一声，手上的劲道这才松了下，童染看准时机，而后五指猝然松开！

砰——

子弹就这么从枪口射出，擦着他右侧的短发，直直地打在了离亭子不远处的树上！莫南爵眼底的那抹失望瞬间被绽放的光芒取代，男人眼角轻眯起，拉起一个满意的弧度：“童染，你舍不得我。”

“这个决定你已经做出来了，我活着，你留下。”

莫南爵说这番话的时候，连眉梢都染着笑意，不得不说，她刚才的表现，他自然是十分满意的。

“如果，死的是我呢？”童染逐渐平稳下呼吸，将二人的位置试着对换了下，“莫南爵，如果死的是我，要选择的是你，那么结局就不一样了吧？”

“死的是你？”莫南爵原本轻眯起的黑眸猝然睁开，一抹寒光闪现，“结局确实不一样，因为会有很多人为你陪葬，你下了黄泉也会很热闹，可以摆桌酒庆祝一下，费用我出。”

她单手撑着柱子想要站起来：“莫南爵，我好累，我们回去吧。”

那种无力的感觉，就好像在岛屿的那天晚上，她眼睁睁地看着他用针尖扎向自己……

“咕噜——”

肚子突然毫无征兆地响了起来。

童染小脸上顿时通红一片，她早上只喝了一杯牛奶，刚刚又受到那么激烈的惊吓……

“你先放我下来……”

莫南爵对她这句话自然是无视的，走进别墅时，他转头吩咐用人：“去把那边派对做好的东西检查下，然后都给我端过来。”

童染闻言急忙拉了下他：“这样不好吧……”

“你不是喜欢吗？”

“……”

莫南爵走进别墅没多久，用人便以最快的速度将检查过后的食物端了上来，童染没有猜错，都是一些高档的烧烤和甜点，还冒着热气，像是刚刚出炉的。

用人临退下之前，还恭敬地弯了下腰：“爵少，对方是创卫集团的，说这些都是为您准备的，您要是有时间的话，派对随时为您开。”

莫南爵早已习惯这样的事情，闻言只是朝用人轻点了下头：“下去吧。”

“是，爵少。”

房门被关上后，童染刚准备坐到桌边，便被拉了起来，她急忙伸手推他：“我肚子饿了……”

这句话丝毫不影响男人的动作……

在床头愣愣地坐了一会儿，童染觉得饿得有些头晕目眩的，之前就没吃两口，这会儿桌上的东西已经完全冷掉了，她也不知道莫南爵什么时候会醒来，想了下，便小心翼翼地挪开他的手，径自下了床。拿了点钱放进口袋，童染见莫南爵依旧睡得很沉，便轻手轻脚地出了房门。

一路沿着高高的香樟树走出去，童染环顾四周，都没有发现哪儿有亮着灯的餐厅或者是便利店，反而越往前走越黑。绕过一个草坪后，童染站在分岔路口，这里的路几乎都一样，也没有标示牌和路灯……

她这是迷路了吗？

正犹豫着要走哪一条，身后突然传来一阵车子的喇叭声，刺眼的黄色灯光照射过来，童染反射性地眯起眼睛，侧过身子想让那车子顺利先开过去。

却不料，那黑色的轿车缓慢而行，在擦过她身边时，竟停了下来。

而后，车门被推开，两名彪形大汉朝她走了过来。

童染警惕性地攥紧拳头，向后退了两步，她尽量冷着自己的声音：“你们是什么人？”

两名彪形大汉看了看她，又互相对视一眼，都点了下头后，其中一人才对着她说道：“童小姐，我们少爷派我们来邀请你过去坐一坐。”

童染更加警惕起来，她眉目清冷地摇摇头：“我不认识你们少爷，更不想去坐一坐。你们如果再不让开，我就要喊人了。”

“这……”两人有些为难，但又不能直接动她，其中一人聪明些，压低了声音道，“童小姐，我们少爷姓洛。”

童染闻言一惊：“你说什么？”

十五分钟后。

黑色的轿车并没有开出庄园，而是绕过偌大的休闲区，从右后方开进了一栋别墅。

轿车刚一停下来，便有人上前来拉开车门：“少爷在里面等您。”

童染下了车，在用人的带领下，走进了最里面的房间。

打开门的那一瞬间，里面坐着的穿白衬衫男子回过头来。

赫然，就是洛萧！

童染浑身一震，开口的声音都有些颤抖：“洛大哥，真的是你……”

“小染，我等了你好久了。”

洛萧站起身朝她走过来，温润的脸上笑意如初见：“你今天在这里玩得开心吗？”

童染掩饰性地垂下眸，淡淡地应了一声：“嗯。”

“怎么了？”见她神情有些闷闷的，洛萧也跟着拧起眉，“小染，你有心事。”

“能不能告诉我，你的心事……是关于谁的？”洛萧紧盯着她白皙的小脸，眸中溢出深深的贪恋。

“没什么，我只是看到你很高兴。”

童染冲他弯唇笑了下，而后视线便落在这房间里：“洛大哥，你怎么会知道我在这里的？”

“我和几个朋友出来，他们说想玩射击，刚好锦海市只有这一个射击场，所以就过来了。”洛萧神色躲闪了下，一瞬间便又恢复如常，他目光灼灼地看着她，“下午的时候看到你和……进别墅，我就想见见你。”

童染闻言垂下眸，他特意省略了莫南爵的名字……“小染，你到底怎么了？”洛萧皱起眉，伸手揉了揉她的发顶，语气满是关怀，“你其实不开心的，对吗？”

“我没有……挺开心的。”

“小染，”说着，他的手从她的头顶落下，直接握住了她的手，“你瞒不过我的，你在撒谎。”

“是他……对你不好吗？”

“他对我挺好的，洛大哥，你别为我担心了，我过得真的挺好的。”说着，她下意识地想要从他掌心里抽回手。

洛萧怔了下，温润的神色闪过一丝异常，他没有放手，而是握紧她的手：“小染，你现在对我……就这么抗拒吗？”

“不是的，洛大哥，我不是那个意思，”童染急忙摇头，秀眉拧了起来，“我只是担心，万一傅青霜看……”

“她今天没有来。”他打断她的话。

“可是，她毕竟是你的未婚妻，”童染咬住下唇，“洛大哥，恭喜你，你马上就要结婚了。”

“小染，你恭喜我？”洛萧温润的俊脸瞬间惨白，他紧紧地盯着她，语气带着些许没有察觉的自嘲，“现在，连你都开口恭喜我了……”

“难道不该恭喜吗？”童染没有看他，所以并未发现他眼底的那抹悲痛，她轻声开口，“我可以看出来，傅青霜是很爱你的，她做的事情都是为了你，你和她结婚……一定会很幸福的。”

“你看出来傅青霜爱我？”洛萧几乎是从嘴里挤出这几个字，右手攥紧成拳。

童染神色难看地点点头：“是的，她确实……很爱你。”

“那你呢？”洛萧突然开口反问，伸手握住了她瘦削的肩膀，“小染，那你能看出来，我有多爱你吗？”

对于他突如其来的问题，童染怔了下，她眼底有些湿意，别过脸去，而后才轻声回答：“洛大哥，我们……已经不可能了……”

洛萧闻言，温润的瞳孔剧烈地收缩了下，他握紧她的肩，只是重复道：“小染，你回答我，你看不出来我有多爱你吗？”

“……”

童染鼻尖一阵泛酸，她没有将答案说出口，不管有或没有，对于现在的他们来说，真的已经没有意义了……

童染一狠心，开口直白地说道：“洛大哥，我现在是莫南爵的人，我的一举一动都在他的监视和掌控之下，我如果做出任何对不起他的事情，他都不会轻易放过我的……所以，洛大哥，不要接近我，对你，对傅氏，都没有任何好处……我这么说，你能明白吗？”

却不料，洛萧闻言只是摇了下头，他反握住她的手：“小染，你推开我，只是因为害怕莫南爵不会放过你吗？”

她顺着他的话点了下头：“是的。”

见她这么说，洛萧才重重地舒出一口气，还好，她仅仅只是害怕而已，他神色坚定地开口：“小染，你放心，我不会让任何人……”

话还没说完，外面传来男人暴戾的怒吼声，在这静谧的夜里格外地清晰。

“给我找！找不到你们就都在这里跳河自尽！”

要是被莫南爵看到他们这个时间在一起，就真的跳进黄河都洗不清了！

她将目光别开：“我已经说得很清楚了，我哪里也去不了……你以后，不要再来找我了。”

话落，童染上前两步。洛萧很高，她踮起脚尖，纤细的双臂环上去，给了他一个拥抱。

“洛大哥，我走了。”

说完，童染退后两步，同他拉开距离，抬眸，同他对视了一眼。

童染向来是个路痴，何况这里大得吓人，她出了别墅后走了很久才看见一条宽阔的大道。

环顾四周，依旧没有路标，见马路对面有一家便利店，童染便走了进去。

童染买了一份熟食，吃完之后走到柜台付账，老板娘瞅了她一眼，视线落在她的用人服上：“小姑娘，你是这庄园里的用人吧？”

“呃……”童染也不好说她是偷穿这衣服出来的，只得尴尬地点点头，“是啊……我睡不着，饿了，所以出来吃点东西。”

店里的座机这时响了起来，老板娘接起来：“哎，老板，您好您好，二十出头的，小姑娘对吧？长相是什么样，您说……”

童染闻言一怔，这……分明就是找她的！

她知道迟早要被抓回去的，只是……她想一个人走走。

出了便利店，四周都是参天大树，此时已经接近凌晨，一阵阵的冷风吹过来，童染环紧双臂，走到一棵树下停了下来。

嘟嘟嘟——

正当她独自哽咽之时，上空突然传来一阵机翼盘旋的声音，连带着的，还有强烈的光线直射下来——

童染被刺激得一阵晕眩，下意识地伸手去挡。

"这里有人！"

"去派车过来！"

"好像是个女人，去看看是不是童小姐！"

等童染终于反应过来的时候，她已经被包围了。

上空，四架直升机也逐渐降低高度，在她靠着的树干周围绕着圈开。

此时，轿车的门被打开，下来好几拨人，手里拿着照片，扬起来同她对比了下，态度瞬间转为恭敬："童小姐。"

"……"

她一边想着，那人一边继续说道："您既然人没事，请跟我们去见少主吧。"

"……"

童染蹙了蹙眉，并没有上前，而是扶着树干退后一步："我等一下自己会回去找他，你们不用管我。"

"童小姐，少主吩咐了，一找到您，必须带您去见他。"

"……"

"少主还说，就算是把您打晕了捆起来，也必须带回去。"

"……"

她抬起腿，突然脚下一滑，她的身后是大道的边缘，最底下是另一条主干道，那些人以为她想跳下去，顿时吓了一跳："童小姐，您别冲动！"

童染也是惊魂未定，她侧过头看了一眼，下面的马路上，来来往往还有车辆通行。

正当她脑海中闪过这个念头时，上空又飞来一架直升机，并未盘旋，而是直接降了下来，飞速旋转的机翼扫过树叶，碎叶渣飘落到童染的脚边。

机舱门被推开。

穿黑色风衣的俊美男人手臂缠着一条安全绳，从半空中滑了下来。

无形的气势震住了紧张的气氛，所有人呼吸一窒，都垂下了头：“少主。”

莫南爵并未将缠着的安全绳松开，而是就这么上前两步，紧盯着面前的女人。

黑眸里满是熊熊燃烧的怒火。

莫南爵冷着俊脸：“你敢再退后一步？”

“会怎么样？”

“你可以试试看。”

“可如果掉下去了，会有什么后果我也不会知道。”

“到地狱你会知道的。”

“……”

莫南爵显然没有那么好的耐心，他黑眸冷冷扫过四周，突然从腰侧掏出一把枪，手一伸就抵在了身边那人的太阳穴上。

那人吓了一跳，浑身的神经瞬间紧绷起来，他双手贴在身侧，一动也不敢动。

莫南爵稳稳地举着枪，冷睨着童染：“我数三秒钟，你如果不过来，我就杀了他。”

砰——

话落，不等她开口，莫南爵突然扣动扳机，对准那人的脚下就是一枪！

“少主饶命——”

那人吓得双膝一软就跪了下来，他双手撑在地面，目光投向童染，配合着自家少主开始号叫着演戏：“童小姐，求求你救救我，我不想死啊，我家还有两个在吃奶的孩子，还有老婆和妈妈啊……”

“……”

莫南爵见状满意地眯起眼角，这属下，还是有点头脑的。

童染本就心软，更不能看别人因她而死，那人一个头还没磕下去，她便急忙松开了手走上前：“莫南爵，你别这……”

下一瞬，她只觉得腰间一紧，被人搂进了一个坚硬的怀抱，莫南爵禁锢着她的腰，握着枪的手扬了下，缠着他右臂的安全绳便开始向上拉。

而后，莫南爵磁性的声音从半空中传来：“你以后不用跟着我了，明天带着资料去帝爵娱乐签约。”

那人瞬间瘫软在地上，少主这是让他转行去做艺人？！

童染闻言也是一怔，难道他们刚才是合伙演戏给她看的？

“莫南爵，你简直——”

“从现在开始，你有五分钟的时间好好想想，该怎么和我解释。”

“……”

莫南爵果然没有瞎说，直升机开得很快，五分钟不到，就已经降落在帝豪龙苑的大门口了。

踢开主卧的门，莫南爵扬手就将她扔了进去，随即，高大挺拔的身影压了下来：“说，你到底去哪里了？”

童染挺直了背，纤细的双腿拳起：“我只是饿了，所以出去找东西吃。”莫南爵低下头，薄唇点在她的鼻尖上，语气骤然转为阴森：“童染，我今天如果不去找你，你是不是就不打算回来了？”

见她这副爱答不理的模样，莫南爵更是气得不行，他双眸几欲喷火，她这就等于是默认了？！

莫南爵烦躁地踢开浴室的门，将童染直接扔进了蓄满热水的浴缸，随后，跟着踏了进去。

莫南爵冲了个澡就出去了，童染不用想也知道，自己肯定又被禁足了。

一直到晚餐时间，莫南爵都没有回来。

正当她浏览网页的时候，周管家走上前来，将无绳电话递给她：“童小姐，少主找您。”

童染蹙起眉尖，有些不情愿地接过电话：“什么事？”

“……”

“喂？”

又是一阵长时间的沉默。

逗她玩？！

童染就差把电话给摔出去，她尽量控制住声音：“莫总，您还活着吗？”

没有想象中的怒吼声，过了一会儿，他才开了口：“我今天晚上不回去。”

童染攥紧了手中的电话，点了点头：“噢。”

“就这样？”他的声音冷了下来，听到他不回去，这女人就这样平淡地噢一下？

“不然呢？”童染想要冷笑着回他。

莫南爵的声音比她更冷：“童染，这就是你的态度？”

“嘟嘟嘟——”

回应他的，是电话已经被挂断的声音。

莫南爵手一甩，直接将电话从办公桌上甩了出去，飞到边上的玻璃门上，发出砰的一声巨响！

莫南爵出了帝爵之后，如他在电话里所说，并未回帝豪龙苑，而是在街上开了一圈，最终，到了千欢门口。

莫南爵冷着脸下了车，将钥匙随意地丢给服务生，修长的腿直接跨了进去。

一路上都有人打招呼，莫南爵心情不好，自然是谁也不理，他走进服务员准备好的VIP包厢，在沙发上坐了下来。

从出了帝豪龙苑到现在，他脑海中全是她的身影。

他烦躁地端起杯酒一饮而尽，他自己都不知道，自己为什么会变成这样。

她的话在他耳边一遍又一遍地回放着……

每个字，都像是一把利刃，剜着他的心口。

此时，包厢门口传来服务员的声音：“爵少，A12包厢的人说，她们是帝爵营销部的，今天在这里开季度庆功会，听说您也在，想和您一起唱个歌喝几杯。”

莫南爵跷起一条腿，出乎意料地点了下头：“让她们过来。”

门一推开，清一色的女人坐满了整张意大利沙发。服务员摆好酒水关上门，便有几个女人凑了过来：“总裁，我敬您一杯。”

莫南爵瞥了一眼，眼角瞬间冷了下来。到最后，几乎一包厢的女人都露出了失望的神色，还以为今天过来可以和总裁好好搞一下关系，可是看着现在这情况，想和总裁说上一句话都难。

又留了一会儿，大家见莫南爵始终冷着脸，谁也不敢去惹他，互相寒暄了一阵，便回了自己原来的包厢。

等大家都走了之后，包厢内洗手间的门突然被推开，穿着紫罗兰色连衣裙的裴若水走了出来。

她正用纸巾擦着手，一边惊讶地瞪圆了眼睛："天啊，我上了个厕所，怎么人都走光了？"

莫南爵坐在沙发上，闻言冷睨她一眼，又将视线移开。

裴若水暗自咬咬牙，走过去在他身边坐了下来，她端起桌上的一杯酒敬向他："总裁，这杯我敬您。"

他眼皮轻抬了下："不必。"

裴若水依旧端着酒杯，脸上堆满笑容："我们营销部能有这么好的成绩，全是靠您的栽培！"

"营销部是我的，不是你们的。"

"……"

"也谢谢您让我胜任主管这个位置，我以后一定……"

"不想干可以走。"

"……"

裴若水被他堵得哑口无言。

凭什么他对着童染的时候就是一副活生生的样子，对着别人，就冷淡至此?

"那尾戒，处理掉了？"男人突然出声问道。

裴若水正想这个事情，心下一惊，面上却不露声色："是的总裁，我已经处理掉了。"

"以后，不要动这种无用的小心思，"莫南爵端起桌边的酒杯轻晃着，视线有一下没一下地从她身上扫过，"有些人的主意能打，有些人的主意不能打，我想，你不会不清楚。"

裴若水委屈地咬住下唇:"总裁，我说的都是实话，我没有骗过您……"

"好了，"莫南爵摆了下手，显然不愿意掺和这些事，"这件事情已经结束了。"

“是，总裁。”

裴若水低着头坐在沙发上，莫南爵冷瞅她一眼：“你莫不是在等我去给你开门？”

“……”

他摆明下了逐客令。

裴若水攥紧拳头，没有起身，而是抬头看向莫南爵俊美的侧脸，突然开口：“总裁，我知道……小染以前的事情。”

“哦？”莫南爵并未看她，薄唇边溢出浅笑，“她以前什么事？”

裴若水深吸一口气：“我知道她有一块怀表。”

“怀表”这两个字，很明显勾起了他的兴趣，他轻眯的眼角瞬间睁开，直射向边上的女人：“是谁送她的？”

“是谁送的我不知道，”裴若水并未说出是谁，见他肯看自己，便拿起桌上的酒瓶朝他身上靠了过去，“但是我知道，小染一直有个很喜欢的人，她没有告诉我是谁，就经常说很想他。”

莫南爵再度眯起眼睛：“这些，你是怎么知道的？”

“是小染亲口告诉我的，她经常和我聊一些心事。”

裴若水见他这会儿注意力全部放在了这件事情上，拿起酒瓶给他倒了些酒，在握住瓶口的一瞬间，指甲里藏着的白色粉末也悉数抖了进去。

那白色粉末一沾到酒水，瞬间就化得无影无踪。

无色，无味。

莫南爵轻晃着手里的酒杯：“她还说了什么？”

裴若水既然能知道那块怀表，那么，童染肯定和她说过什么。

“她还说……”裴若水咬着下唇，一副很难开口的模样，她压低身体，呼之欲出的胸口蹭在他的胳膊上，“总裁，她还说，她并不喜欢您，她只是为了钱才留在您身边，平常跟您在一起，也只是为了做做戏罢了。”

莫南爵眼底一刺，他并不确定裴若水说的是否是真的，但是童染早就说过，她只是他买来的而已。

“总裁，您别生气，只是小染这么说，所以我就实话告诉您了……”

“是吗？”莫南爵并未将情绪表露在脸上，他看向裴若水，薄唇轻抿了几口杯中的酒，“你告诉我这些，是想得到什么？”

见他将杯里的酒喝了下去，裴若水更加大胆起来："总裁，我……我也喜欢您的，与其留一个不爱您的女人在身边，不如留一个爱您的，还能好好服侍您，您说是不是呢……"

莫南爵轻挑眉梢看向她："你的意思是，你爱我？"

"总裁您问得这么直白我怎么回答嘛，我……难道您看不出来吗？"

说着，裴若水也不再顾忌，她掀起连衣裙的裙摆，直接跨坐在了莫南爵的身上！

裴若水才刚跨上来，莫南爵便跷起一腿，膝盖抵在她的腿弯处，将她一条腿挪开，目光带着几分警告："找死，可不是这么找的。"

"总裁，您就这么不喜欢我吗？"

他视线在她身上扫了一圈，就好像是在挑选一件商品，黑眸中满是不屑："我向来，不喜欢出来卖的，懂吗？"

"总裁，您别这样说我嘛……"裴若水也不生气，那模样，要多妩媚，有多妩媚。

莫南爵俊脸上露出几丝厌恶，都不愿意伸手去拉开她，他修长的腿颠了下，示意身上的女人走开："你要这么喜欢蹭男人，我可以让你在千欢蹭上一辈子。"

这番不轻不重的警告让裴若水浑身颤了下，她顿住了动作，突然开口："总裁，您爱小染吗？"

莫南爵闻言，薄唇轻勾起："我若说爱，你还能说出什么知道的事情来？"

她咬紧红唇，算准了时间，突然俯下身，对着莫南爵精致的侧脸就亲吻了起来！

"滚开！"

莫南爵怒吼一声，她这么做无疑是触碰到了他的底线。莫南爵伸出手，刚拽住裴若水的胳膊，蓦地，一股钻心的疼痛从右臂直蹿上脑海！

Devils Kiss！

这浑身痉挛的感觉，他再熟悉不过！

这次不同以往的毒发，疼痛不给人任何反应的时间，几乎是迅速地开始了蔓延，一阵阵电流般的刺激感直冲脑门，莫南爵咬紧牙关，发出一声闷哼："嗯——"

来不及多想，剧烈的感觉划过脑海，莫南爵只觉得双目一晕，右手不可抑制地颤抖了起来。

裴若水见那粉末起了作用，便伸手搭上了莫南爵的肩头："总裁，您很难受吗？我帮您泄火吧……"可莫南爵这会儿压根听不进去任何话，他左手修长的手指紧紧地按在右臂上，头半靠在沙发上，表情痛苦至极。裴若水依旧维持着坐在他身上的姿势，她再度俯下身，顺着莫南爵的侧脸一路吻了下来，手将他衬衫的扣子解开，露出性感的锁骨。

莫南爵一个翻身，直接将她压在了宽大的长沙发上。

"嗯……"

"嗯……"

二人同时哼出声，只不过一个是痛苦的闷哼，一个是娇媚的叹息。莫南爵咬着牙用左臂艰难地撑起半边身体，冷冷地睨着身下的女人："你……到底是什么人？"

"爵……"

"说！"莫南爵冷着声音开口，"你到底……是谁？"

莫南爵眉头紧皱，豆大的汗珠顺着额头不停落下，他想要撑起身体，可是却一点力气都没有，Devils Kiss 发作的威力他是知道的，可今天为什么如此迅速……

莫南爵脑海中闪过一丝疑虑，他只需要稍微回想下，便知道和她帮自己倒的那杯酒有关。

裴若水并不回答，只是媚眼迷离地看着他，莫南爵这会儿毒发身体很虚弱，她伸出手抱住他的背，用了点力就让他压在了自己的身上。

闻着他身上淡淡的薄荷清香，裴若水眼底溢出一丝爱慕和哀伤："你从来都不知道我也爱你……"

就在她说出这句话的同时，包厢门忽然被推开——

紧接着，一群娱乐狗仔疯狂地涌了进来，个个手里都拿着专业的摄像机和无线话筒，对着沙发上这香艳的一幕就疯狂地拍了起来……

裴若水见状，迅速地收起娇媚的表情，夹紧双腿后，她伸出手用力推着压在自己身上的男人，嘴里原本的呻吟瞬间转化为害怕的尖叫声，边哭边猛摇着头：“啊——不要啊——你放开我，你走开啊——总裁，我求求你了，不要碰我！”

那些狗仔都贪婪地睁大了眼睛，有人匿名打电话来说晚上千欢会有大新闻，竟然是这么大的新闻！

童染关了笔记本，时钟已经指向了十一点半，莫南爵果然是不会回来了。

她翻了个身，用枕头捂住脸，随便他，爱回回，不回拉倒！

她起身准备关灯，床头柜里的手机突然剧烈地振动了起来。

一股不祥的预感蓦地袭上心头。

童染侧过身，急忙拿出手机接了起来。

不等她开口，手机那头的男人已经喊出了声：“小染，我是罗成，我现在在千欢门口，你快点过来，出事了……”

“罗成？”童染闻言蹙起眉头，“出什么事了？”

“青……”罗成想了下，说韩青青是裴若水，童染未必会信，“你的那个好朋友裴若水，我看那些狗仔拿的照片，说是帝爵总裁莫南爵对她不轨……现在就在1号VIP包厢。”

“你说什么？！”童染噌地坐起身，面色瞬间变为惨白。

罗成退到边上，将声音压低：“对，媒体的照片是这么说的，有一些照片已经当场洗出来了，上了各大网站的头条，还有说莫南爵吸毒的，现在好像是正在毒发中。里面堵了太多的人，我被挤出来了……”

毒发。

一听到这两个字，有什么东西轰的一声在脑袋里炸开，童染只觉得浑身发抖，她随便套上一件衣服，握着手机就冲下了楼。

司机也知道事情严重，开得很快，一路闯红灯擦车，童染出门时让周管家通知了陈安，让他也马上赶去千欢。

等她到千欢门口的时候，七辆黑色的轿车也停在了外面，童染心里一松，帝爵的人来了。

可场面远比她想象中的要混乱，整个千欢，乃至外面的好几条街都停满了车，用人山人海来形容都是轻的，童染侧着身子走进去，身边还有记者在做现场直播报道。

童染绕过重重人群朝里面挤去，她又高又瘦，所以很顺利地挤到了门口，这才发现，里面更夸张！

每隔一秒都有无数灯光闪过，她现在才知道为什么狗仔才是这个世界上最厉害的人，因为他们简直无孔不入！

她艰难地向前挤了两步，看见底下有被人踩踏过的照片，弯腰捡起来，照片背景正是千欢的1号VIP包厢，而长沙发上，莫南爵颀长的身形压在一个女人身上，虽然他侧着头，仍然能看清他因痛苦而紧拧起的剑眉。

而那女人显然在哭，童染一眼就看出，她确实是裴若水。

童染将照片紧攥在手里揉成团，她蹙起眉尖，突然伸手用力地扒开人群："让开！都给我让开！"

那群狗仔以为她是同行，自然是不让的，童染侧着身子向前挤，遇到死也不让的，便抬腿在对方腿弯处用力一踢！

"靠！谁踢我？！"

"不是我啊！"

很快便有三两群人吵在一起，借着这个空隙童染侧身闪了进去，1号VIP包厢门大开着，冲进去的时候，童染一眼就看到了半靠在沙发上的莫南爵和缩在那边的裴若水。

莫南爵几乎整件衬衫都已经被汗水浸湿，他左手紧捂住右手，俊脸上的痛苦显而易见。

一股无名火从心头蹿了上来，童染三步并作两步上前，一把推开靠得最近的那名狗仔："不要再拍了！"

她用了极大的力，那名狗仔被硬生生地推得向后栽去，摄像机摔在了地上。

童染置若罔闻，她走到莫南爵身边，将自己身上的外套脱下来裹在他身上，触碰到他时，才发现他浑身颤抖，冷如寒冰。

她明白，他此刻毒发有多痛。

上次在岛屿的时候，他痛到用仙人掌来扎自己的手心……

鼻间一阵酸楚涌上来，童染用袖子给他擦了擦额头的汗珠，握住他冰冷的右手，将体温过渡给他："很疼吗？"

莫南爵浅眯着眼睛，听到耳边传来清甜的声音，还以为自己身在云端，他薄唇抿了下，却没有说出话来。

他这会儿已经接近于半昏迷的状态。

"走，我扶着你，"童染一手绕过他的背部，让他半个身体都靠在自己的肩上，"能站起来吗？"

莫南爵也不知道听到没有，极轻地点了下头。

看到这副美人救英雄的场景，狗仔的眼睛再次咻地睁大，话筒凑了上来："请问小姐您是爵少的什么人？他的那枚尾戒是您送的吗？您认识沙发上的那位……"

"我说不要再拍了！"童染反手一拍，直接将狗仔手中的话筒夺过来摔在了地上，她杏目圆睁，几乎是怒吼出声的，"你们没看到他很疼吗？他疼得发抖你们看不见吗？他疼成这样了你们看不见吗？你们还是人吗？"

此话一出，在场所有的狗仔都是一怔。

童染也管不了他们会怎么想，她一脚撑地，一脚撑在沙发上，用尽全力将莫南爵扶了起来。莫南爵很沉，几乎整个人压着她，她身子歪了下，险些就要倒下去。

童染扶着莫南爵走出包厢的时候，堵在外面的人瞬间尖叫了起来："爵少出来了，爵少出来了——"

紧接着又是一连串的问题砸过来。这时，帝爵的人也终于冲了进来，他们知道童染是莫南爵的秘书，也没多问什么，一边疏通人群，一边给他们腾出一条道来："都让一让，让一让！"

童染紧紧环住莫南爵的腰，他的手臂搭在她肩上，很是虚弱，这会儿身体又热了起来，她脚步很慢，生怕稍微快一点，就会让他更疼。

可人实在太多，还是有几个狗仔找缝钻了进来，拦在他们面前，想要趁此机会抓拍几个特写。

咔嚓——

又是一声闪光灯闪过，莫南爵下意识地拧起眉，偏了下头，显然对这个很是反感。

“喜欢拍是吧？”童染见状，本就积满的火气瞬间爆发了出来，她单手捞起挂在墙上的盆栽，用力地朝那人的摄像机扔了过去！

哐当！

摄像机前端被砸得粉碎。

“谁再拍一下，下一个砸的就是他的头！”

她冷冷出声，踩过底下的碎片，将莫南爵身上的外套裹紧些，在帝爵工作人员的护送下，好不容易才出了千欢的大门。

门口早已有车候着，工作人员帮忙将莫南爵扶上车，童染随后坐了进去，砰的一声甩上车门，将那些问个不停的狗仔隔绝在外。

司机发动车子，帝爵的轿车在后面跟着，直到开了好几条街，才将紧随其后的狗仔队甩掉。

轿车里，莫南爵侧着身子靠在坐垫上，他浑身湿透，就像是从水里被打捞出来，童染帮他将衬衫扣子解开，索性直接将衬衫从他身上撕了下来，而后拿出车后面备用的衬衫，费了好大劲才给他换上。

换好之后，童染拿过湿巾纸帮他擦着额头上的汗珠，而后轻拍了下他的脸：“莫南爵？”

他薄唇紧抿，显然听不清她说什么。

童染伸手摸摸他的额头，他脸色苍白，可是温度依旧烫得惊人。她咬紧唇瓣收回手：“你还觉得很疼吗？”

“水……”靠在一旁的男人微仰起头，突然喊出这个字。

“你要喝水吗？”童染忙拿过边上的矿泉水瓶，拧开盖子后递到他唇边，“慢点喝，这是凉的，等下回去后再喝热水。”

可水递到他唇边，却怎么也喂不进去。

童染帮他擦干净嘴角，然后自己嘴里含了一大口水，搂住他的脖子后，将自己的唇瓣贴了上去。

二十分钟后，到了帝豪龙苑门口。

下车时，用人想要将莫南爵扶下来，可他紧搂着童染的腰不放，无奈，最后童染只得在用人的帮助下将他扶到了三楼主卧。

接到通知的陈安直接从去千欢的路上折了过来。

童染将主卧里的中央空调关掉，窗户打开，让新鲜空气进来。

陈安来的时候，莫南爵全身上下已经换上了干净的家居服，他静静地躺在床上，童染则坐在床沿，细心地用毛巾给他擦着汗，时不时地用脸贴一下他的额头，确定他是不是还在发热。

这副场景，美好得让陈安一时竟不忍心打破。

周管家端着东西走进来，见陈安站在那儿一动不动，以为他不好打扰，这才开口对童染说道："童小姐，安少爷来了。"

童染噌地从床边站起身，低垂着头就朝前走去："你……先帮他看看，我……我去拧毛巾。"

"童小姐，"周管家忙拦住她，"您走的方向是书房。"

"……"

童染这才抬起头来，陈安侧了下眸，刚好看到她已经泛红的眼眶。

她为爵哭了？

陈安走上前，伸手在她肩头上拍了拍："别太担心，爵不会有事的。"

周管家也在边上感慨道："是啊，童小姐，您放心吧，少主吉人自有天相，从小到大那么多大风大浪都挺过来了，这次肯定也没事的。"

陈安了解童染这时候的心情，不由得想起上次爵将她用银链子圈起来的时候，他和她之间有过的那次谈话，若说她的心境到现在都没有一点变化，陈安肯定是不信的。

检查过后，童染紧张地拉着陈安到了房间外面："怎么样？是毒发了吗？"

"说是也是，说不是也不是，"陈安摘下听诊器，颀长的身体朝门边一靠，"他这不是自身周期性的毒发，所以不能算在毒发里面。"

童染小手攥紧："是有人下药？"

"对，但是不单纯是下药，应该说是下了一种诱发性的东西，这种东西我们在研究 Devils Kiss 的时候，在它的成分里发现过，我们医学界称为 K2，"陈安俊脸上面色凝重，"就是这个叫作 K2 的东西，诱发了爵体内的 Devils Kiss 发作，导致毒素没有按照周期性，而是当时就发作。"

"你的意思是……对方是知道他体内有 Devils Kiss 的？"童染听出陈安话中有话。

陈安点下头：“这是可以推断出来的，如果对方不知道他中了Devils Kiss，是不可能用K2来做诱因的，因为，K2对正常人不具有任何的效果。”

童染蹙起眉尖：“会是谁……”

“肯定是知情的人，”陈安接过她的话头，“爵中毒这件事情，对外是封锁了消息的，知道的只有我们几个，下毒的人若是散播爵中毒，就等于变相地承认毒是他们下的，所以他们不会轻易散播。今天这事肯定是一早就知情的人，要么是下毒的人，要么就是别人花高价买来的消息，恶意陷害。”

童染点点头，这些事情都先放到脑后：“那他今晚还会发作吗？”

“不会，这次不是正常的毒发，所以和上次你看见的不一样，等K2的药效退了，自然也就好了。”陈安自然知道她这么问是什么意思，“你不用担心他会想要给自己注射，让他多睡一会儿，多休息几天就没事了。”

童染这才松了一口气：“陈安，谢谢你。”

没事就好……

“谢我做什么？”陈安勾唇一笑，对于童染，他已经没有了最初的那种防备之心，“是你到千欢去接爵的？”

他没看出来，童染竟然有这种勇气。

童染点了下头，而后露出愤恨的表情：“那些狗仔太过分了，明知道他毒发，竟然一个个都袖手旁观！”

“很正常的，你要学会习惯这些，”陈安并不惊讶，只是笑了下，“所以你别想那么多，照顾好爵。”

“嗯，我知道的，”童染应了一声，突然开口问道，“你小时候，是和莫南爵一起长大的吗？”

“是的。”

“他的童年是什么样的？”以前隐约听周管家说过，莫家的人是没有妈妈的，这句话是什么意思？

“他没有童年，”陈安目光黯了下来，显然并不愿意提起，“应该说，出生在莫家的男孩子都是没有童年的。”

“为什么……”童染还想继续问。

陈安却摇了下头：“这些事情，等爵愿意告诉你的时候，你就会知道了。

我今天睡四楼，有什么情况让用人来喊我。”说完，他转身就朝楼梯走了上去。

一直到凌晨的时候，童染都没敢睡觉，怕莫南爵半夜会有什么情况，他一直沉沉地睡着，她便抱着笔记本坐在软沙发上。

一点开微博，入目便是偌大醒目的标题——

【帝爵国际总裁莫南爵涉嫌强暴公司女员工这惊人一幕的背后是否暗藏“吸毒门”】

童染心底一痛。

向下滑，还有好几张童染扶着莫南爵走出来的照片，对此，媒体附上了这样的文字说明：神秘美女不惜砸摄像机救英雄，经调查此女子系莫南爵私人秘书，这其中是否暗藏着某种不为人知的秘密交易？

童染摇了摇头，退出了微博，现在媒体的胡扯能力已经上升到了一个新的高度，黑的能扯成白的，白的就能扯成透明的。

她合上笔记本，心中积压着的疑虑却很难解开。

当时罗成给她打电话，说莫南爵强暴裴若水的时候，她第一反应，就是不可能。

最关键的是，莫南爵当时正好毒发，他毒发的时候什么样子她最清楚不过，连站起来的力气都没有，如果排除这种可能性，那么……

一切，就都指向了裴若水。

童染咬紧下唇，她和裴若水相处也有一段时间了，她有傅锦辰那样的男朋友，实在想不出，裴若水为什么会这么做？

如果真的是她，那么 K2 肯定也是她下的……

可，她是怎么知道莫南爵身中 Devils Kiss 的？

一连串的疑问爆炸性地袭来，童染皱起眉头，想起自己刚刚在千欢的时候一心只放在莫南爵身上，并没有去管缩在沙发内侧的裴若水，便拿起那支手机，拨通了她的电话。

“您好，您拨打的电话已关机……”

再打开笔记本登录 QQ，头像也是暗的。

她真是急傻了，这种时候怎么可能会 QQ 在线……

童染将笔记本放到一边，站起身走到床边，见他依旧睡得很沉，便替他把被子盖好，轻手轻脚地走到阳台上。

她本想透透气，口袋里的手机却在这时响了起来——

童染按下接听键："喂？"

"小染，你现在在哪里？"罗成的声音很低，像是刻意压着的。

"我在……家里。"童染顿了下，没有说出帝豪龙苑四个字，"你今晚怎么会在千欢的？"

"我是跟着青……裴若水一起去的，我一直在外面守着，没有进去，没想到就刚好发生了这样的事情。"罗成简单地解释了下，突然转了话锋，"小染，你和裴若水认识多久了？"

"我们是在帝爵认识的，我在那里上班，她是营销部的，没多久，一个月不到……"童染自然是实话实说，突然觉得哪里不对劲，"等等，罗成，你怎么会认识裴若水？"

"小染，你是真不知道还是假不知道？"

"知道什么？"童染被他说得懵里懵懂，这里面还有什么事不成？

"你扶着莫南爵从千欢离开之后，媒体也慢慢地散了。我在门口等到裴若水出来，就一直跟着她，她没有回公寓，"罗成好像是吸了一口烟，声音变得十分低沉，"然后，我就跟到了这里，南音艺术学院。"

童染只觉得手心冒汗，她握紧手机，下意识地将声音压低："罗成，她现在就在南音吗？"

"我跟过来的时候在南音，她进去了一会儿，现在出来准备离开了，她自己开车的，我在后面跟着，"罗成说着又点了一根烟，缭绕的烟雾将他的俊脸镀上一层白，"小染，你真的一点都感觉不出来吗？"

童染蹙起眉尖："罗成，你有话就直说吧。"

罗成语气严肃："我觉得，裴若水就是韩青青。"

"你……你说什么？"童染浑身一震，手机险些从手里滑落，她咬住下唇，双手固定住手机，"你、你在开什么玩笑？"

"小染，我没有和你开玩笑。"罗成声音带着浓浓的悲伤，"你察觉不出来也是正常的，因为她几乎全都变了，和她再好也不会发觉。但是也许因为我很爱青青，我爱了她这么多年，所以我对她的一颦一笑都记忆深刻。她的一个回眸，都能让我心动很久，而这种心动的感觉，我在裴若水身上找到了，她眼睛里的那抹光，和当初的韩青青如出一辙、也许容能整，声音能变，一切都能改，但是唯独一个人的目光是改不了的。小染，我确信我没有看错……”

见手机那端的童染久久没有说话，罗成也能理解她震惊的心情，过了一会儿才问：“小染，你还在听吗？”

童染这才从纷杂的思绪中回过神来，她艰难地从喉咙里挤出两个字：“……我在。”

“我知道你现在难以相信，我本来也没打算告诉你，我想自己跟着她就好，但是没想到……今晚在千欢会发生这样的事情，帝爵总裁比裴若水晚来很久，我在门外看着他走进去的。”罗成手打着方向盘，顿了下，“小染，我知道你跟了莫南爵。”

童染没有否认，她能在帝爵当总裁秘书，罗成会猜到也是很正常的。

“可是裴若水的手机现在关机……”

“我刚看到她好像把手机扔了。”罗成皱着眉，“我现在就跟在她的奥迪后面，等下看她到了哪儿，我给你信息，你最好是过来一趟。”

童染点了下头，喉咙里沙哑难耐：“好，我……等你信息。”

罗成嗯了一声，便挂断了。

童染握着手机在阳台站了很久，冷风飕飕地从脸上刮过，她却一点也不觉得疼，她回想起那天晚上，她本来是和一起下了课，朝学校外面的小摊子走去，半路她接了个电话就先走了……从那天之后，韩青青就彻底地人间蒸发了，任由童染再怎么找，也找不到她。这件事一度引起南音艺术学院的学生恐慌，女生晚上都不敢轻易出门。

可这些和韩青青变成裴若水回来又有什么关系？

脑海里不停地闪过这两个名字，童染猛然睁大眼睛，她快步推开落地窗走回屋内，打开笔记本，将裴若水的 QQ 找了出来。

QQ 名依旧是若水 QQ。

童染心里咯噔一下，她将 QQ 号复制到登录栏，输入了好几个她曾经和韩青青共同用过的 QQ 密码，每次都提示错误……

可到第四个的时候，却突然显示登录成功了。

空间里面很冷清，没有说说和照片，只有一篇权限为“仅自己可见”

的日志，点进去后，童染发现整篇日志都是空白的，只在最底端写了一句话。

“如果我们，一如当初，若水清清，清清若水。”

这短短十六个字，却让童染整个人如遭雷击！

童染噌地从软沙发上站起来，放在膝盖上的笔记本电脑掉落砸在地板上，发出砰的一声巨响！

门口守着的用人听到声音一惊，以为发生了什么事情，一个开门冲了进来，一个急忙到四楼去喊陈安。

“童小姐，您没事吧？”

童染只是愣愣地站着，一时之间还没有从震惊中缓过神来。

陈安很快就套了衣服走下来，他看向大床之上沉睡的男人，心头一松，而后朝童染走了过来：“你怎么了？”

童染一动不动，好半晌才将目光移到陈安身上，想要开口，却发觉喉咙一阵沙哑。

用人细心地递过来一杯水，童染喝了两口，才觉得好一些：“我……没事。”

陈安让用人扶她坐下来：“脸都白成纸了，还没事？”

童染垂眸不语。

“是担心爵？”陈安走到床边看了下，将声音放轻，“放心吧，他目前状态很好，等 K2 药效一过，我保证还你个生龙活虎的莫南爵。”

说着，陈安皱起眉，半开玩笑地道：“这下药的人还真的大胆，这么狠的量，等爵醒了，不知道还能给她留下几层皮。”

童染呼吸一窒，她动了下腿，走到床边，陈安见状让开道，她便在床沿坐了下来。

莫南爵呼吸沉稳，好看的剑眉轻拧着，似乎并不舒服，童染伸出手，纤细的手指抚过他的眉间，帮他舒缓着。

他的脖颈间，还隐约可见未消退的吻痕。

那很有可能是裴若水吻出来的……

一想到这个，童染心底一刺。

“锦海市西郊 A01 号仓库，亮灯的地方，她进去之后没出来，我现在进去，你直接过来。”

是罗成的短信。

童染下意识地攥紧手机，朝屋内看了一眼，转身朝楼下走去。

一楼主会客厅内，陈安正在看电视，见她下来放下遥控器：“你还不睡？”

“陈安，我有件事情想拜托你，”童染走过去在他身边坐下来，“我……想出去一趟。”

陈安诧异地看向她：“大半夜的你要去哪里？”

“有很重要的事情，”童染小脸上神色认真，“关于在千欢发生的事情，我可能可以知道到底是谁干的。”

陈安挑了下眉：“我放你出去，要是你有什么事，爵醒来不得唯我是问？”

“你相信我，我现在出去，早上莫南爵醒之前一定回来。”

陈安抬眸望向她眼底的那一抹坚定，而后站起身：“你救过爵一次，我就信你这一回。”

用人知道陈安和莫南爵的关系，又说让童染去取重要的药，自然不敢多阻挠，二十分钟后，童染就顺利地出了帝豪龙苑。

西郊这一片都很荒凉，踩着枯树叶还能听见虫鸣声，童染双手插在兜里，强忍着恐惧感，绕过一栋栋废弃的厂房，好半天才找到标记着A01仓库的大楼。

四周都是黑漆漆的，只有这栋楼一层亮着微弱的橙黄色灯光。

她才刚走进大门，一个瓷碗就朝这边丢了过来，伴随着女人的怒吼声：“你别再跟着我了，你给我滚！”

哐当！

童染一偏头，瓷碗在她身后的墙上碎裂开来。

看到她出现，女人的声音明显一沉：“你怎么来了？”

童染抬眸，就看到最里边靠在墙边的裴若水。

她身上还穿着被狗仔拍下来时的那件紫罗兰色连衣裙，只是外面披了件同色的披肩，遮住了被撕开的肩带。

童染并不说话，一双大眼睛一眨不眨地盯着她看。

裴若水双拳攥紧，眉头已经皱起：“你是怎么知道我在这里的？”

罗成就站在门口的墙边，闻言几步走到童染身边：“是我通知她来的。”

“你通知的？”裴若水冷笑一声，从边上的包里掏出一支烟点上，而后轻吐出烟圈来，“说吧，这么晚都来找我做什么？”

童染还是静静地看着她。

裴若水被她看得浑身发毛，将烟头往地上一扔：“我叫你们说话！”

“你，”童染艰难地动了动唇，只觉得那简单的几个字竟然这么难以出口，她向前走了一步，“青青……是你吗？”

裴若水眼底闪过一丝波动，却被她很快地掩饰了下去，她站直身体看向童染：“小染，我不明白你在说什么。”

“你真的不明白吗？”童染同她对视，将那日志中的十六个字轻声念了出来，“你不是说，如果我们，一如当初，若水清清，清清若水……”

裴若水闻言浑身一震，猝然睁大眼睛：“你……你怎么知道这句话的？”

童染眼里渐渐沁出泪水，那段友情，是她曾经最为珍惜的：“你的密码没有变过，还是曾经的hqqtrdoushizhu，韩青青童染都是猪，不是吗？”

“你……”裴若水显然没有想到童染会去登录她的QQ，她设那串密码也只是习惯，顺手就打了上去，她勾起一抹冷笑，强自镇定道，“你怎么就百分百确定那串字母是这个意思？是你想多了……”

“为什么？”童染打断她的话，眼睛始终没有离开过裴若水的脸，“青青，为什么要这样？”

裴若水别过脸躲开她的视线：“我说了，我不是韩青青。”

“你是！”童染几步冲上前，纤细的双手握住裴若水的肩头，不让她逃避，几乎是声嘶力竭地喊道，“青青，我知道是你，到底是为什么？你说啊！你到底为什么这样？你回来了为什么不告诉我们，你知不知道我们有多担心你？你知不知道伯父伯母为了找你都已经愁白了头，你知不知道……”

“你滚开！”裴若水突然大吼一声，她双手抬起用力推开童染，“你没有资格这么问我！”

她用了很大的力气，童染被推得整个人向后仰去，重重地摔在地上。

罗成急忙上前扶住她：“小染！”

手肘好像是擦破了皮，一阵阵钻心地疼，童染却强自撑起上半身，两眼依旧看着裴若水：“为什么？”

“你真的想知道？”

“告诉我为什么！”

裴若水踩着高跟鞋上前一步，居高临下地俯视着童染，口气冷若冰霜：“好，那我就告诉你，童染，你知道那晚糟蹋我的，是谁的人吗？”

童染闻言皱起眉头：“是阮亦蓝……”

“错，”裴若水冷笑一声打断她的话，“其实你也没说错，那晚那些小混混确实是阮亦蓝的人，不过具体点，应该说是阮亦蓝和傅青霜的人。”

“不可能！”童染脱口而出地反驳，“那个时候我们根本就不认识傅青霜。”

“你不认识她并不重要，重要的是她认识你。”提到傅青霜这三个字，裴若水就下意识地攥紧拳头，“她爱洛萧，洛萧爱你，所以她认识你。”

“不可能……”童染摇着头，“那个时候我压根不知道有傅青霜这个人……”

“傅青霜是在一次晚宴上认识洛萧的，一见钟情，她追了洛萧很久，可是洛萧理都没理她一下，因为他爱的人是你，童染。”

裴若水说着蹲在童染身边，一手搭在她的肩上：“那天晚上我们一起从学校出来，你接了个电话就走了，对吗？”

童染回想后点了点头：“是洛大哥给我打的电话，刚好大伯那晚发高烧了……可是和这件事有什么关系？”

“是没什么关系，你只是刚好接了个电话，正巧的是，那晚刚好傅青霜找了人想要欺负你，而你又刚好半途走了，所以，这三个刚好联系起来，那群接到消息等在那里的小混混，就以为我是你，明白吗？”

罗成在边上听着，都不由自主地瞪大了眼睛：“怎么可能这么巧……”

“怎么不可能？”顿了下，裴若水又勾起一抹笑，仿佛这些事情并不是发生在她自己身上，“我忘了告诉你，阮家和傅家，是联了姻的，所以阮亦蓝和傅青霜算是亲戚，傅青霜想要通过阮亦蓝之手整你，简直是易如反掌。”

听完裴若水的这席话，童染面色早已苍白一片，她张了张嘴，想要说些什么，可是却发现一个音都无法发出来。

“说不出话来了？呵，”裴若水眼神镀上一层愤恨，她搭在童染肩上的手陡然握紧，语气转为阴冷，“童染，我告诉你，我所受的一切，都是你该受的！傅青霜嫉妒的人是你，她恨你，可是为什么这股恨到最后摊到了我头上？为什么我要替你承受？你口口声声问我为什么，现在换我问你，到底是为什么？”

“青青……”童染紧咬着下唇，眼泪无声地顺着白皙的脸庞流下来，这时候，她觉得一切语言都是苍白的，她不知道还能说什么，“对不起……”

她不知道，为什么事情会是这样的……

“对不起能有什么用？就因为你完全不知情，就因为你命好，所以，这些苦痛都应该由我来承受是吗？”裴若水咬紧牙关，脸上的表情愤恨至极，“就因为我命不好，所以我不仅仅替你承受这些事情，然后眼睁睁地看着你抢走属于我的一切？”

童染动了动唇，浑身连带着唇瓣，都在颤抖，眼泪滚进嘴里，她却觉得苦进心里：“青青……”

“你想问我，为什么要牵扯到莫南爵对吗？”裴若水松开握住她肩头的手，站起身时，眼睛眯了起来，“童染，你还记得，以往我们一起坐公交车，路过帝爵大厦的时候，我和你说过什么吗？”

童染闭上眼睛点点头：“我记得……”

韩青青说，小染，能坐在这里面上班的人，该有多幸福啊！

韩青青说，小染，你看见帝爵总裁的海报了吗？我以后啊，一定要嫁给这样的男人，和莫南爵一样的男人……

思及此，童染诧异地看向她，眸中满是不可置信：“你……”

“对，我爱他，”裴若水毫不掩饰地接过童染的话头，想起那次在顶层看到莫南爵将童染压在门上强吻，又想起莫南爵对她的冷淡和厌恶，嫉妒使语气变得更加狠毒，“他这样完美的男人，是我一直以来的梦想，我考进南音钢琴系，为的就是以后能签约帝爵娱乐，为的就是可以靠近他！结果呢？呵，反倒是你攀上了莫南爵，做了他的女人，童染，你觉得这些可笑吗？”

我爱他……

这三个字，像是一把刀一样刺进童染的心里，她缓缓摇了摇头，低声喃喃道：“青青，你真傻，你这样做不值得……一点都不值得……”罗成闻言却攥紧了拳头，他单手搂住童染的腰，一个用力将她从冰冷的地上拉了起来，直面向裴若水：“韩青青，你看清楚了，这是童染，是你最好的姐妹！你把一切都推到她身上，害你的人不是她！”

“有区别吗？害我的人不是她，但是我却因她而错被别人害，这两者有什么区别吗？”裴若水说着，心里的嫉妒和愤恨齐发，她伸手用力揪住童染上衣的领子，作势就要朝两边撕开，“童染，你敢让我看看你身上有多少莫南爵的吻痕吗？你敢说你身上有哪一处是他没摸过的吗？你说我这么做不值得，你已经跟了莫南爵，你有什么资格说我不值得？”

“韩青青！”罗成站在童染身边，见状用力握住她疯狂撕扯的手腕，“你疯了是不是？”

童染一动不动，任由她抓着自己的衣领撕扯着，闻言轻抬起眼皮：“青青，你想跟他吗？”

“我想，我当然想！不过，我知道我已经不可能了。”裴若水自嘲地一笑，而后顿下手中的动作，盯着童染的眼睛，“但是，童染，不管我能不能跟他，我都不会让你跟着他！我爱的男人，我碰不到得不到，你也休想得到他！”

她的指甲很长，因为撕扯划过童染颈间细嫩的肌肤，冰冷刺骨地疼。

童染闻言浑身一震，想起狗仔拍到的那些照片，想起莫南爵脖颈上未消退的吻痕……见童染别过头去不说话，裴若水以为她是心疼莫南爵，更加气得不行，裴若水抡起右手，一掌就朝她脸上甩了过来！

“韩青青！”罗成用力抓住她就要落下来的手，“你不要太过分了！这件事情小染没有错！你自己好好看看，你变成什么样了？这还是以前的你吗？”

“你觉得我还能是以前的我吗？”裴若水向后退了几步，甩开罗成的手，冷笑出声，“从我被人糟蹋开始，我就不可能是以前的我了，因为我脏了，你懂吗？”

罗成虽然觉得她这样做不对，但毕竟是爱她的，闻言心底泛出一阵心疼，他没有回话，而是将童染拉到边上，低声道：“小染，你先回去吧，再说下去只会吵得越来越凶……”

童染浑身提不起一点力气，她轻点下头，转过头看向裴若水：“青青，我只问你最后一个问题，那K2，是你下的吗？”

裴若水又点了一支烟，斜靠在墙边，闻言连头都没有抬一下：“我不知道什么是K2，你问错人了。”

她并未撒谎，因为她确实不知道K2是什么。

童染闻言垂下眸，话已经说到了这个份上，既然韩青青不肯再说，她再留只会让韩青青情绪更激动，而且她答应了陈安，天亮前必须回去……

否则莫南爵醒了看到她不在，肯定会怪陈安的。

想着，她转过头来：“罗成，那我先走了，你照顾一下青青，有什么事情给我信息。”

“放心吧。”罗成拍拍她的肩，能找到韩青青，他心里自然比童染更高兴，“这里交给我，我不会让她出事的，我明天会和你联系的，小染，事情已经发生了，你别太难过，也别怪青青，她毕竟……”

“我知道的，我怎么会怪她……”童染点下头，感激地看向罗成，“罗成，谢谢你……”

罗成见她浑身无力，便揽着童染的肩将她送到仓库的大门口：“好了小染，都是这么久的老同学，不要和我多客气了，一晚上没睡，你先回去吧。”

“好。”

童染和罗成道了别，环着双肩走出了仓库，这时候天已经蒙蒙亮了，是最冷的时候，她擦着墙壁走出来时，被树枝剐了一下，明明不重，却撞得她生生退后了两步，跌坐在了地上。童染在地上坐了很久，直到双腿发麻，她才撑着身体站了起来。

走到马路上，童染远远便看见一辆出租车停在那儿，见她出来，那车便开了过来，还是之前送她过来的那个司机："小姑娘，我看你昨晚那么晚一个人打车过来，怕你出什么事，就一直在这里等你。"

童染闻言心头一暖，眼泪差点涌出来，一个陌生司机都可以无条件地关心她，为什么韩青青对她，偏偏就要选择这样极端的方式？

大门内，罗成一直站在那里看着，等童染上车离去后，才放心地走回去。

仓库里，裴若水正坐在一个破木凳上抽着烟，她抬头看到罗成又进来，不悦地拧起眉："你没走？"

"你在这里，我能走到哪里去？"罗成将自己的外套脱下来，披在裴若水身上，一手去夺她手里的烟，"清晨很冷，你少抽点。"

"关你什么事？"裴若水抖了下肩膀将外套甩开，妆容精致的脸上显露出几许苍白，"你最好马上离开这里，从我眼前消失，我一分一秒都不想看见你。"

"青青，你以前也经常这么对我说，你忘了吗？"裴若水这样嫌恶的态度，罗成却丝毫不恼怒，他好脾气地捡起外套重新给她披上，"你以前还说，要是有机会，一定亲手把我从悬崖上推下去。还有一次，我们站在学校对面的奶茶店边上，你说……"

"罗成，"裴若水打断他的话，这次没有甩开，而是站起身，扯下外套递给他，"你走吧，让我一个人静一静，可以吗？"

"不可以。青青，我早就说过的，"罗成跟着她走上前，双手扳住她的肩膀让她正对自己，"只要你还是韩青青，我就会一直追你，追到你嫁人生子，我才会放手。"

裴若水没有推开他，将头别向窗外："以前的韩青青已经死了。我整过容，做过变声手术，打过胎……"

罗成闻言依旧表情坚定地看着她："青青，这些我通通都不在乎。"

"你不在乎？"裴若水冷冷一笑，转过头看向他，"可是我在乎！我在乎我自己已经不干净了。我不可能接受你，接受任何人！我已经没有未来了！你听懂了吗？"

"我听懂了，"罗成点点头，同她伤人的目光对视，"青青，你没有未来没关系，我有。我可以牵着你的手走进我的未来，我们一起走下去，我会让你幸福的，你相信我……”

“抱歉，你的未来我没有兴趣，更不想参与其中，”裴若水依旧十分冷淡，“你快点走吧，以后都不要再跟着我了。”

罗成完全无视她的拒绝，执着地环住她的腰将她搂进怀里：“青青，你如果不想待在锦海市，我可以带着你离开，你想去哪里？出国的话，我去筹钱……”

“你放开我！”裴若水浑身一震，一个用力将罗成推开，抬手就朝他脸上甩了一巴掌，“你这人怎么这么不要脸？我说了我不爱你，我说了再也不想看见你，你快点给我滚！”无比清脆的一掌落下，罗成英俊的脸庞上瞬间多了一个红彤彤的掌印。

“滚！”

“青青，你还说以前的你死了，”罗成却没有生气，他表情夸张地摸了摸自己的右脸，嘶嘶直叫，“你看看你这野蛮劲，比以前还要辣，不过没关系，”罗成咧嘴笑着看向她，“你越辣，我越爱你。”

“你——”裴若水对他的厚脸皮简直无语，她刚想再给他一巴掌，可手还没扬起来，外面便响起了汽车开过来的声音。

裴若水脸色陡然一变，却很快掩饰了起来。她一把扯住罗成的手臂，将他朝仓库外面拖去：“你还赖着做什么？快点走！”

“别说话！”罗成反握住她的手，他也听见了外面汽车开过来的声音，语气瞬间变得警觉，“青青，你听，有人来了。”

裴若水只是用力地推着他，伸手在他身上乱捶着：“什么人都没有！你快走！我不想再看见你！”

“青青！”罗成语气严肃，“怎么会这么巧有人来？是不是来找你的？”说着他突然睁大了眼睛，“难道是莫南爵的人找过来了？照理来说不可能的……”

“是你听错了，压根没有人来。”

仓库外传来砰的几声甩上车门的声音，紧接着，便有人朝A01号仓库这边快步走了过来。

裴若水垂着的手猛然攥紧。

罗成吓了一大跳，他急忙冲上前拉住裴若水的胳膊：“糟糕，是冲着这边的，八成是莫南爵的人找来了，你爬到后面藏起来，我在这边帮你打掩护……”

他话还没说完，脚步声已然临近，罗成急忙将裴若水护到自己身后，警惕地望向那些彪形大汉：“你们是什么人？要干什么？”

他一边说着，一边用身体完全挡住裴若水，生怕那些人会冲上来做什么。

这样的举动，让裴若水心里莫名地一暖。

那四个彪形大汉闻言一动不动，罗成还想说些什么，却见门口又出现一个男人，穿着一身墨黑色的西装，这样深沉的颜色同他周身的气质并不相配，他一边朝里面走进来，一边摘下墨镜。

Chapter 9
这是你背叛我的代价

“少爷。”彪形大汉恭敬地垂首。

那男人看见罗成，显然有些惊讶，他皱起眉头：“有外人？”

“你是……”

罗成话还没出口，裴若水便出声打断他，朝那人解释道：“这人只是路过这里，以为我在里面出了什么事，我不认识他。”

男人脸色缓了下，扫了罗成几眼，却并未多问：“那就叫他快点走。”

裴若水赶忙推他：“你走吧，谢谢你关心。”

罗成以为她被这男人威胁，当即将她护得更紧：“青青，你别怕，我不会让他伤害你。”

“他认识你？”一直静默不语看着他们的男人突然出声，温和的嗓音带着些许冰寒，“他知道你是韩青青？”语气已有怀疑和警告。

裴若水连连摇头，忙矢口否认：“我们真的不认识，你让他走吧，他什么都不知道。”

“可，他刚刚叫你青青，”男人皱起眉，看向罗成时的目光，已经带着几分肃杀的气息，他沉着声音，“你和她是什么关系？”

罗成毫无惧色地迎上男人的目光，说出来的话更是吓死人：“我是她的男朋友。”

裴若水大惊失色，她走到罗成身边，拽着他再度朝门口推去：“你这人到底在胡说八道什么？快滚！”

可还没推出去几步，那几个守在门口的彪形大汉已经走了过来，拦在了他们面前。

“你们认识，他知道你是韩青青，就凭这一点，你就已经犯规了。”

“我说了他什么都不知道……”

“等等，”罗成跟着转过身来，眼睛盯着那男人看了几秒，突然开口，“我好像认得你。”

“你认得我？”男人冷声问道。

裴若水站在罗成边上，急得团团转，她将视线投向外面：“你是一个人来的吗？让他先走，别打扰我们谈事情，不然晚了就……”

可她话还没说完，罗成却猛然抬起头，直看向那个男人：“我在南音的时候见过你！”

男人冷冷扫向裴若水：“你还敢说你们不认识？”罗成奋力地甩动着手臂，瞪向那个男人，脑海中突然闪过一丝记忆，顿时睁大了双眼，“我想起来了，你送过小染到南音门口！”

裴若水惊得下巴都要掉下来了，她冲上前想要阻止，可罗成的后半句话已经冲口而出：“你是小染的堂哥！你叫洛萧！”

洛萧闻言俊脸上顿时阴霾一片，他走到罗成身前，伸手搭在他的肩头上：“你认识小染？”

“我当然认识，她是我的同班同学，”罗成点点头，看向裴若水，“青青，你打个电话，叫小染现在过来。”

洛萧眉头一皱：“小染来过？”

“她凌晨来的，刚走没多久，大概一个小时左右……”

见他什么都实话实说，裴若水气得一巴掌甩过去：“罗成！”

“韩青青！”洛萧一把握住她扬起来的手腕，温和的语气骤然转为阴冷，“小染居然来过这里？你疯了？！”

“你放开我！事情不是你想的那样！”裴若水甩开他的手，向后退了两步，“小染已经知道了我是韩青青，但是仅限于此，我把以前的那些事情告诉了她，关于我们的交易，我只字未提。”

罗成闻言不可置信地摇头：“青青，你和他之间还有什么交易？”

“闭嘴！”右边的彪形大汉见状在他腿弯处用力一踢，罗成便单腿跪在了地上。

“小染是怎么找到这里来的？”洛萧环顾四周，“这里这么危险，你竟然让她一个人过来？！”

裴若水指了下半跪着的罗成，事情到了这一步，她索性就实话实说：“他一直暗中跟着我，然后到这里后，就通知了小染。”

洛萧眉目清冷：“把这里收拾干净，我们换个地方。”

“不用，小染不接到他的信息，是不会再来的。”裴若水说着看向洛萧，语气带了几分故意的成分，“再说了，莫南爵这会儿也差不多该醒了，你觉得小染能出得来？”

提到莫南爵三个字，洛萧温良的眉宇间便笼上一抹杀气，他侧着身子走到里面一点，这才开口问道：“昨晚的事情没出什么纰漏吧？”

“你不是都看到媒体的报道了吗？那么多照片，拍得一清二楚。”裴若水又点了一支烟，恢复了冷淡的态度，“我答应你的两件事情，我都做到了，接下来是该你拿出筹码的时候了。”

洛萧并未动一下：“傅锦辰现在还好端端地在傅家。”

“你放心，昨晚出了这样的事情，明天一早他肯定会冲到帝爵向莫南爵要说法，媒体也会爆出我是傅锦辰的女朋友，你觉得，莫南爵还能容得下傅锦辰？都不需要莫南爵自己动手，他手下的那些人，一定会找个理由把傅锦辰弄进牢里。”

“你就这么确定？”洛萧眯起眼睛，“帝爵的人动不动傅锦辰还是个未知数，只要他还在傅家一天，对我就是个威胁。”

“就算帝爵的人不动傅锦辰，我那个公寓里也藏着傅锦辰向银行买通账户信息的那些证据，只要警方去我公寓搜查一下，那些东西就会落在他们手里，傅锦辰还是逃不了牢狱之灾。”裴若水把握十足地说着，红唇中吐出一个烟圈，“我们当时说得好好的，我们交易，我做到你说的两点，一、破坏莫南爵和小染的关系，二、把傅锦辰解决掉。第一点我昨晚已经做到了，第二点，其实都不用我做，只要媒体爆出我是傅锦辰的女朋友，帝爵第一个就不会放过他，况且，他平时为了把你挤下台，在背地里动了不少手脚，所以你完全不用担心。”

裴若水的脸庞浮现出一抹难以消磨掉的嫉恨，她抬眸看向仓库外，开口问道：“话已经说得这么明白了，我答应你的两件事情都做到了，你答应我的呢？”

洛萧却摇了下头：“我不明白你说的是什么。”

“你这是想赖账？”裴若水闻言噌地站起身来，高跟鞋将烟头踩灭，“当初说好的，我完成了两件事情后，你就将傅青霜带来交给我。”

“青青，”洛萧依旧是这样喊她，眉宇温润，“我和青霜还没有正式结婚。”

“你难道想和她结婚？”裴若水不屑地一笑，“萧哥哥，你爱的是小染，和傅青霜结了婚我也不信你能和她走下去，索性把她交给我，我会让她从这个世界上彻底消失，这样的话，你也省了个麻烦。”

“不行，我和青霜，是一定要结婚的，”洛萧毫不隐瞒，直接就说了出来，“我只有正式地娶了她，才能完全坐稳傅氏总裁的位置。青青，这一点，我不信你这么聪明会不知道。”

“你这么说是什么意思？”裴若水攥紧双拳，“难道你是要我等到你和傅青霜结婚之后，再把她交给我？”

裴若水像是又想起了什么，蹙眉问道：“萧哥哥，我一直想问，你到底为什么要娶傅青霜？你爱的明明是小染……”

洛萧闻言皱了下眉，抿着唇没有开口。

见他不答话，裴若水咬着牙上前两步：“你今天既然没带傅青霜来，那你来找我做什么？”

“我只是来看看你而已。”洛萧随意敷衍了一句。

“洛萧！”裴若水对他这不温不火的态度终于忍无可忍，她抬头瞪着他，“你现在这样，是不是表明你反悔了？我替你做完了两件事情，你却不打算履行你的承诺？”

“青青，你知道我那天给你的那袋粉末，是什么东西吗？”洛萧没有回答她的话，却问了另一个问题。

“你……你给我的是什么东西？”

“我给你的那粉末，”洛萧顿了下，才继续道，“是能够让莫南爵毒发的药。Devils Kiss。”

“Devils Kiss……恶魔之吻？”

“对。”

“他中了这种毒，你是怎么知道的？”裴若水瞬间瞪圆了眼睛，“难道你……”

“这你就不用管了，”洛萧没有承认，自顾自地说下去，“你给他下了 K2，诱发 Devils Kiss 毒发，他自然就以为这毒是你下的，所以，他会恨你。”

“他恨我，那又怎么样？”裴若水虽然被吓到了，但是她并不觉得有什么，她在 KTV 做出那样的事情，就已经足够让莫南爵恨她了。

“青青，你还不明白吗？”洛萧勾起嘴角，“莫南爵如果恨你，他就会想要杀了你。”

裴若水浑身一震，莫南爵会杀了她，她也不是没想过，毕竟她害了他：“那有什么关系？我再整个容，换掉身份，离开这里，他是不可能找到我的。因为我之前在帝爵所有的身份都是假的。再说了，”她顿了下，嘴角勾起一抹笑容，“你觉得小染会让莫南爵杀了我吗？有小染从中阻挠，莫南爵肯定不会……”

话说到这里，裴若水脑海中突然闪过一丝念头，她猛然如遭雷击，不可置信地看向洛萧：“你该不会是想……”

“对，你终于想到了。”洛萧点了下头，温润的俊脸上看不出一丝一毫的狠辣之色，说出来的话，却让人止不住地颤抖，“如果你死在莫南爵手上，那么，小染会恨他一辈子的。”

“你胡说八道！”裴若水退后两步，背后抵住了冰冷的墙面，“不会的，我还没杀了傅青霜，我不能死的，小染不会让莫南爵杀了我的……”

“正因为小染不会让莫南爵杀你，所以，我要推莫南爵一把。”

说着，洛萧扬了下手，守在门口的四个彪形大汉冲了进来，两个大汉抓住了裴若水，将她按在地上。

洛萧走上前打开箱子，从里面取出一根针管和一管药水，熟练地吸好之后，食指轻弹了下针管尾部。

“不……不要……”裴若水摇着头，光是看着那药水，她都吓得脸色煞白，“你想干什么……我不要……不……”

“这药的药性并不强，你不会太痛苦的，”洛萧朝她走过去，每一步都很轻，男人嗓音依旧温和如初，“注射之后，你就不会说话，也不会思考，什么都会忘记，简单来说，就会变成一个疯子。你被注射之后，不会死，会是疯癫的状态，直到，你被莫南爵的人找到。不过我觉得不会太长时间的，很快他们就能找到你。这药注射到体内，是察觉不出来的，因为它会直接破坏你的脑神经，导致你疯癫，是没有解药的，说白了，它唯一的作用，就是和安定药相抗，产生致命的剧毒。”洛萧话说完，她自然也明白了：“所以……你的计划是，让我中了这种药变成疯子，然后被莫南爵的人找到，他们看我一直发疯，就肯定会给我注射安定让我安静下来，而安定又刚好与我体内的药性产生剧毒，然后，我就会死，刚好还是死在莫南爵的手上……”

原来，洛萧从头到尾，只是想利用她……利用她将傅锦辰除掉，利用她破坏莫南爵和童染的关系，到最后，连她的命，都是他用来对付莫南爵的工具……

童染乘着出租车回到帝豪龙苑的时候，天刚蒙蒙亮。

主卧的大床之上，莫南爵依旧沉沉地睡着。

童染简单地洗漱了下，将沾着灰的衣服换下来，便在床沿坐下。

她伸出手，轻轻地顺着莫南爵脸部精致的曲线滑下来，从眼角，到鼻子，到薄唇，到下巴……

再到，布满吻痕的颈间。

就在缩回的那一瞬间，手指却被冰冷的薄唇一下子含住，童染抬眸，就对上一双眸子。

她微微一怔。

“你……你什么时候醒的？”

莫南爵轻掀起眼皮，睨着她：“在你想偷摸我的时候。你是怎么知道我在那里的？”

“当时，”童染蹙起眉尖，她肯定是不能说出罗成的，“我刚好在上网，有些狗仔直接上传照片到微博上，所以我就看到了。”

对于这个说法，莫南爵没有怀疑，点了下头后又问道：“你是怎么想的？”

“我没有什么想法，”童染冷下语气摇摇头，“那是你的自由，我管不了你……”

话还没说完，莫南爵已经猛地攫住了她的唇瓣，他的舌尖用力地抵进来，霸道地占据领地。

他对她这样的强吻并不是第一次，若是在平时，童染习惯了之后也不会太过推拒，可是今时今日，凌晨在仓库里的对话在脑海中始终无法散去。

一想到他昨晚有可能才和韩青青接过吻……

一阵恶心的感觉从心底蹿了上来，童染右腿下意识地屈起，膝盖用力地顶向男人的腹部——也不知道是莫南爵身体还处于毒发后虚弱，还是童染反抗得太过强烈，就这么一下，莫南爵竟然直接被她掀翻，从床上滚了下来！

此时，陈安看时间差不多了，叫了几个用人一起，进来准备给莫南爵检查。

以为他还在睡，所以他们并没有敲门，打开门时，入目的就是莫南爵半趴在红木地板上，左手捂住脸，一副咬牙切齿的模样。

陈安很明显地一怔，身后的用人更是惊得目瞪口呆：“爵，你这是……”

长这么大，他还是第一次看到爵这样狼狈地趴在地上……

用人们手忙脚乱地冲进来将莫南爵扶上床，他满脸戾气，也没用人敢久留，生怕波及自己，全都退了下去。

陈安走到床边给他检查了下，右臂上的青紫已经褪下去了：“药劲已经过了，没事了。”

莫南爵神色阴鸷，闻言眉头并没有松开：“是下了让我毒发的药？”

陈安点下头，将K2的作用给他复述了一遍，虽然童染已经知道了，但是再听一次，她还是觉得背后凉飕飕的。陈安说完后，莫南爵攥紧拳头，好看的桃花眼狠戾地眯起：“我知道是谁。”

“爵，昨晚在千欢，到底是怎么回事？”陈安问出口时睨了眼童染，他觉得，对于那些照片，她不可能一点都不介意。

“你觉得还能是怎么回事？”莫南爵掀开被子站起身，走到落地窗边，

莫南爵从抽屉里抽出烟盒，点了根叼在嘴边：“她既然有胆子那么说，就得经受得住后果。”

“K2 也是她下的？”

“她当时给我倒了一杯酒，不过我不能百分之百肯定是因为那杯酒。”

“K2 也是可以吸入的，你好好回想下。”

“不管是谁下的，那裴若水，我是肯定要找到。”

站在一旁的童染突然轻咳一声。

“你咳什么？”莫南爵回头怒瞪她一眼，“我什么也没说。”

他们每次都可以这样旁若无人地说起来……

他第一次看到爵跟个赌气的孩子一样跟人争论，而且，还是个女人。

“好了好了，”陈安站起身，“你们继续，我睡觉去。”

房门被关上。

空气一下子变得紧窒，童染下意识地攥紧拳头，她刚刚又激怒他了……

“在想什么？”只看了一会儿，莫南爵便关掉了电视，扳着她开始亲吻。

“……”

童染将视线投向别处，一时之间，不知道该接什么话。

“怎么不说话？”莫南爵将她的外衣脱掉，手在她身上开始游移着，“真的不高兴了？”

“……”

正当童染犹豫该说什么的时候，莫南爵突然开口：“昨晚，我去了千欢后，隔壁刚好是营销部的季度庆功会，然后大家都过来敬酒，走了之后，裴若水一个人留下来了。”

童染不由得有些诧异。

“然后，裴若水告诉我，她知道你有一块怀表。”

“……”

“她说，你告诉过她，送你怀表的那人，是你日思夜想的男人。”

“我没有，”童染矢口否认，“我没有和她说过这样的话。”

“那她怎么知道你有一块怀表？”

“也许是因为那次我去帮你买尾戒，看过怀表，她问了我，我就说以前有一块很珍惜的怀表，”童染始终没有将韩青青的事情说出口，“所以可能是她推测的吧。”

“当时，她戴着一款一模一样的女士尾戒来办公室，告诉我，你买的是情侣尾戒，想要送人，但是没送成，所以才给了我。”想了下，莫南爵还是将尾戒那事说了出来，“我当时差一点就信了她的话。”

童染闻言浑身颤了下，莫南爵那晚会那样问她，原来是韩青青从中挑拨……

她只觉得四周都瘆人的凉意，在她毫不知情、将“裴若水”当成好姐们儿的时候，对方却带着那颗恨她的心情，在背后陷害她……

男人伸出舌尖轻卷了下她的耳垂：“我没信她，你要怎么奖励我？”

“有点头晕，我想睡一觉。”

莫南爵盯着她看了好一会儿，猛然低下头噙住她的唇，浅吻了一番后便松开：“童染，你最好是真的晕。”

童染醒来的时候，已经是第二天早上了。

莫南爵和陈安都不在，童染吃过早餐后，便窝在了沙发上。

按开电视，里面正在播报实时新闻：【傅氏集团长子傅锦辰因贿赂罪以及挪用公款被警方依法逮捕，该事件目前正在调查中】

童染一惊，傅锦辰被逮捕了？！她急忙冲上楼翻出自己那支手机，拨通了罗成的电话。

“对不起，您拨打的电话已关机，请稍后再拨……”

童染不可置信地挂掉，然后又迅速地拨了一遍，还是关机。

顾不得那么多，童染拿了点钱便朝门口走去，所幸莫南爵并没有特意交代用人禁她的足，她找了个借口，很轻易地就出了帝豪龙苑。

打车来到西郊的仓库，童染按照来过的路走进去，还是昨天早上那栋楼，但是里面已经空无一人了。她心急如焚，冲出去几乎将整片西郊的仓库都找了一遍，依旧是毫无踪影。

怕莫南爵会突然回来，她也没有久留，十分钟后就走了出去。

直到她上了出租车离开，停在十米开外的黑色轿车才摇下了窗户。

里面的人探出头来看了下，而后又坐回去，朝边上的男人问道：“少爷，你怎么知道童小姐一定会再过来？”

洛萧淡淡地一笑：“因为她太心善，韩青青哪怕是捅了她一刀，她也放不下她们之间的友情。”

彪形大汉又道：“少爷，属下还是觉得，那个叫罗成的，留不得……”

洛萧挑了下眉：“他很适合跟在我身边。”

“少爷……”彪形大汉犹豫了下，还是说出口，“再怎么说，他也是恨您的，您这样留着……”

“他恨我，也恨傅青霜，”洛萧将视线投向窗外，“比起恨我，他更恨的绝对是傅青霜。”

洛萧对手下向来温和，他伸手拍了下手下的肩：“比起莫南爵，我也更恨傅青霜，所以我和他的立场相同，恨的人也一样，他跟着我，才是对的。”

“是，属下愚昧……”

洛萧别过头没再说话，虽然他是这样对自己解释为何要让罗成留下来，但他心里其实比谁都清楚，更多的，是因为他在罗成身上看到了自己的影子。

童染回到帝豪龙苑的时候，一眼便看到了门口停着的布加迪威航。

他回来了？！

她加快脚步走回去，用人开了门后，她正在玄关处弯腰准备换鞋，胳膊便被大力拽住：“疼……”

莫南爵一把将她抱起来，轻而易举地将她脚下的鞋子脱下来扔在一旁：“去哪儿了？”

童染扭动着身体想要摆脱他，小脸上沁出汗珠，她哆哆嗦嗦地开口：“我，我今天，去找裴若水了。”

“裴若水？”提到这个名字，莫南爵眯起了眼睛，从她的胸前抬起头，“你去哪里找？”

“我去了她的公寓，但是没找到人，手机也关机，”童染扯了个谎，盯着他的眼睛，“你已经找到她了吗？”

“没找到。”

童染心头一松。

“今天一早，那头告诉我，帝爵的股票跌了百分之二十七，中东地区交易停盘三天。若说这十几个亿，她还不起，我也不需要她还，但是这名声问题，谁替我背？”

童染陡然想起早上看的那则新闻：“所以你把傅锦辰送进牢里去了？”

莫南爵不屑地勾唇：“裴若水是他的女朋友，出了这样的事，还需要我送？”

“裴若水的背后肯定有人在操控，”莫南爵突然出声，像是在沉思，“否则光是 K2，她就不可能拿到的。”

童染皱起眉：“难道你怀疑傅锦辰？”

“你没听过一句话吗？宁可错杀一千，也不要放过一个。”莫南爵显然对傅家人都没什么好印象，他低下头在她耳边轻舔，“何况，傅青霜泼你的那杯酒，我还没替你讨回来。”

接下来的几天，莫南爵都很忙，童染做过他的秘书，所以他在书房的时候她也会进去帮忙。

莫南爵并没有派人到处地去找裴若水，毕竟现在还处在风头上，其实大家也都心知肚明，要找，只是迟早的事。

换句话说，裴若水要死，也是迟早的事。

今天天气不太好，从早上到中午都是阴沉沉的，童染拉上窗帘后转过身，就见周管家送上来一张邀请函。

她只当是平常的宴会邀请，这种东西莫南爵一天可以收到成千上万张，几乎都扔进了垃圾箱。

却不料，男人接过后扫了一眼，顿时笑出了声：“果然不出我所料。”

“怎么了？”童染走过去将他看完的报告叠起来，开玩笑道，“难道是你的入狱邀请？”

莫南爵没说话，只是唇边笑得越发肆意，童染见状便将他手里的邀请函抽过来，定睛一看，竟然是一张婚礼邀请函。

那张婚礼邀请函是大红色的，样式十分简单，端端正正地写了一行字：【恭祝傅氏集团总裁洛萧与傅氏集团千金傅青霜喜结良缘】

底下，则是被邀请人，莫南爵。

边上女伴那一栏是空着的，由被邀请人自己填写。

而时间，赫然就是今天晚上！

虽然邀请函只是一张卡片，可童染却觉得有千斤重，几乎将她的手腕压断。

童染攥紧那张邀请函，心里默默地念了一句：洛大哥，祝你新婚快乐。

“怎么，看别人结婚羡慕成这样？”莫南爵扫了她一眼，将邀请函抽回来，提笔在女伴那一栏写上了“童染”两个字。

“你写我做什么？”童染一惊，急忙想要拿回来，“我不去！”

“我的女伴，不写你写谁？”

“我真的不想去……我不喜欢那种场合。”

“这么有趣的场合，你会喜欢的，”莫南爵勾唇一笑，眼角的弧度拉开来，“她当初泼你的一杯酒，我今天，就替你一滴不漏地讨回来。”

“你要做什么？”童染不解地皱眉。

“你等着看好戏。”莫南爵将邀请函随手丢到一旁，拉着她的手让她跌进自己怀里，“我保证你一定会说精彩。”

“可是，”童染担心他做出什么来，抬头斟酌着问道，“现在是特殊情况，你出席这种场合，没关系吗？”

“能有什么关系？”莫南爵浅浅一笑，搂在她腰间的手摩挲几下，“你放心，过了今晚，这些焦点就不会在我身上了。”

童染越发听不懂他的意思，莫南爵也不同她多说，径自上了楼。

一整个下午，童染都在找借口想要赖掉晚上的婚宴，可是不管她说什么，莫南爵就是不同意。

没多久就有人送来了礼服。

天蓝色的束腰外镂空长裙，除了肩部向下勾勒出的两缕流苏，没有多余的装饰。

她没有扎头发，乌黑青丝柔顺地垂在背后，莹白如玉的小脸上化了点淡妆，清纯得像一朵含苞待放的百合花。

轿车开到一个岔路口停了下来，车门从外面被拉开，上来一个黑衣男人。

黑衣男人急忙上车，在莫南爵对面坐下后，从口袋里掏出一个白色信封："少主，这是您要的。"

莫南爵环着童染的腰让她坐在自己腿上，伸手接过来后抖了两下，将信封里面的东西摊在手心。

是一个黑色的小型U盘。

黑衣男人继续说道："少主，您吩咐的东西都存在里面了。"

莫南爵修长的食指将那U盘把玩了下："确定没问题？"

"是的，属下出来前检查了很多遍。"

"播放时长？"

"七分二十三秒，我们已经尽量压缩了，那些受贿和动过手脚的文件名、资金出处以及去处，都用红笔标注过，配合画面，一看便能明了。"

"好，"莫南爵满意地点了下头，"把买进的股份在明早七点全部放出去，最低价放。"

"是，少主。"

二人一来一去地交谈着，童染听不太懂，她坐在莫南爵怀里，低头看去，能够清晰地看到那U盘上，写着一个字母F。

她蹙起眉尖："这是什么？"

"我不是说带你看场好戏？"莫南爵颠了下腿，嘴角笑意渐浓，"这就是入场券。"

"……"童染结合他们刚刚说过的话，一种念头冒了出来，"你要在婚礼现场放这个？"

"你总算聪明了一次，"莫南爵随意地点点头，眸中闪过厉光，"傅青霜泼你一杯酒还不够，傅锦辰女朋友还敢踩到我头上来，我看傅氏最近顺风顺水的，是时候，该塞点石头堵一堵了。"

原本，洛萧和傅青霜婚礼的日期是一个月以后，因为千欢事件，帝爵的股票连降了三天，几乎要跌破有史以来新低，傅氏凑这个机会，好不容易从下面爬上来，挤进了前二十。

傅氏的股票明天一定会大涨。

想着，莫南爵邪肆地勾起唇，当然，大涨的前提是没有他手里的这个U盘。

如果有了他手里的这个U盘，傅氏的股票，明天不是大涨，而会是跌下去，直到……跌停。

这场好戏，绝对会精彩。

而与莫南爵相反，童染看着那U盘，心里却滋生出紧张感，她放在腿上的手不着痕迹地攥成拳："里面，是证据吗？"

"不只是证据，这是能让傅氏无法东山再起的东西，"莫南爵将U盘举到她眼前，像是在说着一件开心的事情，"别说傅青霜泼你一杯酒，就算是她有胆量泼你一万杯酒，我也得让她从这里面一滴不漏地还回来。"

童染垂下眸去，没有接话。

黑衣人又说了些话后下了车，童染完全没听进去，她始终沉浸在内心的挣扎中，直到莫南爵食指挑起她的下巴："在想什么？"

"没，没什么。"她贝齿咬住下唇。

"还想骗我？"莫南爵俊脸凑过去，"咬唇，说明你不开心。"

莫南爵难得地放柔了语气，薄唇凑到她耳边，诱哄般地道："乖，今天最后一次陪我出席这种场合，等结束之后，明天一早我们就飞拉斯维加斯。"

童染闻言一怔："拉斯维加斯？好。"

"这才乖，晚上回去好好奖励你。"莫南爵见她点头，俊美的脸上溢出光彩，他扳过她的脸，在她脸颊上轻吻了下。

傅氏大厦十九层。

因为傅家二老的要求，所以婚礼就直接在傅氏大厦内的酒店举行。

落地窗边，洛萧静静地站着，一身白色的手工西装笔挺，紫罗兰色的领带更衬出他温润的气质，男人俊脸上却毫无表情，眼底更是寒潭深邃，并无任何喜悦之色。

他的身后，几名化妆师围着傅青霜团团转，不停地给她试着婚纱和头饰。

"萧，你看看，这件好看还是那件好看？"

“萧！”傅青霜推开身边的化妆师，蹬着高跟鞋走过来，扯住他的胳膊开始晃，“你到底在看什么？一整个下午你都站在这里朝外面看，这婚你到底还要不要结了？”

今天一大早她才刚醒，洛萧便告诉她将婚礼提前，才短短一天都不到的时间，要怎么准备？

洛萧被她摇得不耐烦了，这才转过身来，侧身避开她的手：“你喜欢哪件就穿哪件。”

“可是这些我都不喜欢。”

“那就不用穿婚纱了，”洛萧打断她的话，自始至终都没看那些婚纱一眼，“随便挑件裙子穿吧。”

傅青霜闻言难掩吃惊：“萧，你胡说什么？结婚怎么能不穿婚纱？”

“你不是都看不上吗？”洛萧擦着她的肩膀走出去，“就是走个形式而已，穿什么都无所谓。”

他声音冷淡，走出试衣间时，连头也没回一下。

看洛萧这态度就知道，他对今天这场婚礼分明就是冷淡至极……

宴客大厅内，婚礼还没有开始，来宾很多，童染端着杯鲜榨果汁站在角落处，小脑袋不停地四处张望。

“你在到处瞎看什么？”莫南爵瞪她一眼，俊脸上明显不悦，“你莫不是想找个男人来勾搭？”

童染闻言差点被一口果汁呛死，她一眼瞪回去：“你就不能小点声说话，会被别人听到……”

莫南爵今天心情好，也没再多说什么。

沉默了一会儿，童染突然小声问道：“那个U盘，你打算怎么办？”

“怎么，你迫不及待了？”莫南爵睨她一眼，“我已经派人布置好了。”

童染咬住下唇，想了下又松开，她劝道：“要不还是算了吧，我觉得这样不太好，毕竟是别人的婚礼，而且要是被别人知道是你放的……”

“知道是我放的，那就更好了，”莫南爵轻笑出声，“打人就要打脸，但我打了人，谁敢打我的脸？”

“童染，你今天不正常，这么为我担心，难不成是对我动情了？”

“……没有。”她下意识地摇头否认。

“没有什么？没动情？！”莫南爵眉头一皱，伸手将她用力地搂进怀里，“你再给我说一遍试试看？！”

这女人说一句动了情就这么难？！

“洒出来了！”被他这么一拉，端着的玻璃杯荡了两下，大半果汁洒在了童染的胸前。

天蓝色的长裙顿时染上橙色。

莫南爵斜睨她一眼，将她朝右边推了下：“笨手笨脚的，去洗手间弄干净。”

由于这里是一楼婚宴大厅，所以并没有设洗手间，在用人的带领下，童染只得跟着走上二楼。

在楼梯拐弯的那一瞬间，童染抬起头，就看到正走下来的洛萧和傅青霜……

二人都穿着白色，白色的西装，白色的婚纱……

正如同他们的婚礼，圣洁典雅。

一看到童染，傅青霜暗自攥拳，她急忙亲昵地挽住洛萧的胳膊，神色娇嗔：“萧，我觉得好紧张……”

洛萧没有说话，一双眸子牢牢地定格在童染身上。

连一旁的用人都有些惊讶，洛总当着洛太太的面就这样看别的女人……

童染只看了一眼便别开视线，用人见状急忙提醒：“小姐，麻烦您让一让。”

童染忙侧开身体，傅青霜走过时婚纱下摆擦过她的脚踝，冰凉的感觉。所幸身上长裙的材质并不吸水，简单地擦了下，便将胸前的果汁擦干净，童染出了洗手间，在楼梯口站住了脚步。

那装着视频证据的U盘，一定会在婚礼最高潮的时候被播放出来，轰动全场。

她犹豫良久，还是下了决心。

她刚刚随口问过用人，三楼最里面一间，是婚礼音乐和视频的控制间。

想着，童染抬起腿，朝向上的楼梯跨了上去。

用人全部都下去布置了，所以三楼并没有人，童染踮着脚尖朝里面走，绕了半天，才找到了最里面一间房。

确定四周没人后，童染轻手轻脚地打开房门走了进去。

房间很小，里面开着灯，放着四台电脑，和一台大型的音频控制器。

大屏幕上的待播放曲目是《婚礼进行曲》。

童染顺着四台电脑的主机查看了一遍，终于在最后一台电脑的主机的USB插口处找到了那个小型的U盘。

她弯下腰，手臂伸下去，将U盘拔了出来。

她喉间轻咽了下，转过身走到门边准备出去——

就在此时，房间门被大力地推开，童染猝不及防，被撞得退后了好几步，单手撑在了电脑桌边。

砰！

房门甩过去发出碰撞的声响。

童染惊愕地抬起头，门口，一袭婚纱的傅青霜站在那儿，双眼恶狠狠地瞪着她："童染，你在这里做什么？"

童染不愿意和她多说，说了也没用，站直身体朝门口去："和你无关。"

"站住！"傅青霜却不愿意善罢甘休，她伸手抓住童染的胳膊，"什么叫和我无关？你在这里，分明就是想捣乱！"

"松开你的手，"童染语气冷淡，对着傅青霜，她毫无好感可言，甚至可以说是厌恶，"你用脑子想一想，我如果真想捣乱，还会被你看到？"

想起韩青青说过的那些话，曾经的那些遭遇，童染就气得想狠狠甩她几耳光！

"童染，我警告你，"傅青霜神情嫉恨，想着洛萧对她和童染的天壤之别，一阵阵怒气冲上心头，她依旧紧抓着童染不放，"我和萧马上就要结婚了，你别妄想把他从我身边抢走！他现在是我的丈夫，是我的男人！"

"如果是你的，别人能抢得走吗？"童染看着她略微扭曲的脸庞，"与其成天拿刀对着我，不如好好地对洛大哥。"

童染嘲讽地笑出声，极冷地瞅了她一眼，擦着她的肩膀就朝门外走去。

"你给我站住！"

傅青霜积攒了一天的满腹委屈和火气没地方发，这会儿自然不会轻易放过她。傅青霜拽着童染的胳膊将她浑身上下扫了一遍，目光凌厉地瞥向她的左手："把你背后的手拿出来！"

童染下意识地攥紧手里的U盘，退后两步，将身体侧了下，却不料傅青霜突然冲上前，扳住她的肩膀就将她推到栏杆上！

童染没想到她竟然会直接动手，被推得猝不及防，整个人向后仰下去——

咚！

身体重重地撞到楼层的铁栏杆上。

本就受过伤的左手一阵抽筋，U盘从掌心滚落到地上。

傅青霜见状眼睛顿时一亮，忙蹲下身将U盘捡起来："童染，我就知道你肯定有目的！"

今天被她抓了个正着，她看童染要如何解释！

童染动了下唇，还没开口，楼梯口处突然传来一阵称赞般的拍手声："啪啪啪——"

童染心口蓦地一凉。

童染缓缓转过头去，就看到莫南爵颀长的身形斜倚在拐角处的栏杆边，他双手优雅地拍着手，俊脸上噙着一抹意味深长的薄笑。

那薄笑凉而刺骨，直直地刺入了童染的心里。

傅青霜看到莫南爵出现也是一惊，她握紧手里的U盘，强自镇定地开口："爵少，您怎么也上来了？"

"我如果不上来，这一场好戏，恐怕就又错过了。"莫南爵双手插兜，一步一步地朝这边走过来。

视线，始终定格在童染身上。

"爵少，今天，是您的女伴想要破坏婚礼，我开门的时候，她正拿着这U盘站在门边，肯定是有不轨的企图，所以我才会推她。"

却不料，莫南爵并未多说，闻言只是轻点下头，伸手将U盘接了过来："洛太太，对于这件事，我代我的女伴向你道歉。"

莫南爵将U盘放进西装口袋里，而后低头看向坐在地上的童染，浅笑着伸出手："还不起来？"

"……"

他这时候异常地温柔让童染浑身一震，她缩了下身体，像是在躲避着什么。

傅青霜此时虽然很生气，可是却也无可奈何，闹下去，倒霉的也是她自己，所以只得点点头："爵少哪里话，误会既然解释清楚了，也就没事了，我先去准备了。"

话落，她提起婚纱裙便转身离开。

直到傅青霜的背影消失在楼梯口，莫南爵俊脸上的笑意才渐渐消失，他手臂松了下，弯腰直接将童染扛上了肩头！

楼下宴客厅传来一阵《婚礼进行曲》——

婚礼已经开始了。

莫南爵站直身体，黑曜的瞳仁恢复了一如既往的冷漠，只是这次，再也看不到半点的柔和，他伸出手，直接拽住了童染的胳膊："童染，我送你最后一份礼物。"

童染被他用力一拽，整个人向前跌倒在地板上："莫南爵，你别乱来……"

"我说了，只是送你份礼物，"男人垂眸看着她，眼里尽是伤人的神色，"你一定会喜欢的。"

"你别……"

莫南爵却不再理睬她，他单手用力，提着她的一只胳膊就朝楼下走去。

等他们走到婚宴厅的时候，主婚人已经开始宣读誓词。

"请问新娘，你愿意娶新郎，无论他将来是富有还是贫穷，无论他将来身体健康或不适，你都愿意和他永远在一起吗？"

傅青霜娇羞却坚定地点头："我愿意。"

主婚人转向洛萧。

"请问新郎，你愿意嫁给新娘，无论她将来是富有还是贫穷，无论她将来身体健康或不适，你都愿意和她永远在一起吗？"

洛萧温润的眼眸中淡漠如水，他点头："我……"

"慢着！"

蓦地，一道磁性的男声打断了这关键的一刻。

所有人都是一惊，回过头去，便看到莫南爵冷傲地站在后方，身边站着一个女人。

一看出声的人是莫南爵，也没人敢多说一句话。

傅青霜暗自攥紧拳头。

主婚人碍于身份，只得问道："请问这位先生有什么事情吗？"

"这样每天都有无数人举行过的婚礼，洛总不觉得很无趣吗？"莫南爵抬起俊脸，目光直射向洛萧，"来点新花样，怎么样？"

洛萧侧过头，同他目光相接，温和地开口："那，莫总的意思是？"

他从莫南爵的眼神里，看到了要将他撕裂般的光芒。

难道……洛萧视线不着痕迹地越过他看向后面的童染。

小染肩头的血迹……

莫南爵食指扣住领带松了下："先把这歌给我停了。"

傅青霜见状急忙走上前来，她不悦地凝眉："爵少，不管有什么事，也要等婚礼结束了再说……"

"不，我今儿个心情好，什么事都想凑凑热闹，洛总这里最热闹，我自然来凑个够。"莫南爵摆了下手，视线始终定格在洛萧身上，"怎么样，洛总？"

"好，莫总的提议，我自然接受。"

洛萧也不犹豫，他将手中的戒指盒交到主婚人手里，抬腿走下台。

偌大的婚宴礼堂中，一白一深蓝，两个同样挺拔修长的男人对峙着。

二人身高相同，洛萧负手而立，莫南爵双手插兜。

只是气质却截然不同。

这是他们第二次这样对立而站，第一次，在千欢的包厢里，一场赌局，两个女人。

"今儿个，我也带了我的女人，"莫南爵俊脸含笑，眼角尽是魅惑的弧度，"洛总也是见过的。"

说着，他向边上侧了下身，将站着的童染用力搂入怀中。

童染被他紧紧地搂着，腰间的那只大手仿佛在警告她：不许说话。

洛萧闻言眼神黯了下。

莫南爵满意地勾起薄唇，将目光瞥向婚礼台上的傅青霜："洛总正要过门的未婚妻今天也在这里，上次在千欢说过的话还算数，今儿个，我们再来比一场如何？”

“不知，莫总要比的是什么？”

“最近，不是很流行换妻游戏吗？”莫南爵邪肆地扬眉，“据说很多人都在玩这个，不如咱们也试试看，我若是输了，我女人归你，洛总若是输了，你女人归我，如何？”

换妻？！

所有人闻言都不可置信地瞪大了眼，这么大胆的游戏？！

傅青霜第一个就不同意，她提着婚纱走下来：“爵少，这个提议太夸张了，我们都是正经人，不可能玩那个的……”

“正经人？洛太太难道敢说，洛总到现在都没碰过你吗？”莫南爵语气带着笑意，他，自然是不信的。

傅青霜脸色顿时一阵红一阵白，莫南爵这话，直接就刺进她心里最痛的地方！

见她闭了嘴，莫南爵将视线重新投到洛萧身上：“不知洛总意下如何？”

“换妻？”洛萧闻言也拧了下眉，不可否认，刚刚那一瞬间，他竟然……觉得欣喜。

如果，他真的赢了莫南爵，是不是今晚，他就可以和小染度过这漫长的洞房花烛夜……

童染靠在莫南爵怀里，听他说完那番话，下唇几乎咬出血来，换妻……

“别怕，一个晚上而已，我若是输了，你就好好伺候一下洛总，”看出她的恐惧，莫南爵伸手在她臂上轻拍了下，安慰般的话落，他低头在童染发顶上轻吻了下。

吻落下的那一瞬间，莫南爵闭了下眼睛，将眼里的伤痛悉数掩埋。

“萧，你别答应……”傅青霜走到洛萧身边，抱住他的胳膊。

“洛太太，男人之间的事，女人还是尽量少插手。”

莫南爵说着，将手探进口袋里。

那个U盘！

傅青霜脸色刹那间一变。

那U盘里面装的是什么……她纵然再傻，到现在，也该明白了。

可是事情到了这个地步，谁也没办法阻拦，莫南爵铁了心要做的事情，谁又能控制得了？傅青霜只得松开洛萧的手，向后面退了两步。

莫南爵见状轻眯起眼角："洛总，考虑得怎么样？"

"我有考虑的余地吗？"洛萧俊脸温和，"莫总既然都已经提议了，我自然是配合的。"

以往这么多次他都忍过来了，可是今天，他却有了自己的私心。

他多么希望，和他走进婚房的，是小染……

"好。那，开始吧。"莫南爵微扬起下巴，手臂松开将怀里的女人推到一旁，"乖，去等着。"

洛萧走到正中间来："莫总，比什么您定。"

莫南爵薄唇吐出四个字："空手搏击。"

在场的人皆是一怔，大家都以为会用赌的形式来比……可是这空手搏击，真不是开玩笑的。

洛萧闻言也颇有些诧异："莫总，这搏击的事，可说不准。"

"规矩我当然懂，生死由命。少废话，来。"

莫南爵脱下西装，优雅地挽起袖子，露出古铜色的手臂，修长有力，裹着白衬衫分外惹眼，他朝洛萧看了眼："洛总莫不是不愿和我比？"

洛萧闻言也不再多说，挽起袖子走过去。

莫南爵再度勾起薄唇，手朝右边一指："洛总，说好了，谁赢了，对方的女人就归谁。"

洛萧点了下头："我既然答应了比，那是自然的。"

"话摆在前面，按照规矩，今天这场搏击，答应了就相当于签下生死状，一旦开始，死生，就靠自己了。"

"好。"洛萧依旧是点头。

莫南爵的凌厉狠绝是出了名的，他说这番话，这意味着，输了的人，未必能活着站起来。

"洛总，可以开始了吗？"

洛萧点了下头，视线扫过一旁的童染，只那么一眼，却令他陡增了几分勇气。

一声令下，搏斗正式开始。莫南爵双手握成拳头，一前一后地挥在身前，他双眼凌厉地一眯，修长的腿迈上前，蓦地一拳朝洛萧挥了过去！

就在拳头快要打到脸上一刹那，洛萧却灵活地向后一仰，右脚顺着莫南爵的动作向前勾去！

说时迟那时快，莫南爵侧身一闪，握住洛萧的手臂，整个人从他的肩头腾身翻过！

很明显，洛萧也是个高手。

童染一颗心几乎提到嗓子眼，她咬着唇，目不转睛地盯着人群中央的男人。

他们比的不是空手搏击的技术，也不是力量，更不是权力和地位。

而是一个女人。

就在电光石火间，莫南爵突然长臂一伸，手肘用力顶向男人的后颈！

洛萧反应终是不及他快，吃痛后身体向前倒去，莫南爵并未罢休，他抡起拳头，手肘再次精准地朝男人的肩胛处挥去！

这一猛击，俨然是最致命的一击！

“不要！”

童染大惊失色，莫南爵显然是用足了十分的力道，这一击下去，洛大哥这半边肩膀肯定要废了！

来不及考虑后果和什么比试规定，童染双目圆睁，她甚至没有任何反应，几乎是下意识地整个人向前扑去，身子一侧，硬生生地挡在了洛萧身前！

“小染！”

洛萧一惊，想推开她却已经来不及了，莫南爵一手已经挥了过来，洛萧只得一手穿过童染的背，想用手臂替她挡下些许力道——

却在这个时候，突生惊变！

莫南爵本是用了十成的力道，就在手肘落下的一瞬间，一抹天蓝色的人影蓦地闯进视线，他连想都没想，猛地刹住动作，右手用尽全力向后撤去！

只听得咔嚓一声！

那是手臂脱臼的声音！

“爵少！”

人群中传来惊呼声。

手臂传来剧痛，莫南爵闷哼一声，下意识地护住右手。

他抬起头，望向眼前相拥的二人。

童染还被洛萧抱在怀中，等她反应过来时，怎么也没有想到会是这样，他居然为了她甘愿将挥出的拳头撤回！

“莫南爵！”她看见他额头沁出细密的汗珠，那种痛她也受过，比十指连心痛得更甚，“你的手怎么样？”

童染心口一阵刺痛，她努力屏住呼吸，防止眼泪落下来。

莫南爵冷笑一声，眉梢眼角满是寒意：“童染，干得漂亮。”

在场的人无不哗然，莫南爵为了一个女人，居然甘愿受伤！

傅青霜更是不敢相信，洛萧要是赢了，她比谁都不愿意！

洛萧好半晌才从震惊中缓过神来，他松开怀里的童染上前两步：“莫总，这局的意外因我而起，我认输。”

“因为你起？”莫南爵轻笑一声，视线已从童染身上移开，声音恢复一贯的霸道清冷，“我的女人犯规，怎么轮到你来接受惩罚？输赢已定，我认，我替我的女人接受惩罚，”他顿了下，未受伤的左手扬起指向童染，“今晚，她归你。”

童染浑身一震，不可置信地看向莫南爵。

洛萧闻言摇了下头，话语温和：“莫总，你本来是已经赢了我的，所以，这次算我输。”

“没有什么本来所以，结果代表一切，才是最重要的，”莫南爵浅眯起眼角，话语好似漫不经心，却充满了自我嘲讽，“我女人偏偏向着你，所以，这局输的人是我，我自然是认的。”

洛萧拧起眉头，他欲要上前两步，莫南爵却抬了下手示意他别过来：“洛总，您别弄错了，是我的女人归你，不是我归你。”

“……”

“就今天一晚上，明天一早我派车来接她，洛总不要玩过火了，她身子嫩，经不住。”话落，莫南爵居高临下地睨了一眼童染，“怎么样，礼物满意吗？”

“……”

原来，这就是他要送她的礼物……

将她亲手推出去。

童染看着他嘴角残忍而又嗜血的笑意，浑身不寒而栗，她几次颤抖着想要冲上去扶他，可是脚下却迈不开一步。洛萧站在童染身边，看着她看向莫南爵的眼神，难掩心疼和悸动的眼神……

莫南爵缓了下，确定右手能动后，这才双手插兜，重新拉开唇边的笑容："洛总，那，我就不打扰你的春宵夜了。"说着，他朝旁边站着的众人扫去，"大家都散了吧，一刻千金，付不起的都滚，可别让洛总错失了美人怀。"

这番话语，分明是下了逐客令。

在别人的婚礼上下逐客令……也只有他莫南爵做得出来。

大家都不敢迟疑，赶忙放下酒杯离开。

莫南爵现在就像是扣动了扳机的枪口，谁撞上去，谁死。

莫南爵颀长的身形在人流中十分耀眼，他抬起修长的腿，就要走出去时，回头看了一眼童染，眼角带了一抹笑："好好表现，不要让洛总失望。"

"……"

不等她说话，他已经转身走了出去。

外面，纯黑色的劳斯莱斯从大门口开过去，咻的一声极快。

偌大婚宴厅，除去用人，就只剩下了他们三个人。

"萧，"傅青霜主动打破沉默，她走上前来拉着洛萧的胳膊，"我们上楼吧，让司机送童小姐回去。"

"游戏归游戏，现在爵少也走了，你总不会当真了吧？"傅青霜见他不说话，嘴上越发娇嗔起来，伸手环住了他的肩头，"萧，今天是我们的新婚之夜，你肯定是要陪我的……"

"青霜，你先回房间吧，"洛萧将她的手臂从肩上拿下来，语气依旧温和，"小染现在这个样子肯定是不能回去的，我带她去客房先休息。"

"有什么不能回去的？"傅青霜皱眉睨视了一眼童染，"让司机送一下，童小姐没有意见吧？"

"青霜，你去房里等我吧，安顿好小染我就过去。"

傅青霜见洛萧神色果决，也不好多说，毕竟今天这件事情，一开始是因为她的冲动而起，走到这一步她也有责任，所以她只得点点头："那好，我在房里等你，你快点回房。”

洛萧心思全然不在她身上，略点了下头，便擦过傅青霜的肩，走到童染身边。

直到看着傅青霜上楼之后，洛萧才温声开了口：“小染，我扶你去客房。”

洛萧环住她的肩后见她还是不动，索性弯了下腰，将她直接打横抱了起来。

小染真的很轻……

他不着痕迹地蹙紧眉头。

一路走到客房内，洛萧带上门后将童染放在大床之上，帮她脱掉鞋子后，让她背后靠着枕头。

房里开着一盏橙黄色的顶灯，童染面色雪白，小脸上隐约还有滑过的泪痕，看上去楚楚动人。

“喝点牛奶，”洛萧端了杯牛奶递到她的唇边，神色温柔，“喝了更好入睡，小染，乖。”

童染抿唇喝了一口，牛奶是温热的，咽下去的时候，才感觉到冰冷的身体在渐渐恢复过来：“洛大哥，谢谢你。”

洛萧看着她长如蝶翼的睫毛，心里微微一动，伸手就搂住了她的肩头：“小染，我带你走，好吗？”

“……”童染怔了下，苦笑出声：“我走不了的。”

“我今晚已经把你赢来了，你跟了我，明天，我带你去南非，再也不回锦海市了，好吗？”

“洛大哥，你已经结婚了，”童染别过头去，视线落在一旁，“你的妻子在婚房里等你。”

“有你的地方，才是我的婚房。”

“……”

“小染，我是说真的，”洛萧觉得自己从未这么急切过，他将童染圈在自己的臂弯内，“我们去南非，可以开始全新的生活，这里的一切我都可以不要……”

“我今晚如果留下来，莫南爵不会放过你的，所以我要回去了。”童染双腿滑下床，寻找着鞋子，她低垂着头，“今天是你的新婚之夜，不要因为我而破坏了。”说着，她穿好高跟鞋，就要朝门外走去。

“小染，”洛萧扯住她的手腕，向后一拉，让她整个人坐在了他的腿上，“不要走。”

童染被他突如其来的动作吓了一跳，还没反应过来，洛萧已经单手搂住了她的细腰，薄唇顺着她优美白皙的颈部曲线轻吻了起来。“洛大哥，你别这样，你放开我……”童染反应过来时已经被重重压住，吓得她忙用手捶着他的肩，“洛大哥，不可以！”

“小染，”洛萧按住她的肩膀，“我要了你，我就会娶你。”

说着，他攥住她两个手腕，拉起后按在她的头顶。

他整个身体的重量都压着她，童染无论怎么挣扎都没用，洛萧薄唇刚凑上去，还没落下来，便感觉到温热的湿气。

他抬起头，便看见她眼角的两滴眼泪顺着发丝滑落下去，瞬间被吸纳，消失无踪。

洛萧蹙起眉头，神色懊恼，他俯身想要将童染抱起来给她盖好被子：“小染……”

童染却侧了下身，她径自拉好衣领，环住自己的双肩，站起身后就朝门口走去。

洛萧这才意识到自己刚刚那么做伤了她的心，忙追上前去：“小染，太晚了，你先住一晚再走……”

“洛大哥，我走了。”童染转过身朝他说了一句话，然后打开房门就走了出去。

看着童染独自一人走出傅氏大厦，洛萧喊来两名手下：“你们偷偷跟在她后面，不要让她有任何闪失。”

“是，少爷。”两人应声。布满大红色装饰的婚房内，傅青霜早已换下了婚纱，穿着薄如蝉翼的丝质内衣，坐在床沿。

手里，握着他们的结婚戒指。

房外传来门锁转动的声音，傅青霜心里扑通一跳，急忙将戒指放在旁边，站起了身。

洛萧走进房内，却并未看她一眼，而是径自走进浴室冲澡。

等他出来的时候，傅青霜走过来抱住了他的胳膊。“萧，我们先戴结婚戒指，好不好？”傅青霜拿起戒指递给他，脸上红晕未散，“你帮我戴，好不好？”

洛萧神色冷淡，他并没有去接：“这种东西戴不戴有什么重要？”

“怎么不重要嘛，这就代表，你已经是我丈夫了……”傅青霜靠上他的胸膛，抱住他的腰，“萧，你还记得你说过的话吗？”

“不记得。”

“你说过的，等我们结婚的那一天，你就会碰我的……”傅青霜娇羞地抬起头来，“现在，我们已经是夫妻了。”

“青霜，你这么期待吗？”洛萧一动不动，双手负在身后，相比于傅青霜的主动，他好像事不关己一般冷勾起唇，“你就这么希望我碰你？”

傅青霜见他没有推开自己，越发高兴起来：“萧，你说的什么话，夫妻之间哪能不……”

“好，”洛萧看着她精心化过妆的脸庞，忽然微笑了起来，“我说过会碰你，就一定会。”紧接着，他俯身压了下来。

洛萧单手撑在她的头侧支起身体，紧紧盯着她的脸。她疑惑地皱眉：“萧，你怎么了？”

“没什么。”洛萧摇了下头。

他一手抚上了她的侧脸，食指轻弹了几下后，傅青霜原本沉醉迷离的眼神渐渐地混沌了起来，她轻哼了两声，头一歪，便晕了过去。确定身下的女人彻底昏过去之后，洛萧这才站起身，他冷冷地瞥她一眼，掏出手机拨了个号码。

十分钟后，一个穿蓝衬衫的年轻男人敲门走了进来。

乍一看到床上的女人，走进来的男人吓了一跳：“少爷，这……”

“你愿意跟着我，这是我奖给你的。”洛萧已经换了一件睡袍，他在衣柜边半靠着身体，指了下昏迷的傅青霜。

“奖给我？”那男人还没反应过来，“可是少爷，她是您的新婚妻子……”

“有什么关系，你不是恨她吗？”洛萧面色淡淡，丝毫不为所动，“你恨她，以牙还牙，这就是最好的报复方法。”

“那……”那男人还是有些犹豫。

“罗成，你不是一心想给韩青青报仇吗？我今天给了你这个机会，你不把握住，可怪不了我。”

听到韩青青这三个字，罗成眼里瞬间闪过一丝愤恨，他攥紧了拳头，想到傅青霜对韩青青做过的种种，便不再犹豫，朝床边走去。

他跟着洛萧，只是为了活下来，报仇。

童染是一路走回帝豪龙苑的。

虽然是在深夜里，但帝豪龙苑灯火通明。

童染强撑着不适感，刚走上台阶，周管家便过来打开门：“童小姐，您回来了。”

她点点头，走进去后才发现莫南爵并未休息，他坐在客厅的沙发上，面前的茶几上，摆放着一大堆 A4 纸。

见她出现，莫南爵神色并未表现出多大的波动，他轻掀下眼皮，冷冷地睨视着她：“做完了？”

“你想听什么答案？”她忍着哽咽开口。

“听你自己最满意的答案。”莫南爵冷笑一声，带着无尽的自嘲。

“……”她咬紧下唇，从喉咙里挤出字来：“莫南爵，我是人，不是你们可以随便比试抵押的物品。”

“你一直是我的物品，”莫南爵将眼底的柔和掩埋下去，冷讽着勾唇，“你也知道，你是我花钱买来的，我以前觉得值，现在，觉得不值了。”

“……好，”童染听他这么说，只觉得胸口敲击得厉害，她站直身体，小手攥成拳，“那我走。”

黑衣人飞速地走过来，两两一排挡在童染身前。

“没有少主的吩咐，你不能出去。”

“莫南爵，你不是说不值吗？”童染转过头看向沙发上的男人，“既然不值……那我们都可以解脱了。”

“解脱？”莫南爵好像听到了天大的笑话。

“……”

“你想走，也得赔得起我的损失再走。”

说着，莫南爵左手轻抬了下，黑衣人立即会意，拿过几份文件夹递过去，他接过后并未看，而是直接朝童染身上重重地扔了过去。

文件夹砸到身上很疼，童染并没有躲闪，任由A4纸散落出来飞满身边，她缓缓弯下腰去，捡起其中的一张。

上面，清清楚楚地写着洛萧和洛氏集团洛庭松的关系，以及，他们曾经是一家人的户口证明。

还有他们小时候的合照……

童染低头扫了一眼，其余的全是从小到大上过的一些学校以及各种资料。

全是关于洛萧的……全被挖出来了。

莫南爵手里把玩着铂金打火机，啪嗒啪嗒的声音让整屋的人心惊胆战，莫南爵俊目冷然，嘴角却含笑：“童染，我一直没发现，你居然这么厉害，不但会骗人，还有瞒天过海的本事。”

童染攥紧手里的A4纸。“洛萧，洛大哥，LR。”怀表上LR的这个疑惑终于得解，可是莫南爵并未感觉到轻松，他俊脸阴鸷得可怕，“果然，他还是你的堂哥。”

“……”

“我漏了一个词，应该是没有血缘关系的堂哥，”莫南爵侧身拿过一张A4纸，食指轻弹下，“当初，你会爬上我的床，也是因为他签下了合同导致洛氏亏损吧？”

见她一副哀戚的模样，莫南爵心头的火焰蹿得更高，她在伤什么心？

想着，他用未受伤的左臂撑起身体，大步走到她面前，脚下踩着的纸张沙沙作响，他用力攫住她的下巴，声音冰寒：“怎么，装哑巴给我看？”

童染被迫抬着头和他对视，她尽量让自己不去看他眼里伤人的东西，哑着嗓子道：“莫南爵，对不起，我骗了你。”

他嗤笑一声：“对不起？”

“洛大哥是我的亲人，我们一起生活，所以，我不能眼睁睁地看着他受伤……”

“一起生活过？！”莫南爵黑眸狠狠眯起，手指用力几乎将她小巧的下巴捏碎，“我也和你一起生活过，你就可以眼睁睁地看着我受伤？童染，你但凡有过一次为我做过些什么，我今天都不会这样对你！”

“……”她有……

童染张了张嘴，想要说自己的左手是为他而废的，可是话到嘴边还没说出来，莫南爵却突然弯腰将她整个人扛上肩头，大步朝主客厅那边的钢琴走过去。

“你做什么？”童染惊得捶他的背，“放我下来！”

莫南爵脚步一顿，却是回头对着那群黑衣人：“都给我滚出去！”

“是，少主。”

偌大的客厅瞬间空无一人。

“你……”身体被放到掀开盖子的钢琴键上，身下叮叮咚咚地响个不停，童染瞪圆了眼睛，伸手推拒着，“莫南爵，你做什么……”

童染整个人从钢琴上滚下来，磕在地上咚地作响，身上衣衫不整，被半拖着跌撞出去，莫南爵也不看她一眼，抬手就将她丢进了布加迪威航的后座。

砰的一声甩上车门。

“你……”见他坐进驾驶座发动跑车，童染回想起上次的飙车，吓得杏目顿时圆睁，她爬过去拽着他的手臂，“不要，莫南爵，你不要这样——”

莫南爵俊脸阴沉，并不理她，脚下一踩油门，跑车咻的一下飞了出去！

正当她几乎要崩溃的时候，跑车却突然停了下来——

童染惊魂未定，拍着的车门猛然被拉开，她整个人跌出来，一下子摔在了地上。

“起来。”莫南爵冷冷的声音从头顶传来。

童染手肘撑着地面，这才发现身下的是草地，她抬头看了一圈，发现四周都围着栏杆，看起来像是牧场：“这……这是哪里？”

莫南爵走到一个栏杆边，拿出钥匙将铁栏杆门打开，而后，扬手将她丢了进去。

“童染，我很早以前就告诉过你，”莫南爵颀长的身形立在那里，月光将他的影子拉得很长，他的声音冷冽，“背叛我的人，我一个都不会放过。”

“……”

童染抬眸与他对视：“莫南爵，我没有背叛过你，我和洛大哥什么都没发生过。”

“童染，我当真是小看你了。”

他的视线从她脸上别开，看向不远处。

童染随着他的视线看去——

顿时目瞪口呆！

就在离她跌坐着的地方差不多四十米的一个小土坡上，站着一只很像狗的动物，唯一的不同，是对方有一双放着绿光的眼睛。

此时正紧紧地盯着她。

“这……”童染吓得话都说不完整，“这是……狼……”

她好像突然明白了什么，猛然转头朝莫南爵看去。

他要把她拿来喂狼？！

他一手搭上来，五指紧握住栏杆，仿佛要生生捏断，他哑着嗓子：“童染，这就是你背叛我的代价。”

童染不可置信地摇着头，蓦地，小土坡上传来狼的嚎叫声，吓得她几乎浑身都缩成了一团。

她深吸了一口气，缓缓站起身，可她双腿还没立直，那只狼却突然朝她猛扑了过来！

“啊——”童染惊恐地大喊出声，身体跌了下，却出于本能又立马站了起来，飞快地朝前跑去！

她跑得虽快，却一路跌跌撞撞，那只狼好几次就要咬到她，却被她侧身给闪开。

耳边的风越刮越大，童染觉得自己就快要支撑不住，她回过头想要去看，脚下一绊，重重地摔倒在地！

那只狼仿佛知道她这下无法再爬起来跑了，竟也放慢了脚步，缓缓地朝她靠了过来。

“不要……不要过来……”童染双手撑地向后，嘴里的喃喃之声已经成了呜咽，她带着最后一丝希望朝栏杆外看去，却发现那里早已空无一人。

“嗷呜——”那只狼通体白毛，看上去傲然灵气，它走到童染身边，低头嗅了嗅她滚过的草地，绿色的眼睛看过来时，嘴里露出尖白的牙齿。

童染见状，以为它不会吃自己，正皱起眉，那狼却蹬了下腿，再度朝她扑了过来！

“啊——”童染下意识地伸手挡在眼前，可是想象中的剧痛感并未传来，腰间猝然一紧，整个人被用力地提了起来！

“嗯——”

耳边传来熟悉的闷哼声，童染侧过头去，只见身后的男人一手提着她，剑眉紧紧地皱着。

童染震惊地瞪大了眼睛，在回头看到他俊脸的一瞬间，心里竟然有无法抑制的雀跃：“你……”

而她的面前，那只白狼一口咬在了一条挡在她身前的修长手臂上！莫南爵俊脸上沁满汗珠，他咬着牙冷睨她一眼：“你这蠢女人，你没有腿吗？”

竟然就坐在这里等狼来吃？！

那只白狼也是被这么硬生生一横才咬上来的，这会儿感觉到主人熟悉的气息，它张嘴松开男人的手臂，那股嚣张冷傲的气焰瞬间就不见了，可怜兮兮地退后几步，嗷呜嗷呜地小声叫着。

“你怎么样？”童染惊魂未定，急忙去握他的手臂，低头凝视着伤口，“很疼吗？要不要叫……”

这么一靠近他，童染才发现，莫南爵满身的酒气。

她诧异地看向他：“你刚刚喝酒了？”

“怎么，你也会关心我？”莫南爵用力将她推开，嗤笑一声，“你不觉得刚刚这一幕，似曾相识吗？”

“你的手臂一直在滴血，我扶你去车上吧。”童染垂着眸，不去回答他咄咄逼人的问题，“不然这样会感染的。”

“感染不是恰好遂了你的愿？”

“莫南爵，”童染叹了口气，“你就非得这么和我说话吗？”

“那我该怎么和你说话？”

“就像……正常人一样。”

“是啊，正常人，”莫南爵桃花眼浅浅地眯起，薄唇的弧度越发上扬，“童染，如果我能将你当作我生命中的正常人，那么，你活不到现在。”

“……”

“我这辈子，做得最错误的一件事情，不是别的，而是，”他顿了下，将视线别开，“我以为我爱上了你。”

“你……”童染睁大眼睛，愣愣地看着他，“你说什么？”

“我说，我以为我自己爱上了你，”莫南爵也不知道是不是醉了，说着说着竟然笑了起来，他俯身捏住童染的下巴，俊脸在月光下邪魅至极，“可惜，我错了，童染，我根本不爱你，我一点也不爱你，我从来都没爱过你。你只是我买来的而已，你背着我和别的男人一次又一次地幽会，我怎么可能爱上你这种女人？”

“……”

童染听着他这番话，心里酸涩得难受，她侧了下脸，伸手绕过他的肩头：“你喝多了，我扶你去车上。”

“滚！”莫南爵一甩手，将童染直接甩出去，“不需要你扶！滚！都给我滚！”

童染被甩得跌坐在地上，她没有回嘴，只是默默地站起来又去扶他：“我扶你去车上。”

莫南爵冷笑一声：“怎么，你怕我流血而亡，这狼会吃了你？”

一路走到跑车边上，童染抬起头，这才发现布加迪威航的驾驶座门大开着，地下全是被扔下来的伏特加空酒瓶，略扫一眼，差不多有七八瓶的样子。

“莫南爵，你疯了吗？”他这样子肯定是不能开车了，童染将他扶到副驾驶座上坐好，给他系上安全带，而后蹲下身将酒瓶一个一个地捡起来放到后座上，“一下子喝这么多，你不要命了吗？”

莫南爵头靠在座椅上，衬衫的扣子解开了两颗，露出性感的锁骨，他自嘲一笑：“怎么，你难道还在乎我的命？”

“……”

“我死了，你不是刚好可以和洛萧双宿双飞吗？”

“……”

讽刺意味浓厚。

童染抿着菱唇没有说话，她坐到驾驶座上，正将钥匙推进去，边上的男人突然扯开安全带，伸手扯住她的手，脸色阴沉：“你干什么？”

“你这副样子还能开车吗？”童染看着他的俊脸，将他推回去，不厌其烦地将他的安全带再度系好，“坐好。”

还好她以前在学校考了驾照，虽然没开过几次，但是慢慢开，总比他一个醉了的人安全。

童染发动后踩下油门，却不料，莫南爵并不领情，他单手撑起身体，按开驾驶座的门后，直接将童染推了出去！

“不要你管，滚，你们都滚！”

“啊——”

跑车还在动着，童染猝不及防，整个人擦着半开的车门滚下去，脖颈处被拉开一道浅浅的血痕，疼得她倒抽凉气。

而车上的男人却毫不知情，他醉意蒙胧，童染站起来时，看见跑车正在缓慢地行驶着，而莫南爵已经坐到了驾驶座上！

童染吓得大喊出声：“莫南爵，莫南爵你停下——”

她一边喊一边追在车后面，还没跑几步，只见宝蓝色的布加迪威航突然停了下来，而后，车头转了个弯，直直地朝边上的大树撞了过去！

“莫南爵，你停下！你给我停下！”

童染大惊失色，她不顾颈间的疼痛，几乎是飞奔过去，展开双臂，直接挡在了树干和跑车的中间！

白亮的车灯直直地照射过来，童染下意识地偏了下头，只听吱的一声——

跑车在距离她一拳之隔时猛然停了下来，紧接着车轮擦过地面，顺着一旁的灌木丛冲了进去！

好在灌木丛并不深，车头陷进去后就顿住了。

童染惊魂未定，她愣愣地看着还在摇晃的跑车，急忙跑过去，这才发现驾驶座里的男人双手交叠握着方向盘，头垂下去抵在手背上面。

一脚还死死地抵在刹车上。

童染双目一刺，心被猛然提起来，她颤抖地伸手推了推他的肩：“莫南爵？”

莫南爵一动不动。

“莫南爵！你醒醒！你别吓我！”

童染怎么推他也不动，便扶着他的肩将他整个人拉起来，这才发现，他的额头上磕破了一个口子。

深黑色的方向盘上，鲜血顺着他分明的指节流下来。

“你……”童染见状又气又急，想骂他又觉得没用，她颤颤巍巍地抽出边上的纸巾帮他把伤口周围的血迹先擦了擦，而后又俯下身，将他的安全带解开，把座椅向后调。她让莫南爵仰靠在座椅上，这才直起身体朝四周看去，这里很荒凉，只有望不尽的草地，也不知道是哪里。

这难道是他专门养狼的地方？

可是他的伤口不能这么拖下去……

童染绕到边上看了下，这里也不可能有车经过，她爬进跑车里翻了半天，好不容易才从莫南爵的口袋里找到了一支手机。

可惜，手机是有锁的，需要输入四字的密码。

一连输了好几次都是错的，她急得满头汗，偏头看向旁边躺着的男人，突然咬了下唇，鬼使神差地将她爬进帝豪龙苑那一天的日期输了进去。

瞬间解锁成功，跳到了桌面上。

这男人是用他们的第一次来纪念吗？

她忙摇头忽视这个想法，点进通讯录，本想找到陈安或者是帝豪龙苑的，却发现，里面只有一个号码。

MR。

是她的号码。

童染鼻子一酸，握着手机的手不由得紧了下。

“童染，我对你上了心……”

“我以为我爱上你了。”

一句又一句话涌上心头，童染半跪在座椅上，手指不受控制地翻着手机，点进相册后，发现里面竟然全是她的照片。

站着的，坐着的，笑着的，侧着头的，穿睡衣抱着楠楠的……童染贝齿死死地咬住手背才能控制住哭声，她纤瘦的双肩轻颤着，看着手机上的这些东西，她只觉得胸口一阵窒息。

他从来没有说过，甚至厉声警告过她不要碰他的手机。

原来，她在他这里，竟有这么重要……

思绪繁杂，童染深深地吸了一口气，正想把手机放回莫南爵口袋里，手机却突然振动了起来。

她拿起来看了下号码，虽然没有任何备注，但是直觉告诉她是重要的人，她忙按下接听键：“喂？”

“爵，在哪儿？”那头传来男人的声音，带着点调侃，“我在帝豪龙苑呢，你叫我过来自己却不见了……”

“陈安？”童染听出他的声音，顿时感觉获救了，她握紧手机，“你快来，莫南爵出车祸了……”

童染对这四周的环境并不熟悉，好在莫南爵的手机有定位系统。

挂了电话后，童染刚想起身，手腕猛地被一只大手攥住：“不要走！”

他醉得迷迷糊糊的，额头上的伤口还在不停地沁出血来，童染心口抽了下，她收回下车的脚，将头靠过去枕在他的肩膀上，反握住他的手：“莫南爵，我不走，我就在这里。”

莫南爵呼吸顺了下，俊脸上戾气未退。童染见状便伸出手抚上去，想要将他眉宇间的褶皱抚平。却不料，童染葱白的手指才刚抚上他的眉宇，便被一股大力狠狠地推开：“给我滚开！”

她站起身后想去前面看看陈安来了没有，刚走了两步，身后传来男人低喃的声音：“痛……”

她快步走到驾驶座边上，将他手臂上绑着的衬衫解开，果然，太久没有得到消炎，再加上他又喝了那么多酒，这会儿伤口已经有点泛白了。

“莫南爵，你醒一醒，能听到我说话吗？”

莫南爵半醉不醒的，童染怎么晃他，他也只是斜斜靠着：“痛……”

她急得皱起眉头，将耳朵贴近他的嘴唇：“是手痛还是额头痛？”

贴得这么近，总算能听清他薄唇间溢出的字节：“童……染……”

“我在，”童染握住他的手，“怎么了？”

“别走……”

“我不走，”她耐着性子，索性半趴在他身上，“你再忍一会儿，等他来了就好了。”

“谁？！”男人猝然睁开双目，猩红地盯着她，“你叫了洛萧过来？”

“你没醉？”童染瞬间就想松开他的手，他在逗她玩？

“开玩笑，我怎么可能会醉？”莫南爵勾起薄唇笑出声，身体侧了下，手臂打到一旁的副驾驶座上，他不舒服地皱起眉头。童染蹙紧眉尖，看着莫南爵俊美的侧脸，心里泛起一阵阵心疼，他真的……爱上她了？

莫南爵毫不自知，手背伸出去搭在额头上，剑眉紧紧地皱起来：“走，都走……”

“莫南爵……”童染强忍住涌出眼泪的感觉，“我不走，我一直在，我答应你，我不会走的……”她的声音很低很轻，刚好贴在他的耳郭边上，莫南爵闻言双手下意识地紧握成拳，双眼拉开一条缝：“童染，做不到的事，不要轻易答应任何人。”

童染环着他脖子的双手一僵，而后迅速松开，直起身时后脑勺哐当一声磕在了车门顶端：“啊！”

剧烈的疼痛传来，她扶住后脑勺，眼前一阵晕眩，紧接着便被一只大手搂住了腰：“松开手，让我看看！”

童染只得趴在他胸前，莫南爵手摸了下没发现血，心里一松，食指给她轻揉着后脑勺：“你蠢成这样，还活着做什么？”

“……”

“你不装醉我会磕到吗？”

莫南爵抿了下唇，其实他并没有装醉，方才她双手环上来时他才清醒了过来，却没想到，她会说出那番话。

童染用力挣扎了下，莫南爵也没紧搂，她直起身时，才发现他额头的伤口也开始泛白：“糟了！”

“怎么？”莫南爵嘶了一口气，头上疼得厉害，他食指轻点了下，“我没磕死，你不高兴了？”

“……你就不能说点好话吗？”

“要我祝你早点摆脱我回到洛萧身边吗？”

“……”

童染闻言闭上了嘴。

莫南爵冷讽般地笑了声，抬起修长的双腿就跨出了跑车。

童染见状赶忙去扶他：“你还是坐车里吧，毕竟额头上还有伤……”

莫南爵甩开她的手，回头冷冷地看了她一眼，童染知道他又要说什么，只得抿住唇，还是不放心地嘟囔了一句：“还是别走远。”

莫南爵睬也不睬她一下，迈开步子就朝前面走去，可就算是铁打的身体，心情低落，几瓶烈酒劲还没过，也还是经不住的。刚走了没几步，莫南爵只觉得眼前晃了下，而后整个人朝一边倒了下去！

“莫南爵！”童染吓了一跳，冲上去拉住他的手臂，可力气敌不过他，竟跟着一起倒了下去——

咚！

童染伸手护住他受伤的额头和手臂，两个人在草坪上滚了几滚，停下时，莫南爵正好整个人压在了她的身上。

就在此时，不远处传来白亮的车灯和车行驶声，几辆轿车飞速地开过来，擦着布加迪威航的车尾停了下来。

而后，头顶传来直升机嘟嘟嘟的声音。

帝豪龙苑主卧内。

莫南爵靠在床头，手臂上的咬伤已经缝了针，问题倒不是很大，只是……

“很严重吗？”童染也换了身衣服，焦急地站在床边，见陈安一起身便问道，“是不是需要缝针？”

陈安指了下他额头上的伤口，神色严肃：“爵，这里也得缝针才行。”

“滚！”莫南爵冷睨他一眼，舌尖轻抵下嘴角，“缝什么缝，这可是我的脸！”

“如果不缝的话，你手上还有伤口，这样交替，你很容易就会感染发烧的。”陈安料到他不会同意，只得摇了下头，“到时候你就有罪受了。”

莫南爵抿着薄唇，随手拿起床头的报纸就看了起来。

陈安见状也不再多说，将外用药和口服药的用法跟用量和童染交代了之后，便回去了。

一时之间，偌大的主卧之内只剩下他们两人。

气氛瞬间沉了下来。

童染站在床边，过去也不是，出去也不是，她斟酌地开了口：“你还是先把药吃了吧……”

“怎么，你以为就这么结束了？”莫南爵合上报纸，他额头贴着纱布，依旧难掩贵气，“童染，你觉得你现在已经没事了？”

“……”

“我可以很明确地告诉你，”他特意顿了下，“我不可能会放过洛萧。”

“你要做什么？”

“一说到这个，你就紧张起来了？”莫南爵轻笑一声，“别人动我女人，我就让他无能。这是我的原则。”

童染拧起眉头：“莫南爵，能不能不要再……”

“别问我能不能，以后不要直呼我的名字，”莫南爵冷眼看向她，“你也没那资格。”

“……”

“出去。”

“你先把药吃了，”童染反正也豁出去了，靠在柜子上不肯动，“你吃了，我就出去。”

“哦？”莫南爵偏就不吃她这一套，他一手抄起床头柜上的进口药瓶，看也没看一眼，甩手就直接扔进了电视柜旁的垃圾篓里。

“莫南爵！”童染气得直接喊出声，想起他说不能直呼他的名字，只得压下声音来，“爵少，身体是你自己的，你觉得这样做对你有什么好处？”

“我的身体是我自己的，”莫南爵蓦地抬眸看向她，“你的身体，是洛萧的？”

“你——”他说话向来精准不留余地，童染被他堵得哑口无言，气得直接转身走了出去，“你爱吃不吃，谁要管你！”

砰！

房门被甩上。

童染喘着气走下楼，主客厅里，正有几个人在向外搬着那台莫南爵给她买的 Steinway&Sons 的钢琴。

周管家在一旁指挥。

她急忙走过去：“这是要搬走吗？”

“童小姐，这是少主昨晚吩咐的，”周管家点头，“少主说，留着也没用，让我们把它运到火葬场给烧了。”

童染：“……”

他要把送她的钢琴给烧了？

看着她一阵泛白的脸色，周管家也叹了口气，小心翼翼地问道：“童小姐，您和少主是不是出什么事情了？少主吩咐，说以后只要您在帝豪龙苑，让我们别帮您准备任何东西……”

“没什么，”童染有些僵硬地摇了摇头，“随他喜欢吧。”

这些东西都是他买的，他要烧就烧吧……

“童小姐您不知道，昨晚少主回来的时候，从小到大我都没见他生过这么大的气。我很了解少主，他这孩子，真正生起气来是不会说话的，就一人坐在那儿不动。”

周管家说着摇了摇头，他瞅着童染挺好一姑娘，少主养着童染他也看着舒服，怎么就闹成了这样？“童小姐，您别不信，少主回来后坐在沙发上的时候，我给他端水，看见他眼眶都红了。”

童染惊愣在原地，他昨晚……

“唉，少主从小到大，也就和大少爷闹的那时候哭过一回，昨晚是第二回。”周管家越说越心疼，老脸上满是无奈，“他昨晚坐在那里，用唇抿着食指，那动作，我一看就知道他是哭了。”

童染喉间哽咽了下，别说哭，她从来都没见过莫南爵失落的表情：“昨晚，他把我送给别人一晚上。”

“啊？！”周管家不可置信地瞪大眼睛，而后猛摇着头，“不可能！童小姐，我用我的老命担保，少主把你看得那么重，怎么可能……”

“因为那个人是我曾经爱过的男人，”童染脱口而出这句话时，丝毫没有注意到自己用了“曾经”这两个字，“他昨晚知道了，是我骗了他……”

“这……”

周管家还想再说些什么，童染却不愿意多说，她说了声谢谢，也不再看被拆解搬出去的钢琴，转身朝楼上走去。

周管家瞅着童染纤瘦的背影，难怪少主昨晚会红了眼眶，亲手将自己心爱的女人推出去，谁能不痛呢……

他摇了摇头，这俩孩子，一个个都倔得跟牛一样，背地里关心表面上又冷淡至极，现在的年轻人啊……

一直到晚上，童染都没有再进主卧，她睡在二楼的客房内，闭着眼睛躺着，却怎么也无法安稳入睡。

也不知道过了多久，迷迷糊糊之中，房门被人砰的一脚踹开，一道颀长高大的人影摇摇晃晃地走了进来。

男人身后，还跟着手忙脚乱的用人："少主，安少爷说了，您不能下床的……"

童染也累了一天，身上的伤口也有好几处，这会儿她蜷着身体，一个人只占了大床的一点点位置。

她这副模样，看起来就像是一只无助的小猫咪，因为害怕而缩起身体。

房门剧烈的撞击声并未让她清醒过来，她抗拒性地皱起了秀眉，以为是自己做了噩梦，下意识地环紧了双肩。

这个动作在男人看来，很是刺眼。

她连睡觉都在怕他？！

莫南爵跌跌撞撞地走到床边，单手直接撑了下来，陡然增加的重力让柔软的大床凹了下去。童染翻了个身，睁开眼时，就对上了一双猩红的眸子。

"你怎么……"童染以为是自己没睡醒，伸手揉了揉眼睛，却发现并不是自己眼花。

"看见我，就让你这么不舒服？"莫南爵撑在床边，闻言薄唇冷勾了起来，伸手攫住她尖尖的下巴。

莫南爵指腹上的温度清晰地传过来，就像是沸水般滚烫，童染急忙伸手去扶他："你发烧了？！"

Chapter 10
莫南爵，我说我爱你

“是啊，童小姐。”用人站在门口不敢进去，闻言急忙隔着一层门板说道，“少主凌晨一点就开始高烧不断，四十一度，我们怎么劝少主都不肯吃药，刚刚还说要来找您，冲了个冷水澡，我们不敢阻止……”

童染震惊地抬起头，“莫南爵，你疯了是不是？”

生病不吃药，发烧还冲冷水澡，他真的想死？！

“滚开！谁要你们废话一堆的？都不想活了是不是？”

莫南爵皱起眉朝门口怒吼了一句，而后身体晃了两下，竟直接一头栽向了床上！

“你……”

童染吓了一跳，费了一番力气将他的身体扶正，盖好被子后才爬下了床。她气得小脸通红：“下次他要是再这样，你们就直接叫陈安来把他拖出来，让他吃了药然后打晕，什么时候好什么时候弄醒！”

他自己的身体就可以自己这样糟蹋？！

“呃……”用人光是听着这话浑身都抖了下，急忙退了下去，这个世界上除了童小姐，估计没人敢这么做了……

莫南爵四肢大张地躺在床上，一人就占了一整张床，他手臂压在额前，时不时地乱挥着："都滚！滚！"

"我叫你给我躺好！！"见他俊脸烧得通红，童染想到他的自残行为就觉得气不打一处来，她微微踮起脚尖后抡起一掌，直接朝男人头侧扇去！

啪！

头上被狠狠地拍了一掌，莫南爵没有想到她会做出这样的事情，目瞪口呆地看着她。

一时之间，男人竟然没有说出话来。

这女人是不是疯了？！

居然扇他一掌？！

"怎么，这就吓傻了？"

童染冷睨他一眼，口气和神色，竟然和平常的莫南爵如出一辙，她趁着他愣怔的工夫将他推到床上，拉过被子就直接裹住他，在肩头处掖了下。

"不想再挨一掌就好好躺着，要是被我发现你下了床，我让你一辈子都碰不了女人，明白吗？"

"……"

"我去叫陈安，再下楼做点吃的，你要是不舒服就喊用人，她们就在门口，"童染从床头拿出体温计，扯开他的睡袍领口让他夹好，"待会儿用人会进来取，你不用起来，懂了？"

"……"

童染白皙的小脸一沉，伸手拍拍他的俊脸："没听懂？"

男人乖乖地躺着，闻言怔了下，竟然鬼使神差地点了点头。

"懂了就好，先睡会儿。"

童染满意地拍拍他的肩。直起身时，莫南爵还是伸手拉住了她的手腕。

她回头一瞪："你又做什么？"

"……"莫南爵心里很是不爽，他什么时候竟然需要听一个女人的？

想了下，男人还是有些不自然地开口问道："你，你什么时候上来？"

一问，他又后悔了。

要她上来，还不是他一句话的事？需要跟这女人废话这么多吗？

“等你睡一觉醒来，我就上来了。”童染无奈，就和哄小孩一样握住他的手，“你先睡，好不好？”

“……嗯，你下去吧。”

男人轻咳一声别过头去，他故作淡定地闭上眼，因为发烧，所以俊脸上的红晕看不太出来，童染将他的手放回被子，这才开门出去了。

门被合上之后，莫南爵这才睁开眼睛，他将右手举到眼前，仿佛在前一秒，还有童染触摸过的痕迹。

枕头上，也有她淡淡的清甜香气。

男人也不知道自己怎么了，他将手背凑到薄唇边，轻轻吻了一下。

就在此时，房间门被敲了声后推开，用人站在门口，惊呆地看着眼前的这一幕：“少主，您……”

竟然在自己吻自己的手背？！

“滚！谁叫你进来的？！”莫南爵坐起身体，腋下的体温计掉下来，他陡然想起童染交代过的话，竟然又躺了下去，“拿了就滚出去！”

“是、是……”

用人战战兢兢地接过体温计便退了出去，看来少主这回真的病得不轻……

陈安来的时候莫南爵已经睡着了，他简单地检查了下，高烧只是排毒的一个现象，并不严重，留了几瓶药便走了。

童染煮了点清粥端上来，莫南爵还在睡，她看一下时间便将他推醒。

莫南爵倒也乖，吃了药之后靠在床头，让她一口一口地喂粥喝。

童染舀起一勺吹了吹：“我放了点糖，味道不错吧？”

“凑合，”莫南爵嘴不饶人，目不斜视地看着她，“童染，我要是没生病，你会喂我喝粥吗？”

“你自己有手有脚，为什么需要我喂？”

“女人也有手有脚，生孩子还不是需要男人？”童染懒得和他多说，喝完了粥，她正想起身将瓷碗端下去，莫南爵拍开她的手：“你要是喜欢端，我送你去酒店端一辈子。”

“……”

莫南爵坐在床头，勾着她的细腰将她搂进怀里："陪我睡会儿。"

她为了照顾他一晚上没睡，这会儿抬头去看，天已经大亮了。

"好。"

童染点了点头，也没动，就任由他搂着。

莫南爵烧没有退，贴着她的地方滚烫如火，躺好后二人都没有再说话，童染也疲倦得不行，合上眼睛没多久便沉沉地睡了过去。

感觉到她平稳的呼吸声，莫南爵这才睁开眼睛，他垂眸看着怀里的女人，长长的睫毛，粉嫩的脸颊，很是动人。

他心里很清楚，童染此时的柔顺和关心，只是因为他生病了需要照顾，仅此而已。

可是，他可以一次两次地让自己生病，但三次四次，他能始终病下去吗？

接下来的几天，一到晚上，莫南爵都会反复地烧个不停，伤口倒是没感染，童染一直守在床边照顾，寸步不离。

也许是因为这场病，让他们之间的关系稍微缓和了下。

至少，不会每天都争吵。

莫南爵自然也没有去帝爵，在家里养了这么久伤，他也坐不住，今天早上起来便去了书房开始看文件。

U盘的事后，童染知道他不会再让她靠近那些私密的文件，也就没过去，她接了杯水窝在沙发上看电视，刚挑了个台，便听到莫南爵的手机铃声响起来。

她心里莫名地咯噔一声。

一股不祥的预感腾然升起。

书房这边，莫南爵低头翻着文件，接通后对方说了两句，他将手里的钢笔往桌上一扔，双眸眯起："找到了？"

"是的少主，人已经在我们手里了。"

"好，很好，"莫南爵勾起薄唇，拉开一抹狠戾的笑，"把她给我看好了，我马上就过去。"

"是，少主，"对方顿了下，"不过少主，我们找到她的时候，她还是昏迷状态，不知道什么时候能醒……"

“有什么关系？”莫南爵嗤笑一声，“她这么喜欢和男人睡，我会让她睡个够！”

“那我们……”

“放着别动，等我到了再弄醒。”当时敢动他的时候，她就该知道自己有这么一天！

“是，少主。”

挂上了电话，莫南爵从书房走到试衣间，出来时已经换了一套休闲衬衫，童染见状站起身：“你要去哪里？”

“怎么，担心我去找洛萧？”莫南爵冷睨她一眼，这种事并不打算和她多说，转身走到房门口时，却陡然想起那天在千欢，童染砸掉狗仔的相机后扶他出去，脸色不由得缓了下。

他顿住脚步，回过头来：“找到了个人，你要不要一起去？”

童染点了下头，去试衣间换了套衣服，跟着他走出来时，她还是忍不住开口问道：“是什么人？”

莫南爵一直在找的，并且是近期的，难道……

她咬住下唇，不敢再去想。

“一个你我看到都会恨的人，”莫南爵径自走下楼，精致的眉梢眼角满是冰寒，“到了你就知道了。”童染还想说什么，可是看他攥紧的拳头，也不敢再问。

莫南爵并未喊司机来，他自己开车，布加迪威航还没有送去清理，上面隐约还有酒气，童染坐在副驾驶座上，心扑通扑通地跳，不安的感觉越发明显。

希望不要是，千万不要是……

半个小时后，布加迪威航停在了一个高档别墅区的门口。

莫南爵砰的一声甩上车门，他脸色阴鸷，也没锁车，甚至连钥匙都没拔，便大步跨了进去。

童染急忙跟在后面。

一路走进别墅，里面尽是高档的家具和摆设，莫南爵瞥也不瞥一眼，朝着客厅边上的主卧走进去。

童染正觉得奇怪，只见他走到橱柜边上，食指有节奏地轻敲了几下，那红木橱柜竟被打开来，里面的人恭敬地垂首："少主。"

莫南爵淡淡地嗯了一声，侧身走进去："人在哪里？"

"在里面，我已经叫了弟兄们来了。"

黑衣人跟在莫南爵后面，显然是认识童染的，也没多说，就让她先走。

这房间明显是暗间，四周都有监控，童染走进去时，一眼就看到床上躺着的女人。

那女人穿着白色的睡袍，一头卷发湿淋淋地散开在枕头上，脸上满是红痕，身体消瘦，看起来甚是凌乱。

虽然早就猜到，可是亲眼看到，童染还是浑身一震，她紧紧抿住下唇，向后退了两步。

真的是青青……

她消失了这么久，再见面，她居然被莫南爵的人给找到了。

童染环顾四周，并未发现罗成的身影。

他们没在一起？

莫南爵将身体抵在桌沿上，他唇边叼着根烟，手里的铂金打火机啪嗒啪嗒地一开一合着："在什么地方找到的？"

"回少主，我们是在贫民窟的房子里找到的，"黑衣人拿出照片递过去，"当时我们进去的时候，她已经这样了，我们看了下柜子被翻过，应该是被人抢了东西打晕的，这种事情贫民窟经常有。"

"贫民窟？"莫南爵拿着照片，上面乌黑的床铺一看就知道有多少年没洗，他厌恶地丢开来，"她可真会躲，躲到贫民窟去，难怪找了这么久都没找到。"

"少主，我们的人之前找过好几个地方，那些人都说见过她，但是她后面就又走了，而且还说……"那黑衣人顿了下，朝床上看了一眼，"说她神经有点问题。"

"神经有问题？"莫南爵嗤笑一声，冷讽道，"莫非她醒来之后又要说，是因为被我强暴而刺激成这样的？"

黑衣人闻言识相地闭了嘴。

莫南爵吸了口烟，白色的烟圈将他的俊脸染上一层朦胧："打电话把陈安叫过来。"

“回少主，属下已经通知了，安少爷说他那边堵车……”

“他不是堵车就是没赶上飞机，不如残了算了！”

莫南爵说着将烟按灭在烟灰缸里，直起身体朝床边走去，站定后，居高临下地睨视着女子惨白的脸庞，只觉得更加厌恶。见他走上前，童染有些紧张，她暗自攥紧粉拳，她真的很怕莫南爵会做出什么来……莫南爵站在床边上，那晚在千欢的一幕幕浮现在脑海，尤其是裴若水对着媒体时说出来的那番话，真是让他始料未及。他越是盯着她看，俊脸上的神色越是阴鸷无比：“你们找到她时，就只发现她一个人？”

童染心提到了嗓子眼。

黑衣人点了点头：“是的少主，我们问了附近的人，说她是一周前来的，一直是一个人，而且疯疯癫癫的，从不和别人说话。”

疯疯癫癫的？莫南爵鄙夷地扬起冷笑：“装疯卖傻吗？这一点，倒是符合她的作风。”

“属下推测，她定是怕我们的人找到她为难，便故意装疯。”

莫南爵始终勾着抹笑，他侧过俊脸：“她的真实身份，查出来了吗？”

“是，少主，查出来了。”黑衣人从桌面上拿起一沓白色的纸，并不厚，只有薄薄的几张，“她到帝爵来上班用的‘裴若水’这个名字，确实是假的，不过身份证和一些资料倒是真的，应该是找黑市做了手脚。”

找黑市？

莫南爵意料之中地勾起唇：“说下去。”

黑衣人继续道：“我们顺着黑市这条线摸上去，就发现她确实是改了身份，并且还整过容变过声，但是具体的地点和参与人物因为没有人知道，所以暂时没有落实。”

“整过容？”莫南爵低头睨了眼床上的女人，眼中的阴鸷更加浓厚，“为了对付我，整容变声，这样的代价，我可以肯定她背后绝对有人。”

“属下顺藤摸瓜了好多次，据可靠消息，替她整容和变声的医生，那一拨人都已经消失了。”黑衣人说着面色也凝重起来，“估计，应该都被清理掉了。她曾经有过的痕迹都被清理干净了。”

“这么严谨，我不信她一个女人能做出来。”莫南爵舌尖轻抵下嘴角，尖锐的眸子划过厉光，“这么对付我，到底是想得到什么？”

童染听着黑衣人这么说也觉得奇怪，青青背后还能有什么人？她不只是为了报复她和傅青霜吗？

二人各怀心思，但谁也想不出个所以然来。

莫南爵皱起眉头，他朝黑衣人扬了下手：“把她的真实资料念出来。”

童染蹙紧眉尖，脑袋里一团乱，怎么也理不出个头绪来。

“是，少主。”

黑衣人应声后将下面的A4纸翻上来，准备念的时候，瞥了一眼童染：“韩青青，女，22岁，锦海市南音艺术学院钢琴系2011级02班学生，导师林千岩，家住锦海市云山区，独生女，父母均是工人，自两年前著名的‘南音案’后失踪，至今杳无音讯。失踪前居住在南音艺术学院A栋302宿舍，舍友阮亦蓝，冯芳……童染。”

最后两个字黑衣人咬得极轻，他们内部都知道，少主对这个女人极其看重，容不得半点差池。

他们原本的老大李钦至今毫无下落，所有人都说，少主为了这个女人，牺牲了老大。所以，只要涉及童染的事，他们都很反感。

黑衣人话音刚落，莫南爵猛然抬起头，一双锐利的眸子直直地射向他：“舍友是谁，你再说一遍？”

“……阮亦蓝，冯芳，童染。”

童染？

莫南爵眉头紧紧地皱着，他闻言竟有那么几秒的愣怔，而后才看向垂眸站着的女子：“她是你的室友？”这么一个简单的问题，童染却被问得哑口无言，是啊，韩青青是她的室友啊，是她那么好的闺蜜知己……

她眼眶酸涩地点点头：“是。”

“是？”莫南爵似是不可相信，他上前两步站在她面前，“我再问你一遍，她……”

童染不等他问出口，接过了他的话：“没错，她确实是我室友。”

“呵，”莫南爵突然笑出声来，薄唇抿紧后松开，话语满是嘲讽，“她是你室友，童染，她居然是你室友？！你在逗我？”

他费了这大力气要找的人，为了他在她面前的清白所以要找的人，居然是她的室友？！

童染摇摇头，没有抬头去看他的眼睛："我没有逗你，她是我室友……也曾经是我最好的朋友。"

她……也是深爱你的女人。

这一句话，童染哽在喉咙里，还是没有说出来。

"你最好的朋友？"莫南爵脸色阴鸷低沉，他伸手握在童染的肩头上，并未很用力，"你一早就知道是她了？"

竟然可以瞒到现在？！

"没有，我也是那件事情之后，才知道的。"童染实话实说，仓库里的那场对话，对她来说简直是噩梦般无法呼吸，每每想起来都心口刺痛，"就在事发那晚……凌晨的时候你还没醒，我就出去了下。"

"谁放你出去的？"

"我和陈安商量的……"

"童染，我看不出来，你不但不把我说过的话当回事，反倒还长了一身迷惑男人的本事。"莫南爵嘴角勾起冷笑，握着她肩头的手陡然用力，"我告诉你，陈安不是你可以攀得上的人！你别做梦！"

"你误会了，我和陈安之间什么都没有！"童染脱口反驳，难道他就非得这么想吗？

还是说，在他的潜意识里，她已经是那样的女人了？

"有没有你会说实话？"莫南爵紧紧盯着她涨红的小脸，"一个洛萧不够，你还想偷偷地傍上几个？"

"莫南爵！你能不能不要胡说八道？"童染气得差点一巴掌甩过去，她迎上他的目光，"我和陈安没有任何关系，我童染没有你想的那么恶心！"

她从头到尾有过的男人也只有他一个，她说过，可他不信，她还能怎么解释？

"和陈安没关系，那你就是承认和洛萧的关系了？"陈安自然不可能会对童染有什么想法，二十几年的兄弟，莫南爵心里是清楚的，可这时候，他气的并不是这个。

他气的是，她不管有什么事，第一时间找的都是别的男人！

他才是她的男人，她不明白？

童染无力辩解，肩头被他捏得阵阵发痛："莫南爵，你除了曲解我的意思，还会说什么？"

"好，那我们说点不曲解的。"他瞥了眼床上的女人，"你就好好给我解释一下，她，为什么会是你的室友。"童染满腹的委屈瞬间吐不出来了。

韩青青爱上了莫南爵，这就是她最说不出口的地方。

"怎么，无话可说了？"莫南爵眼底聚起一抹冰寒之色，话语几近嘲讽，"童染，你到底瞒着我多少事？一个洛萧，一个韩青青，接下来的一个会是什么？我若是猜中了，有没有奖？"

"我没有瞒着你，只是……很多事情不是随随便便能说出口的，你明白吗？"

"你没说过怎么知道说不出口？"莫南爵不屑地轻笑，"找理由，也请你找个不这么蹩脚的。"

"莫南爵，"童染深吸一口气，目光定定，"我说，她爱你，你信吗？"

莫南爵五指猝然收拢，捏得她肩头发出阵阵脆响。

"她爱你，她真的爱你，"童染却感觉不到疼，她哽咽着声音，心口仿佛被撕开，"她亲口和我说，她说，她很久以前就深爱着你，每次路过看着你的海报，她最大的梦想，就是到帝爵来，就是能见你一面……莫南爵，她爱你，她爱你啊……"

她这么爱你，你叫我怎么办？

我还能怎么办……童染说着用双手捂住脸，清亮的泪水从白皙的脸庞滚落下来，滑进嘴里，她尝到了苦涩的味道，推开他的手，缓缓地蹲了下来。

她哭泣的声音很小，就如同呜咽的小兽般，纤瘦的双肩微微颤抖，乌黑的发丝从两边倾泻下来。莫南爵站在原地，垂眸看着她颤抖的身体，好看的桃花眼渐渐地眯了起来。

深爱他？

呵，他发出一声轻笑。

童染听见后仰起头来与他对视："莫南爵，你笑什么？她爱你，让你觉得可笑吗？"

“对，可笑，”莫南爵点了下头，嘴角某种嘲讽意味明显，“很可笑。”

童染并不理解他说的可笑是什么意思，但听他这么说，无非，就是不屑罢了。

她和韩青青也是一类人，难道，在莫南爵眼里，她们这种人是不配对他说爱的吗？

“你凭什么觉得可笑？”童染攥紧被自己咬出一圈深红色牙印的手指，“难道她爱你有错吗？”

如果今天说爱他的人是她，他是不是也会觉得不屑觉得可笑？

“有没有错和我无关，”莫南爵神色清冷，他冷睨一眼童染，“难道我就一定要为她的爱买单？”

“就算你不会买单，可你也不能觉得可笑……”

她话还没说完，莫南爵便猛然伸手攥住了她纤细的手臂，将她整个人从地上拽了起来：“童染，她爱我，所以你就必须逃避我？她爱我，所以你就不能靠近我？就因为她是你的朋友，所以爱情在你看来，也是可以分享和送人的是吗？”

“你……”童染伸手隔开他们之间的距离，“我不是那个意思！你误会了。”

“是吗？那你是什么意思？”莫南爵抓着她用力地向旁边的墙上一抵，整个人压了上来，“你是不是觉得对不起她？”

背后突然抵上冰冷的墙面，童染几乎是尖叫出声：“莫南爵！你放开我！”

“怎么，你怕她突然醒来看见？”莫南爵非但没有放开，还低头凑近她的脸颊，“怕她看见我压在你身上？”

“莫南爵，你——”

“说啊！你不想我碰你，就因为她爱我是吗？”

“放开我！”

“说！”莫南爵扳过她的脸，她小巧的下巴被他捏出一道红痕，“童染，我告诉你，你今天要是不说，我就让她好好看个清楚！”

“你——”

“说！”

“是！”童染大口地喘息，她崩溃般地喊出声来，“她爱你，她那么爱你，莫南爵，你要我怎么面对你？我一想到她曾经吻过你，我就觉得难受，我就觉得浑身都在发抖……我没办法，我真的没办法接受……”

“你承认了？”莫南爵低下头，鼻尖同她相抵，他能够清晰地触及她眼底弥漫的水雾，他步步紧逼，誓要她接纳自己，“童染，你终于肯承认你为我难受了？你心里有我，你是在乎我的，你爱我！对不对？”

“我没有！”她下意识地反驳，“莫南爵，你松开我，你松开！”

“如果你心里没有我，谁爱我，你又何必在意？”

童染双腿不停地蹬着，她此时完全想不出用什么话去反驳他，可是心里却乱极了。她拼命摇着头，嘴唇咬出一圈深深的齿痕：“你不要靠近我，你这个疯子，你走！你走啊，走开啊——”

她没什么，什么都没有，她不在意，什么都不在意……

莫南爵的性格向来霸道，自然不可能会放开她，他旋了个身，搂着她的细腰将她推到床头边上的橱柜上：“童染，你死倔着不说是吧？”

“你想做什么？”童染死死咬着下唇，惊恐地看着他的动作，突然意识到，他们的边上就是韩青青躺着的床，“你放开我！莫南爵，你这个变态！”

他分明就是要看着她难受，看着她在韩青青和他中间挣扎……

“我放开你，难道这个芥蒂要留一辈子吗？”莫南爵膝盖抵着她的小腹右侧，让她无法转身，“童染，若我不问不说，你同我这一辈子，中间都得夹着个韩青青，是吗？”

“不是我要让她夹在中间，”童染抬起头，强忍住喷薄而出的哭颤音，“莫南爵，当她那般深爱上你的时候，就已经不可能撇开来了，你懂吗？”

“我只懂你是我的女人，同别人无关。”莫南爵沉着俊脸，嗓音低沉而充满警告的意味，“童染，我可以明确地告诉你，你别想着用任何事情来逃离，因为，你，注定是我的。明白吗？”

“你放开我……”她几近哀求地抓住他的衣领，“莫南爵，我求求你，别再说了好不好？我求求你，我不想听了，真的不想……”

“由不得你想不想！”莫南爵精壮的胸膛压着她，热源不断地传来，“就因为一个韩青青，你就可以这样拒绝我，是不是以后只要有女人出现，你就可以给自己推开我的理由？”

“我不要听，我没有……”

“你看着我说！”

她晃着头，头发散乱地披着，小脸上带着泪光，看起来甚是楚楚可怜。

“要怎么样你才肯听肯说？”她垂着头，急促地喘着气。

莫南爵好看的薄唇紧抿着，握着她肩头的手移到后颈处：“既然你不肯，那么，我替你做决定。”

“你别——”

不等她开口，莫南爵握住她的后颈迫使她仰起头，他低下，她迎上，四片同样冰冷的唇相接，随即而来的是疯狂的追逐。

“唔……”

童染大半个身子倾出去，莫南爵虽然掌握着她的腰，可是她这么看一眼，还是能清晰地看见韩青青苍白的侧脸，毫无生气地垂着的睫毛……

这副场景，和脑海里莫南爵压在韩青青身上的那些照片重合在一起，那香艳的画面令童染浑身一震，她攥紧拳头，几乎是疯狂地推开他：“放开我！”

莫南爵吻得正在迷醉之中，被这么大力一推，整个人向后跌了下，左肩磕在一旁的柜子上，发出砰的一声巨响！

“少主！”

一直低着头的黑衣人急忙冲过来，伸手扶住了莫南爵：“您没事吧？”

“滚开！”莫南爵一甩手，看都没看他一眼，视线始终定格在童染身上：“童染，你不要逼我。”

童染扶着床沿直起身体，蹙起眉尖看着他：“你要做什么？”

“你不是介意她，所以无法接受我吗？”他舌尖轻抵下嘴角，说出来的话也不知道是真的还是吓吓她而已，“那么，如果她彻底从这个世界上消失，你是不是就可以接受了？”

“你……”他的意思再明显不过，童染瞪圆了眼睛，“莫南爵，你别乱来！”

“我乱来什么？”他轻笑一声，“你到时候扛着她，出去和人说是我杀的，你看看谁敢说我乱来。”

童染握紧双拳，眸中溢出紧张："你要是杀了她，我会恨你一辈子的！"

"你既然无法做到爱我一辈子，让你能够恨我一辈子，也挺不错的。"

"莫南爵，你脑子有毛病吗？"童染完全无法理解他所谓的强留，"留一个恨你的人在身边，有什么好处？"

"童染，我可以杀了韩青青，杀了洛萧，只要是你在乎的人，我可以把他们通通杀光。"莫南爵扬起一抹嗜血的笑意，蔓延开的冰寒让边上的黑衣人都下意识地退后一步，"到了那个时候，你就只会是我的。"

"你——"童染闻言只觉得背后一凉，她咬紧牙关，"你简直残忍至极！"

"我残忍至极？"

莫南爵听着这四个字只觉得好笑，在这件事情上，韩青青背后那人，牺牲她来达到目的，才称得上是残忍至极，虽然他这时候并不知道那人是谁。

可现在到了她嘴里，他随口一句杀光她在乎的人，都可以是残忍至极。

想着，莫南爵邪肆地勾起嘴角："既然你说我残忍至极，那我就让你看看，更残忍的是什么。"

童染警惕地看向他："你又想做什么？"

"你既然说我残忍，那不如就等着看，"莫南爵勾着笑，吩咐边上的黑衣人，"去打盆水来，加冰块。"

"是，少主。"

黑衣人垂首从侧门走出去，很快便端着一盆装满了冰块的水进来。

光是看着，就让人寒意四起。

"给我浸，"莫南爵用膝盖轻触了下床沿，"她不是喜欢装疯卖傻在媒体面前胡说八道吗？"他说起这个就觉得可笑，"浸，浸到她清醒为止！"

"是，少主。"

黑衣人自然是照办，他将脸盆放在床沿，而后扯住韩青青的头发，作势就要将她的脸朝脸盆里按进去！

"不可以——"

童染见状瞪圆了双目，这么冰冷的水，若是浸上个一分钟，人没醒，命就先没了！

她急忙冲上去拍开他的手，黑衣人不敢碰她，只得松了手退开两步，为难地看向莫南爵。

莫南爵料到她会这么做，眯起眼睛："你是要我亲自动手？"

"你怎么能这么对她，这好歹也是一条人命。"

"我这么对她？"莫南爵轻笑出声，"那她又是怎么对我的？"

"我知道她确实对你很过分，但她也是有苦衷的，"童染咬住下唇，目光轻浅，却带着认真之色，"莫南爵，我知道你生气……我和她大学同学三年多，每天都在一起，她是我最好的朋友。她的消失，是因为南音的那场……"

童染说得很快，却很清楚，她将韩青青所有的遭遇都说了出来，包括傅青霜和阮亦蓝之间的勾当，也包括韩青青说的那些话……

总之，这件事情童染所知道的头和尾，她都说得一清二楚。

到了这种时候，真的没有必要再瞒下去了。

"傅青霜，呵，"莫南爵听她说完，俊脸上并未有多大的惊讶，倒是怒气更盛，"童染，说来说去，还不就是因为洛萧吗？"

洛萧，又是洛萧！

他发现，他们之间所有的事情，都是因为这个该死的洛萧！

童染却摇了摇头："这件事情和洛大哥有什么关系？他完全不知情……"

"是吗？"莫南爵露出一抹嗜血的笑，"那照你这么说，你所谓的韩青青爱我，我也完全不知情，同我又有什么关系？凭什么这一盆脏水就得扣在我头上？"

"我没有扣在你头上，我知道你也是受害者，我也很难过的，"童染看向韩青青，"我怕她会用更激烈的手段伤害你，但是我再找她的时候，她就不见了，包括那个 K2，我也没问出来是什么……"

"这些都不重要，重要的是，你这里在抗拒我，"莫南爵指向胸口，"你这就是完全扣在我头上了。"童染沉默了下，其实之后的那段时间，她对莫南爵也没那么深的抗拒了，只是偶尔想起来，会有些不舒服而已："我可以答应你，以后不会再因为这个抗拒你，我会试着接受你……"

“接着说，”他挑了下眉，“所以，你试着接受我的条件是？”

“……”被看穿了吗？

果然什么都逃不过他的眼睛……

童染咬咬唇，认真地对上他的眸子，手指向大床：“莫南爵，我希望你可以放过她。”

“给我个理由。”

“她也是个受害者，我们都没错，错只错在老天爷的安排。我想经历了这么多，她也知道自己有错，”童染说着目光柔和了下来，嘴角浅笑，“我希望她以后能有正常人的生活，结婚生子，能够开开心心的，忘记以前不愉快的事情。”

顿了下，她充满希冀的目光朝他看去：“莫南爵，你放过她吧，就当是为了我们……好吗？”

童染心里很清楚，如果韩青青真的因为这件事情死了，她心上的那道坎，就真的跨不过去了。

童染目光灼灼，她从未用这样的眼神看着他。莫南爵抿了抿唇，心里有几分动容：“我放过她，你真的能试着接受我？”

“我保证，我一定会试着去接受……”

童染说着垂下了眸，其实，以放过韩青青作为条件，只不过是她自己找的一个借口罢了，她心里是真的想去试着接受他，既然他是绝对不肯放手的，那她又何必拼命地去逃开他？听她这么说，莫南爵心里狂喜，面上却不动声色：“你让我有什么理由相信你？这种事情又不能签协议，万一你骗我？”

“晚上，”童染咬了下唇，碍于黑衣人在场，也没有说得那么明白，“晚上……我会让你相信。”见他抿着薄唇没有接话，童染以为他不满意这个条件，心想真是高估自己的魅力了，红了脸后忙开口道：“要不然换一个……”

“不用了，就这个，”莫南爵出声打断她，他颇带意味地睨着她，“我等着你的证明。”

“真的？”童染眉眼弯弯，也不知道是因为给自己找到了一个可以接受他的理由，还是因为他答应了，“你答应了？”

“你主动，我怎么可能不答应？”黑衣人瞬间觉得自己不应该出现在这里。

童染转过身，伸手抚向韩青青毫无血色的脸庞：“那，她怎么办？”

“那？”莫南爵皱起眉头，这才刚一会儿，他便开始得意了起来，“难道我的名字叫作那？”

“……”

“叫我。”

“莫南爵。”

“我让你叫我，不是让你找死。”童染咬着唇想了下，半天还是憋不出来，小脸红扑扑的，但在男人的怒瞪之下，最后还是闷闷地喊了一声：“南南……”

她思索了半天，觉得南南还是比莫莫和爵爵好听些……

让她喊爵，她是真的喊不出口……

“咳咳——”一旁正在装死的黑衣人闻言，突然剧烈地咳嗽了两声，南南，少主这样冷峻的形象叫南南确实有点让人无法接受……

“你咳什么咳？！”莫南爵怒吼一声，一把揪住他的领子，“怎么，你对我的名字有意见？”

“少主，属下、属下不敢……”黑衣人内心直呼倒霉，“属下只是感冒嗓子不舒服而已……”

莫南爵怒瞪着他，见他脸上的笑意全收了起来，这才松开了手。

南南，这个名字，怎么听怎么别扭……

“南南，楠楠……”他念了两声，脸色顿时一沉，“童染，你把我和一只破猫相提并论？”

“我没有，”童染强忍着笑意，她摇摇头，“你为什么和一只猫争？它是小楠楠你是大南南，难道不行吗？”

“童染，算你狠！”在这里不好发作，莫南爵只得双眸恶狠狠地盯着她，“回去跟你算账。”

童染才不怕他所谓的算账，反正晚上她若是主动，那掌控权都在她手里。

她去洗漱间取来一条毛巾，用温水拧干后，坐在床沿轻轻地给韩青青擦着脸上的污渍，也许是因为整过容，她的皮肤很干燥，童染纤细的手指触上去，就像是一层假皮。

“青青，当时你躺在手术台上，一定很疼吧？”童染将她的手拉起来，将她指甲里的污垢也擦干净，“没关系，等你醒了，一切就都结束了，不会疼了，以后都不会再疼了……”

莫南爵看着她温柔细腻的动作，缓缓勾起唇，今晚，她应该也会用这副温柔似水的模样对着自己吧？

虽然他十分厌恶韩青青，但是为了童染，这么个女人，他可以忍下来。

至于韩青青背后的人，他会暗中派人去查清楚。

黑衣人见状，也以为没什么事情了，他看向少主对着床边女人痴恋的目光，试探性地开口问道：“少主，要是没什么事的话，属下就先回去了。”

“嗯。”莫南爵淡淡地应了一声，他走向床边，想要去搂童染的细腰，“我们也走吧，让她在这休息，会有人替她安排的。”

“我想帮她把身上的衣服都换了，洗个头发……”

童染将毛巾好几次拧干，一盆水都快要变黑了，她伸手挽了下耳边的头发：“我想多陪陪她，就今天一次，以后我都不会和她见面了，好不好？”

莫南爵动了下唇，一个“好”字刚到唇边，却突生惊变！

原本躺着一动不动的韩青青陡然睁开眼睛，一双毫无焦距的眼睛瞪得极大，眼眸中迸发出红光。

那光芒像是带着刻骨的恨意，童染一惊，吓得缩了下身体，很快就镇定了下来，她稳住呼吸开口：“青青，你醒了……”

话还没说完，韩青青突然咬住下唇，视线瞥向童染，而后瞳仁猝然睁大，像是看到什么厌恶至极的东西，她撑着床头坐起身体，手张成爪就朝童染的脸上抓过来！

“啊——”

童染下意识地向后退去，莫南爵见状手疾眼快地揽住她的细腰，旋了个身就将她从床沿抱了起来。

“少主小心！”黑衣人冲过来时，莫南爵已经搂着童染退到了边上。

腰间的大手带给她极大的安全感，童染双手拍了拍胸口，疑惑地蹙眉：“青青，你怎么了？”

韩青青并不说话，她靠在床头，将脚缩在身体下面，一双血红的眼睛死死地盯着床下的他们。

眼里的恨意和愤怒能够看得清清楚楚。

“青青，你别怕，他们不会伤害你，”童染握住莫南爵的手背，才能让自己强自镇定下来，她看向韩青青，“你下来，一切都已经过去了，你可以重新开始，好吗？”

韩青青依旧一动不动，维持着自卫的姿势。

童染见状动了下腰，示意莫南爵松开她，他却并未松手，她也没有挣扎，继续劝道：“青青，以前的事情我们都可以放下，谁都不会追究了，你想念书想出国都可以，你可以和罗成一起……”

韩青青却对童染的话置若罔闻，她左看右看，很快，便定格在莫南爵的俊脸上，血红的眼眸中露出极深的痴恋，她轻喊出声：“爵……”

爱有多深，痛就有多深，韩青青爱惨了莫南爵，就算她此时已经神志不清了，但眼里心里，仍旧只有他。

莫南爵闻言俊脸一沉。

黑衣人侧身站出来，挡在莫南爵和童染面前：“爵这个字，是你能叫的？”

“爵，你不要丢下我，你说过不会丢下我的……”韩青青对旁人的话完全听不进去，她自顾自地从床上站起身，歪着头看着莫南爵，“爵，你过来抱抱我好不好？你那天说以后都会抱我的，你抱我下去，我怕，这里好高……”

她说着张开双臂，模样，就像一个天真无邪的小女孩。

童染眼底一刺，她将莫南爵环在自己腰间的手臂拿开，垂下眸去，声音有些闷：“我们这样会刺激到她。”

莫南爵抿唇，神色露出不悦，只是并未说什么。

韩青青向前走了一步，大床发出咯吱咯吱的响声：“爵，你怎么还不过来，这里好冷，我一个人好冷……”

她一副楚楚可怜的模样，偶尔还会摇头晃脑，让人不得不怀疑她疯了。

黑衣人转过身来：“少主，这怎么办？”

莫南爵俊脸更加阴沉，他无奈地扯了下衣领：“去把她抓下来吧。”

“别伤到她，”童染站在边上，闻言开口说道，“她估计是受了刺激，所以才会这样的。”

莫南爵睨她一眼：“怎么，你吃醋了？”

童染心底闷得难受，却摇了摇头：“她都已经这样了……我还能怎么吃醋？”

“我们先走吧，留在这里也没用，交给他们处理。”莫南爵说着，伸手就要去搂她的细腰。

“你先走吧，”童染侧了下身躲开他的手，“我想看着她平安无事，晚上让他们送我回去。”

莫南爵伸出去的手捞了个空，他只觉得越发不爽，他将视线挪到韩青青身上，只瞥了一眼：“怎么，难道你还怕她现在这样，我会趁你不在杀了她不成？”童染没有接话，在他眼里就是认定了她有这个担忧，莫南爵强硬地搂住她的细腰：“你现在乖乖跟我回去，我保证她没事。”

“那，好吧。”

童染点点头，再待在这里也帮不上什么忙，她这回没再挣扎，任由他搂着朝门口走去。

却不料，韩青青见状直接从床上跳了下来，黑衣人抓不住她，她身形娇小，直接扑到了门边，血红的眼睛更加可怖：“爵！你要去哪里？”

黑衣人急忙上前将她的手臂反按在背后，伸脚在她腿弯处用力一踢：“不要动！”

“爵！”韩青青被踢得直接跪了下来，她仰起头，脸上竟然瞬间就有眼泪流下来，“爵，你不要我了吗？”

童染这回没再开口，只是别过头去，将脸埋在莫南爵怀里。

她纵然再坚强……也无法看着好姐们儿当着自己的面对着莫南爵说这样的话。

感觉到她的颤抖，莫南爵横在她腰间的手紧了下，他神色清冷：“把她弄开。”

“是，少主，这边就交给属下。”

莫南爵点下头，看也不看她一眼，搂着童染就走了出去。

他们刚走出房间，正朝着橱柜走去，身后突然传来一阵巨响，伴随着的还有黑衣人的叫声："少主小心！"

莫南爵反应奇快，他一个反手将童染朝反方向用力一推，侧身的同时，一只骨瘦如柴的手就朝童染刚才站的地方用力一抓！

没有抓到人，韩青青几乎是下意识地转过头，手也顺带朝着这边抓了过来！

刺啦——

童染被推到墙上，后背用力地撞上去，她瞪大眼睛："莫南爵！"

莫南爵右臂袖子被撕开，韩青青的指甲在上面抓出一道长长的红痕，虽然并未见血，却依旧让人看了就觉得触目惊心。

黑衣人吓得心都提到了嗓子眼："少主！"

莫南爵眉宇间闪过一丝戾气，他反握住韩青青的手腕，朝反方向用力一扭，只听咔嚓一声："你找死？！"

刚才他若是反应稍慢一些，她的手就会直接抓在童染的脸上！

"啊——疼，爵，我好疼！"韩青青的脸上浮现出痛苦之色，被莫南爵抓着，她反倒不挣扎了，而是睁着眼睛望着他，"爵，我疼……"

"莫南爵，你的手怎么样？"童染挣扎着从地上爬起来，几乎是跌撞着走过来，握住韩青青的右手，"需不需要包扎？"

莫南爵薄唇紧抿着，浑身散发出的戾气因为童染的靠近而减少了些，他手上的劲道一松，韩青青整个人便软软地滑了下去。

"爵，你别走，你弄得我好疼……"

"青青，你别这样，"童染在她身边蹲下来，神色带着无奈和怜惜，"我会再来看你的，你放心，不会再有人伤害你。"

韩青青闻言猛然抬起头，眼里渐渐汇聚起滔天的恨意，她嘶吼着喊出声来："是你，就是你！童染，都是因为你！你还我清白，你还我爵，你还我，还我——"

说着，韩青青用尽一切力气抬起双手，握住童染的双肩后将她整个人扑倒在地，直接骑到她身上，手握成拳后就用力朝她的脸上挥去——

"童染，是你！是你抢了我的男人，是你抢了我的一切，现在站在爵身边的人应该是我韩青青，不是你童染！”

她每一字每一句都是吼叫出来的，分贝极大，震耳欲聋，这副模样终于完全让人相信，她确实疯了，彻头彻尾地疯了。

“青青，你不要这样！”

童染下意识地伸手去推她，就在拳头即将挥下来的一瞬间，韩青青整个人突然被大力拎了起来，而后又被重重地摔到了墙壁上，发出砰的一声：“啊——”

背后磕在坚硬的墙面上，韩青青身体蜷起，她本就被洛萧注射了刺激神经的药物，这会儿身体更是不可能扛得住，她伸手捂住胸口，噗的一声就吐出一口鲜血来！

深红色的血洒开来，有几滴洒在莫南爵白色的休闲裤上，晕染开点点红花。

分外刺目。

“青青！”童染见状瞪圆了眼睛，她没有想到莫南爵会下这么重的手，她急忙撑起身体朝那边挪过去，咬住下唇，“莫南爵，你答应过我的，你说不会伤她的！”

莫南爵动了下右手，上面的红痕钻心地疼，他狂狷的眸子内涌起比这血色还要激烈的戾气，他向韩青青那个方向走去，每一步都极慢，却带着令人不由退后的冰寒。

见他走近，韩青青捂着胸口的手松开，脸上竟然溢出了欣喜的神色，和方才的癫狂完全不同，甚至在嘻嘻哈哈地笑着：“爵，我杀了那个女人了，她已经死了，我亲手杀了她……爵，现在你是我的了，她死了，她死了你就是我的了，她死了，也就没有人会害我了……”

莫南爵闻言攥紧双拳，眼里的戾气更重，几乎将屋内的空气压至负数。

黑衣人也不敢上前，垂首站在后面，方才他拉着韩青青，却没想到她宁愿将头往墙上撞，借此机会让他松开她，拼了命也要冲出来！

童染右腿似乎有些扭到，她无法站起来，只得朝那边喊出声：“莫南爵，不可以，你答应过我的，她现在疯了，她说的是疯话，你不要杀她，不要啊——”

莫南爵置若罔闻，他走近韩青青后蹲了下来，他俊美的脸庞在背光下更显魅惑，他伸出二指捏起韩青青的下巴，声音更冷："是谁给你的胆子？"

"爵，"韩青青嘴角还滴着血，她却感觉不到，而是伸手扯开了自己的衣领，"爵，你是想要我吗？"

莫南爵紧抿着唇，只抓住重点问："说，是谁让你这么做的？你背后的那个人是谁？"

他本不想逼得这么紧，也不想让童染看到，可是韩青青做得实在太过分了，他无法想象，若是真的就这么放她走，她日后又会做出什么事情来？

放虎归山，在他看来等同于养虎为患！

"是她！"韩青青陡然提高音量，伸手指向那边的童染，"是她从我手里抢走了你！爵，她说她爱洛萧，我以前亲耳听到的！"

莫南爵脸色沉了下，捏着她下巴的手更紧："你今天若是不说出是谁让你这么做的，我就让你去见阎王爷！"

"爵，我去过好多次了，可是阎王爷他不收我，又让我回来了……"

说着，韩青青突然大笑出声，她目光迷恋般望向莫南爵的俊脸，而后伸出手，直接将自己的上衣撕开！黑衣人看见这情况也呆住了，以往他们什么人都见过也处理过，可是疯成这副模样的，韩青青还是第一个。

"还愣着做什么？"莫南爵脸色阴沉地怒吼一声，"还不快去拿药来？"

"是，少主息怒，属下马上去……"黑衣人瞬间就明白了莫南爵的意思，急忙冲到后面的内室拿出了安定剂和注射针管。

这种情况下，也只能先给韩青青打安定剂，稳住情况之后再做打算。

否则任由她这么疯下去，到最后真的就控制不住了。

"那是什么药？"童染见状瞪大眼睛，她并不知道那只是普通的安定，忙朝莫南爵看去，"你们要给她打什么药？"

莫南爵并不睬她，他本就对韩青青厌恶至极，这会儿只想马上甩开韩青青，他伸手接过黑衣人手里的一次性针管，将安定剂抽入针管中。

"莫南爵，你听我说，我知道韩青青做得很过分，我也知道你很讨厌她……"

童染看着那乳白色的液体被快速地吸入针管内，光是看着都觉得浑身发麻，她摇着头："她是错了，错得很离谱，可是她真的罪不至死，她也是被逼的，我不求你放过她，但是至少别杀了她……"

她一番话说得很急，莫南爵依旧置若罔闻，他抽好后扔开安定剂的管子，刚好掉落在童染脚边，他微微弯下腰，伸手拉住了韩青青的右臂。

"爵，你终于肯碰我了……"韩青青咧嘴笑着，任由他提着自己的手臂，她露出少女般的笑容，"我爱你，爵……"

莫南爵眉宇间的厌恶愈加浓重，他动作加快，针尖对准韩青青的胳膊，就要刺下去！

就在此时，另一名黑衣人推门走进来。

身后跟着的陈安原本在打电话说着什么，他的眼睛瞥向屋内的韩青青，视线掠过她猩红的眼眸时，顿时变得极其低沉，他几乎是冲上前："爵，别给她注射！"

可老天爷就是这么注定的，陈安这句话不过晚了一秒钟，等他开口的时候，针尖已经刺入了韩青青右臂的皮肉之中，莫南爵几乎是同时推动了活塞头——

满满一管安定剂，就这么悉数被注射进韩青青体内！

韩青青上身一挺，抱着莫南爵右腿的手松了下，他抖了下腿，轻易地就将她踢开。

可紧接着，一个令所有人意外的情况出现了——

针管内本是令人安静下来的安定剂，可被注射之后，韩青青挺着身体倒在了地上，才过了不到二十秒，她浑身突然剧烈地抖动起来，像是打挺的鲤鱼，沿着墙边翻了几滚之后，韩青青猝然间尖叫出声："啊——"

叫声凄厉而又刺耳，房子都随之震了几下！

"青青！"童染震惊地睁大眼睛，她拼尽全力撑起身体想要冲过去，却被莫南爵拉住手臂。

"童染，你想过去找死？"

"你放开我！"童染怒吼一声，圆睁的星眸中迸发出颤抖的怒气，"莫南爵，你还是人吗？她已经这样了，你们还想要怎么样？"

为什么就这么不公平？傅青霜害了韩青青，青青就注定要遭受到这样的待遇吗？为什么？为什么这些有权有势的人就可以操控普通人的生命？

难道她们这种人的命就可以随便利用吗？

说着，她用力甩开手，冲过去时，韩青青突然一手撑住墙壁，将身体撑起来的同时，抖动也跟着停了下来，而后，她痉挛般地咳嗽了几下，猛然喷出一大口鲜血！

“噗——”

童染正好站在她面前，这一口鲜血尽数喷在了她脸上和身上！

温热带着腥气的液体洒满全身，童染圆睁着杏目，被这样的场景彻底地吓傻了！

“啊——啊！放过我，求求你放过我——”

韩青青用力晃动着身体，脑海里全是洛萧拿着毒品给她注射的那一幕，她双手抱着头，嘶吼出声，“啊——我求求你，不要啊，求求你了，啊——”

最后一个“啊”字，几乎用尽了韩青青所有的力气，她死死咬住下唇，白沫从嘴角流出来，浑身最后挣扎般地颤抖了几下，而后，擦着童染的肩膀重重地倒了下去！

意识残留的最后，无数画面从脑海中闪过，韩青青想要朝莫南爵伸出手，她想说，爵，我不求你碰我，只求你抱抱我，就一下，就一下就好……倒下去的那一瞬间，韩青青的眼睛从童染脸上扫过，她目露哀伤，嘴里喃喃地念着，仿佛临死前最后的怨念：“我做鬼……也……不会放过……”

最后的“洛萧”二字，终究是没有发出声来，韩青青双眼眼白一翻，彻底失去了知觉。

砰——

韩青青身体直挺挺地倒在木质地板上，动静之大，几乎要将地板砸穿！

童染目光呆滞，被韩青青倒下去时撞了下肩，她的身体晃了晃，退后了几步，向后倒在了地上。

她感觉不到疼。

感觉不到声音，感觉不到身上难闻的血气……童染动了动腿，膝盖磕在地板上生生地疼，她不管不顾，爬到韩青青身边时，韩青青的身体已经渐渐地冰冷。

童染颤抖地伸出手，也不嫌脏，用袖口将韩青青嘴角的血渍擦干净，而后沿着她的脸部向上，五指并拢覆上去，将她睁开的眼睛慢慢抹下来："青青，下辈子不要再来人间了，你喝孟婆汤前记得说一声，去哪里都好，就是不要再投胎做人了，也不要再遇到我……青青，一路走好，这辈子老天爷欠你的，下辈子一定会补给你的……"

童染越说越小声，她纤瘦的身体连带着肩膀都在抖，那样带着绝望的悲鸣声让人为之震撼，她缓缓地弯下腰，搂住韩青青的脖子将她抱起来，紧紧地按在自己的胸口处，卡在喉间的呜咽声还是没有忍住："青青，青青……啊……啊——"

她声音带着尖锐的嘶吼，抡起的小拳头一下又一下地砸在木质地板上，仿佛在宣泄着什么——

莫南爵站在她的身后，看着她那样的痛苦悲鸣，剑眉紧皱，只觉得浑身的神经都被牵扯起来，现在她的一举一动一颦一笑，已经能够控制他的情绪。

他苦笑一声，她的苦笑哀号全都因为他，可是为什么，疼的偏偏是他？

童染伤心欲绝，她身边所有的人，那些曾经她爱的，爱她的，她珍惜的，珍惜她的，到头来一个个地离她而去，小时候是父母，长大了是洛大哥，现在，韩青青又这般凄惨地死在她面前……童染再度抬起头时，目光凛冽地朝莫南爵看去。

她眼眸中的那抹绝望被他敏锐地捕捉到，那般激烈，莫南爵还是第一次在童染身上看到，他警觉性地眯起眼睛："童染，你想做什么？"

童染并不说话，只是一眨不眨地盯着他的俊脸。

仿佛，要将他生生看穿！

莫南爵薄唇不悦地抿起，被她这么看着，他明明什么都没有做，却也有心虚的感觉："我叫你说话。"

她小脸上还沾满了韩青青喷出来的血，血红衬着她白皙的肤色，有种妖冶的美。

童染垂在身侧的手渐渐地握了起来，攥成拳后，半跪着的身体像一只猛兽蹿了起来，而后，直接朝莫南爵扑了过去！

"爵！"

陈安在旁边看了半天，也大致明白了事情是什么样的，此时他见童染扑过来，急忙大喊一声，冲上前去，一把抱住了童染的腰将她向后拖去："事情已经发生了，你先冷静下来——"

"你放开我，放开我——"

童染在陈安怀里剧烈地挣扎，她一双小手就像爪子一样朝莫南爵站着的地方挥过去，字字句句都仿若诛心："是他杀了青青，是他杀了青青！是他！你放开我，我要杀了他，我要杀了他——"

"你冷静点！"陈安抱着童染的肩膀将她按在墙上，他也顾不得那些礼节，直接用膝盖顶住了童染的双腿，半个身子压住她，"你听我说，先听我说！"

"放开我！"童染双目赤红，她此时就像一头被惹怒的小兽，全身上下都散发着要吃人的气息，头发凌乱地披散，扯开嗓子，"是他，我要杀了他，我要替青青报仇！你不要抓着我，你滚开，滚开啊！"

她这副模样，令在场的黑衣人都不由自主地别过头去，人只有在极度的伤心绝望中，压抑已久的情绪才会如此爆发出来。

陈安也急得满头大汗："童染！"

童染浑身都在抖，几乎要虚脱，眼前全是韩青青死不瞑目的脸："莫南爵，是你，是你杀了韩青青！你放开我，我要去杀了他——"

"童染，你先冷静！"

"放开她！"

一直沉默不语的莫南爵突然出声，他阴沉着俊脸，黑眸中翻滚着汹涌的波涛。他上前两步，迎上童染迸发着恨意的双眸："童染，你确定，你要杀了我？"磁性的嗓音中，带着一丝决绝的意味。

童染闻言用力地点点头，思维涣散，已经临近崩溃的边缘。陈安双手抱着她，能感觉到她呼吸都是困难的。

陈安见状，眼睛里露出一丝不忍，被刺激成这样，换作别的女人，估计早就疯了。

毕竟，童染和他们这些看惯了血腥杀戮的人不一样，她只是普通的女孩子，有人死在自己面前，还是这样的方式……

确实，没有人能够接受。

“对，我确定，我要杀了你，我要杀了你……”

他闻言扯开嘴角，点了下头：“好，童染，我再给你一次机会。”

莫南爵拉住陈安的胳膊，让他退开身：“你松开她。”

“爵，”陈安皱起眉头，“你也别这么冲动，她现在情绪不稳定……”

莫南爵置若罔闻，他将陈安推开，双手撑在童染头两侧的墙壁上，整个人如同阴影般笼罩着她。

可还不等他的俊脸逼近下来，童染便啊的一声尖叫起来，她双手抵在他的胸前，用力地将他推开：“你走开，不要过来，走开啊——”

“叫我走开做什么？你不是拼了命要朝我扑过来？”莫南爵被推得向后两步，而后又上前攥住她的下巴，死死地盯着她，“童染，你不是要杀了我吗？我现在就在这里，怎么，你又不杀了？”

陈安站在一旁，听着莫南爵的这番话都觉得心惊肉跳，爵的性子和童染的性子太像了，至死方休的倔强，两人中但凡有人愿意退一步，也不会变成这般谁也劝不了的局面。

可，若不是这样的性子，他们也走不到一起。

“不要，我不要，你走开……”

“杀啊，你不是要杀我吗？”莫南爵冷冷勾唇，他的眼角带了抹笑，拉开的弧度令人绝望，“童染，你今天说出要杀我这句话，要是没杀成，我不会再放过你！”

“放过我？”童染像是听到了什么笑话般笑出声，她仰起头来，星眸不再明亮，而是着一层灰，“莫南爵，你什么时候放过了我？你从来都没有过……”

“我还没玩够，怎么可能放过你？”莫南爵攥着她下巴的手指猝然用力，捏得她下颌几乎要碎掉，“我告诉你童染，从今天开始，你哪怕是死了，我莫南爵都会追你下地狱！你别妄想再逃开我！”

“疯子，你这个疯子……”童染笑着摇头，发丝全部粘在脸上，也不知道是不是在说自己，“是啊，都疯了，没了，什么都没了……”

没了，什么都被没了……

她的梦，她所希冀的，她原以为能试着接受他的……

“童染，你说韩青青是我杀的对吗？”莫南爵迫使她仰起头，与自己对视，“你已经认定了，是吗？”

童染笑得苦涩至极，世上没有什么比这个更痛：“难道不是吗？莫南爵，是你亲手毁了我们……”

“毁了我们？”莫南爵并未听懂她的意思，也没有深究这句话，他死死地盯着她，原本封闭的心被这个女人打开后，就再无合上的可能，可是她却不停地用刀刺着他……

一下又一下，他几近窒息，却无法放手。

莫南爵心里很清楚，他已经不可能再对这个女人放开手了。

是啊，既然无法放手，那就一起沉沦吧！童染，你要恨我，那么，我就让你恨个彻底！

不能成为你最爱的人，若是能成为你这辈子最恨的人，也好……

莫南爵只觉得心如刀割，他死死咬着牙，好看的桃花眼浅眯起，索性将这些事情全部承认了下来：“好，你既然认定了，那我就告诉你，她确实是我杀的。童染，我抓她来就是为了杀了她，我就是要她在你面前死，就是你眼睁睁地看着她死，就是要让你看着她吐血尖叫的模样……”

“你住口，你住口啊——”

他的话犹如火上浇油，童染神经再度紧绷，她痛苦地用双手捂住耳朵，拼了命地想要摆脱这些：“我不要听，我求求你，不要再说了，我什么都不想知道——”

“事实就是这样，她已经死在了我手上，这就是我最满意的结果，”莫南爵说到最后只觉得心口被越撕越开，他几乎是自嘲地大笑起来，“怎么样，这个结果你满意吗？童染，你要是不满意，我就让她起死回生，然后再死一次给你看……”

“你别说了，你别说了！”

“童染，看着我的眼睛！”莫南爵扳过她的脸，他俊脸上沁满汗珠，“这个结果，我们互相恨对方、一辈子恨下去的这个结果，你满意吗？”

“你走开啊——”

“我问你满意吗？”

“我不要——”

童染被他逼到崩溃的边缘，她扬起手，用力地朝他的俊脸上甩了过去！

啪——

无比清脆的掌声。

这一巴掌很是用力，带着熊熊燃烧的愤恨，莫南爵被甩得偏过头去，俊脸上瞬间就浮现出红彤彤的掌印。

房间里的气氛顿时沉了下来，谁也没敢开口，一时之间，只余下童染沉重的呼吸声。

莫南爵没有动，始终维持着偏过头的姿势。许久，他才用舌尖轻抵下嘴角，仿佛感觉到了一丝血腥味，他声音很轻，开口竟然就是赞赏："童染，打得好。"

童染缓缓垂下手，那清脆的巴掌声，就好像打在她的心上。

疼得窒息……

"来，打完了就可以动手了。"莫南爵抬起头，他伸手拉开旁边的抽屉，取出一把锋利的匕首，拉起童染的手后让她握紧，"我告诉你心脏在哪里，你只要将匕首捅进来，就可以杀了我。"

"……"

"来，在这里，"莫南爵说到做到，他指导着童染，让她手里的匕首尖端抵在自己的胸口上，他深深地望进她结了冰的眼底，"听见了吗？这是我的心跳声。"

这，是我的心跳声。

你听见了吗？"童染，这是你最后一个机会了。"莫南爵维持着这个姿势，俊脸上的巴掌印依旧显眼，"你今天若是不杀我，别怪我这辈子不给你自由。"

以往他们每次争吵，莫南爵嘴上说得狠，到最后还是松了下来，可是今天他这话并不像开玩笑："我莫南爵今天如果死在你手上，我认栽。"

黑衣人不敢开口，只得将希望寄托在陈安身上："安少爷……"

陈安也听出莫南爵话里的认真意味，他皱起眉头，劝道："爵，你也别冲动，先带她回去休息吧……"

莫南爵并不理睬陈安，只看着眼前的女人："我给你三分钟时间考虑。"

说着，他松开了握着她手的大掌。

陈安也没有再开口，爵决定的事情，旁人再劝也没用。

他有把握，童染不会真的下手……

手里的匕首已经被焐热，童染视线向下移，落在他的胸口处，她突然轻声开口："莫南爵，你真的不怕我捅进去吗？"

"怕？"莫南爵轻笑出声，双手插进兜里，"童染，在你心里，我这种十恶不赦的人，还有会怕的事情？"

"……"

"你还剩下两分钟。"他看了下墙上的挂钟。

"是啊，莫南爵，你不怕，你一点也不怕，"童染双眼紧紧地盯着他的胸口，握着匕首的手轻轻地颤抖，她说着说着就笑了起来，"你怎么会怕呢，你是莫南爵啊，你杀不杀韩青青，对你来说真的不重要，她还是个害过你的女人，她做了那么多错事，你杀她也是应该的，我没有资格去求你放过她……"

莫南爵闻言皱起眉头，他看了下时间，将身体向前倾了下来，锋利的尖端已经刺破了他胸前的衬衫："童染，你是在逼我替你做决定吗？"

"你不怕，你一点都不怕……"童染重复着这句话，她苍白的嘴唇突然颤抖起来，像是极力地忍耐着什么，已经到了濒临突破的边缘，"可是我怕啊，我真的好怕……莫南爵，我好怕，我下不了手的，我怎么可能杀你呢？我怎么能对你下手……"

说着，她抬起头，小脸上滚落下滴滴热泪，将凝结的血滴化开来，血红色的泪珠滴落在二人的中间："你口口声声叫我杀了你，你说你不怕……莫南爵，可是我爱你啊，我杀不了你的，我不可能下手，因为我爱你……莫南爵，你想笑吗？我居然真的爱上你了……"

你想笑吗？

我居然真的爱上你了……

童染站在他面前，匕首没有放下来，她说这番话的时候，能够清晰地感觉到他的心脏有力地跳动，像是即将喷发的火山，蕴含着极大的力量。

她甚至能听见那扑通扑通的声音。

莫南爵一动不动，她的话清晰地传入耳膜，他眼里闪过光芒，他薄唇抿了下，却掩不住嘴角的笑意，伸手握上了她的肩头："童染，你把刚才的话，再说一遍。”

“我爱你……”童染并不逃避，而是抬眸同他对视，声音颤得不像话，“莫南爵，我说我爱你……你听不明白吗？我说我爱你！”

我爱你。这三个字不轻不重，却几乎令男人措手不及，他只觉得气血翻涌，从未有过的感觉在体内叫嚣——

“我听不明白，”莫南爵摇了下头，握着她肩膀的手用力掐紧，双臂跟着颤抖，“这句话，你要说一辈子，我才会明白。”

“一辈子……莫南爵，我这样的人，是不配有一辈子的……”童染滚落的泪珠几乎将小脸上的血滴洗刷干净，她从没想过，会在这种情况下说出爱这个字，“一切都已经没了，都是假的，什么都没有了，我已经没有爱你的权利了……”

莫南爵紧紧盯着她，闻言皱起眉头，并未听出她话里决绝的意味：“我说有就有！”

童染将目光移到地上的韩青青身上，仿佛还能听见她倒下去时那一句“我做鬼也不会放过……”，还有她尖厉的叫声……

她双目一痛：“莫南爵，你要是不杀她该有多好……”

“童染，你告诉我，你要怎么样才能有这个权利？”莫南爵身体向前倾，匕首的尖端已经抵在了他胸口的皮肤上，他目光灼灼地对上她的眼睛，“只要你说，我什么都给你。”

“莫南爵，我想问你一个问题，”童染扯起嘴角，却怎么也微笑不起来，“在你心里，我是不是已经和洛大哥上过床了？”

莫南爵闻言眉头皱了下，很快又松开：“这些我可以都不在乎……”

“不，你其实是很在乎的，”童染打断他的话，苦涩地垂眸，“你看，你从来都不曾信任过我，无论我解释多少次，在你心里，我已经不干净了，这根导火线燃着，总有一天会爆炸的……我们之间没有信任，再怎么爱，也没有用……”

莫南爵抿着薄唇，洛萧这个人，确实是他心里的一大禁忌。

他没有回答，童染知道他是默认了的。童染握着匕首的手终于垂下来。

她越过他的肩头，抬头注视着头顶的白炽灯，亮光晃得她眼睛刺疼：“莫南爵，我常常在想，如果我不是童染，你不是莫南爵，我们只是对普通的男女，该有多好……”

说着，童染忽然伸出双手，踮起脚尖环住了他的脖子，将菱唇凑到他的耳边：“莫南爵，我们下辈子一定不要像这样的相遇，换一种平凡的……你说好不好？”

莫南爵伸手扳过她的脸，迫使她正对着自己：“童染，你就是我的女人，别给我胡思乱想，这辈子你是跑不掉了！”

童染任由他扳着，视线飘忽不定也不知道落在何处，嘴里喃喃地念着：“可是都没了啊……”

“没了就给我找回来！我给你一辈子的时间去找，够不够？”

“已经没了……找不到……”

她反反复复就念着那几个字，莫南爵眉头紧皱，想起她刚刚说爱他，他就有一种无法抑制的欣喜。他搂住她的细腰：“走，我们回家去说。”

他的态度强硬，抬腿就要朝外面走，陈安毕竟是医生，一看便知童染现在这样并不正常，见状急忙拉住他：“爵，我看她现在的情绪不太稳定，你不能再刺激她了，要不然你先回去，这里交给我……”

莫南爵舌尖轻抵下嘴角，那里还是火辣辣的，想起韩青青刚才临死前的模样，他看着都觉得有些瘆人，更何况童染……

想了下，他松了下手臂：“我先把她带……”

话还没说完，童染突然灵活地向后一撤，从他的怀抱里退开身，右肩抵在墙边，她垂着头，发丝倾泻下来：“莫南爵，你们都走吧。”

“你做什么？”莫南爵不悦地皱眉，作势就要伸手去搂她，“童染，你给我过来！”

“爵！”陈安见童染右手还握着匕首，心里不安的预感腾升而起，他挡住莫南爵，“你先别过去，我来和她说。”

“不用说了，反正都没了……”

童染摇摇头，她将身体弓起来，也不知道是不是觉得很冷，眼眸里溢出决绝之色：“莫南爵，这些就让我替你来还……”

莫南爵剑眉拧起：“你替我还什么？”

“因为我爱你。”

童染说着顿了下，看向他的俊脸，每一寸都是那么完美，过往的一幕幕在脑海中闪现，她仿佛还看见那个冲她发火摔东西的莫南爵，那个为了她朝自己开枪的莫南爵……

“所以，韩青青的这条命，我替你来还。”

话落，童染咬住下唇，握着匕首的右手猝然间扬起，决绝地朝着自己胸口处猛地一刀刺了进去！

她的力道极大，动作决绝，只差那么一秒，莫南爵冲过来时，为时已晚。

哧的一声——

鲜血喷薄而出。

血染红了她的双眼。

匕首几乎整把没入了胸口，童染只觉得一阵剧痛蔓延上来，侵蚀了所有的呼吸，她浑身一震，瞬间被抽掉了所有的力气，身体不受控制地颤抖着，手心里满是温热的液体……她感觉浑身都在震动，耳边嘈杂一片，她无法看见，却能感觉到一直有一双大手搂在自己的腰侧，身体移动间，有冰冷的液体滴落在自己的脸上。

啪嗒……

她有些不解地蹙起眉尖，是谁哭了？

蓦地，唇瓣上一凉，冰冷的薄唇带着颤抖就吻了上来，男人的大手固定住她的后脑勺，手指抚着她的眉心，连眉头都不允许她皱。

“童染，等你醒过来，看我怎么收拾你！”

“你要是敢死，我就追到地狱去剥你的皮！”

“你给我好好地活着，没有我的允许，你的命只能是我的！”

耳边的声音忽大忽小，童染像小孩子般伸出舌头，在自己嘴边的薄唇上舔了一下，头越来越重，她眼皮泛酸，渐渐失去了所有的意识。

是谁唱过，若生命只到这里，从此没有我，我会找个天使替我来爱你……

童染想，她一无所有，用自己的灵魂换取一个天使，不知道老天爷会不会同意？

傅家别墅。

洛萧站在楼顶的天台上，他微微垂眸俯视下去，眼梢带着一丝冷意，甚至让人有一种君临天下的感觉，他半晌才转过身来：“说。”

“少爷，我们暗中派过去的几个弟兄发来短信，说是亲眼看到了帝爵的人带走了韩青青，是直接塞进车里的，用袋子装着，”彪形大汉比画了下，“大概有十几个人，都是黑衣服的，看不见长相，行动很快。”

洛萧闻言面色平静，侧眸问道：“抓去哪里？”

“是近郊区的一个高档别墅区，车直接开进去的。我们兄弟想要跟进去，可是那里守卫太严了，只能在不远处候着。”

“进去了没再出来？”

“没有，守了差不多四个小时，就看见一辆宝蓝色的布加迪威航开进去了，据推测应该是莫南爵的车。”

听到“莫南爵”三个字，洛萧沉静的眼眸里火光蹿了下，像是期待着什么：“看清楚了吗，车上就莫南爵一个人？”

“这个弟兄们没看清，也不知道是不是莫南爵本人，因为隔得太远了，车子进去之后到现在还没出来，”彪形大汉看了下时间，“差不多有三个小时了。”

“嗯，我知道了，你下去吧。”

洛萧点点头，将视线再次投入天台外，他算准了莫南爵的人会找到韩青青，一切都在他的计划之内顺利地进行。

但是他没想到的是，竟然会这么快。

他才将疯了的韩青青放出去没多久，先是废弃的厂房，然后再是疯人院附近的破房子，最后直接扔到了最难找的贫民窟，却还是不出一个礼拜就被找到了。

洛萧紧皱眉头，不知道为什么，心里隐约有种不安，不祥的预感一阵阵地袭上来，令他焦躁不已。

这种感觉，就如同当初他被迫离开童染的身边时一样，就好像四周都是平地，可是他却如同置身于悬崖之巅，随时都会掉下去的恐慌从头到脚地侵袭着他。

患得患失。

很明显，他在害怕。

洛萧薄唇抿了下，他也不知道，自己什么时候竟然这么容易害怕了？

不，他不应该怕的，从他被推到悬崖边上、没有退路的那一刻起，他就没有了害怕的资格。

有时候一步迈出去，身后的门就彻底关上，他不可能再回头。

他早已经什么都失去了，现在除了小染，他真的没什么可怕的了。

那彪形大汉站在他身后，几次想说话，却还是没敢开口。

他跟着洛萧最久，也最了解洛萧，平时少爷话很少，如果不是必要基本不会开口，不管处理什么事情都是温和的，有时候站在窗边看外面，常常一站就是一整天。

他也不知道少爷在想些什么。

似乎这个世界上没有任何事能够扰乱洛萧的平静，不管事情有多棘手多糟糕，他从来都是从容不迫的，甚至，可以说是无所谓的。

就连对待明媒正娶的傅青霜，洛萧也是不温不火，从来没有半句关心。

他一直以为少爷骨子里是冷血冷情的。

直到那一次，他亲眼看到少爷为了一个女人而失控，为了一个女人而隐忍，为了一个女人而公然和莫南爵为敌……

他才知道，原来少爷不是冷情，而是忍情……

忍入骨髓的情。

他正愣愣地盯着眼前的背影，洛萧却突然转过身来，语气清淡地道：“你还站着做什么？”

“没什么……”彪形大汉咳了声，总不好说自己在想什么，忙转移话题，“少爷，我方才忘了说，我们跟去的十名弟兄，全部都没能回来……”

“死了？”

“我们收到短信之后，十分钟之后命令他们撤离，可是一直没有消息，再派人去看，都已经找不到了……”

彪形大汉越说越小声，毫无疑问，肯定是被帝爵的人发现了。

那些人都是死士，嘴里含有毒药，一旦陷入危险，就会自尽，这是他们默认的规矩。

“死了便死了吧，”洛萧从天台上走下来，擦着他的肩膀走出去时拍了拍他的肩，“想要站起来，就得站在白骨堆上，你若是回了下头，就会成为别人脚下的白骨。”

“是，少爷。”

洛萧没再说话，推开铁门下了楼。

有些事情点到即可，他说得已经很明白了，心慈手软，从来都不是胜者的代名词。

傅氏三楼的主卧内，傅青霜洗了个澡正从浴室里出来。

洛萧从天台下来后正好推门进来，四目相接，他面色依旧淡淡的，照例先别开了目光，径自侧身走向书房。

“萧！”

傅青霜忙开口喊住他。

洛萧顿住脚步，却没有回头：“什么事？”

“今天晚上你还要工作吗？”

这段时间，洛萧每晚都要在公司忙到一点多回来，她睡了他才推门进来，今天他难得这么早在家，傅青霜不会放过这个机会。

她走到洛萧身边，双手环抱住他的手臂：“今晚陪我好吗？”

洛萧闻言身体僵了下。见他眉头皱起来，傅青霜化过淡妆的脸庞露出不悦，她硬是扯着洛萧的手臂，将他拖到床边：“我不管，这么多天你都冷落我一个人在家……公司的事情又都是你接手，哥哥又不在，我都孤单无聊死了，今晚你必须陪我！”

就在此时，门口突然响起拍门的声音——

“少爷，少爷！”

洛萧将她拉开，朝门口走去：“怎么了？”

“少爷，”那彪形大汉跑断了气，“刚刚我们的人看到莫南爵抱着一个浑身是血的女人进了医院，他们说如果没看错的话，是童小姐。”

洛萧闻言一怔，大脑空白了几秒，很快反应过来：“哪个医院？”

“什么？”彪形大汉愣住了，莫南爵在那儿，难道少爷想去不成？

“我在问你话！”洛萧突然伸出手揪住他的衣领，俊脸上的温和全部被焦急所代替，“哪个医院？”

“第一、第一医院……”

他话音还没落下，洛萧便松开了他，主卧在三楼，洛萧甚至都没有跑，直接从楼梯转弯处翻了下去，才不到一分钟，楼下就传来了轿车发动的声音。

傅青霜在房间里听着他们的对话，气得脸色铁青，童染，又是童染！

偏偏每次她的好事，童染都要来破坏！

她指甲深掐进肉里，想了下，还是起身换衣服跟了下去。

浑身是血？

好，好极了，她倒要过去看看，童染这回又是怎么死的！

洛萧开得很快，一路上撞歪好几个护栏，他只管开车，从未有过的恐慌从心头升起，生怕晚了一秒，就会发生什么变故。

等洛萧到了医院的时候，手术室外已经被清了场，围观的人都已经撤离，安静到能够听到喘息的声音。

他沿着长长的走廊走上前，一路上，还能看见滴落在地上的血迹。

触目惊心。

陈安坐在靠外面的椅子上，听见脚步声，他抬头望了下，面前的男人他并不熟悉："你是？"

洛萧沉着声音问："小染人在哪里？"

"你是来找……"

陈安顿住声音后望向他温润的俊脸，瞬间就明白了这男人是谁，当时在报纸上，陈安也看到过他，指一下前面："她还在手术室里，估计没这么快。"

"手术室……"

洛萧面色苍白，几乎要大口吸气才能呼吸，他顺着走廊走上前，尽头处的"手术中"三个字亮着大大的红灯，无比刺眼。

前方的空气突然一沉。

洛萧抬起头，就看见手术室门口站着一个人。

他单手撑在门上，呼吸声浓重至极，凹进去的边框证明这门被大力捶过。

洛萧顿住脚步。

他听见身后的声音，也转过头来。

二人视线相接。

这会儿是洛萧先出了声，他紧盯着面前的男人："小染怎么了？"

"你来做什么？"莫南爵冷着俊脸，他半边衣服上都是鲜血，就连脸上唇上都是，也没那个心思去管，他目光如剑，衬着血色更浓，"我现在没有工夫收拾你，给你三秒钟自己滚。"

洛萧一动不动地站着，依旧重复那个问题："小染怎么了？"

"小染？呵，真亲密，"莫南爵冷笑一声，他轻眯起眼角，嗓音低沉，"她是我的女人，她怎么了关你什么事？你未免管得太多了。"

"莫南爵，"洛萧第一次直接喊他的名字，攥紧拳头，心底压抑的怒吼就要咆哮出来，"我再问你一次，你把小染怎么了？"

"你再不滚，就叫你的人进来抬着你的尸体出去。"

洛萧面色清冷："莫南爵，我没有和你开玩笑。"

"开玩笑？"莫南爵脸色陡然一沉，他上前两步，强大的气场逼得人不自觉地后退，"洛萧，我告诉你，我也没有和你开玩笑，童染是我的女人，她不管怎么样也是我的事，和你没有半点关系。你以后再敢靠近她一步，我就让你死都不知道是怎么闭上眼的！"

"你的女人？"洛萧同他差不多高，抬眸时，两道截然不同的视线就这么对碰了下，他微仰起脸庞，一语击中，"莫南爵，你既然保护不了她，又何必把她强留在身边？"

莫南爵闻言剑眉紧皱起，脑海中又回放出童染握着匕首捅向自己胸口的那一幕，喷薄而出的鲜血就像是刺进他的心口，他闷哼一声，伸手捂住胸口，俊脸上浮现一抹痛苦之色。

他没有保护好她……

他竟然，让她在自己的面前受了伤。

光是想着这点，莫南爵就恨不得躺在里面的人是他自己，什么韩青青什么裴若水，都见鬼去吧！

谁能比她更重要？！

"莫南爵，把她还给我，"洛萧知道他有多痛，因为自己此刻和他一样痛，"她跟着你是不会有幸福的，你放手，她才能像正常人一样呼吸。"

莫南爵挑眉，好笑地看着他："还给你？"

他莫南爵的女人天生就烙着他的印记，还需要还给谁？

“对，”洛萧自然而然地点头，语气坚定，“因为小染本来就是我的。”

莫南爵眼皮轻抬下，他体内的嗜血因子因为这句话被彻底地点燃，轰的一下，炸出火光，他直起身体，食指扣住纽扣松了下：“洛萧，你有种，就再给我说一遍。”

“我说得很明白了。”洛萧依旧静静地站着，双手负后，目光坦然，“小染本来就是我的女人，现在是你还给我的时候了。”

“我若说不呢？”

“我不会放过你，”洛萧开门见山，丝毫不畏惧，“以后，我都不会放过你。”

“哦？”莫南爵舌尖轻抵下嘴角，这大概是他这辈子听到最好笑的笑话了，他伸手搭上洛萧的肩头，大掌在洛萧肩上拍了下，“洛总还真是有气魄，那我真该求求你了，求你千万别放过我。”

说着，他顿了下，低头将薄唇凑到洛萧耳边，嗓音魅惑低沉：“对了洛总，需不需要我教下你，‘放过’两个字该怎么写？别到时候写不来，阴间可没有语文老师。”

他一副玩世不恭的模样，只有目光中透露出来的戾气让人明白，他并不是在开玩笑。

洛萧甩开他的手，退后两步：“莫南爵，我再给你最后一次机会。”

“你错了。”莫南爵将袖子挽上去，露出白皙修长的手臂，他朝洛萧逼近，动了下手腕，“现在，是我不给你机会。”

话落，他突然抡起一拳，直接朝洛萧脸上甩了过去！

明目张胆地来跟他要女人？

简直是找死！

砰——

洛萧敏捷地侧了下身，一脚踢在旁边的座椅上，座椅朝着外面甩了出去！

洛萧抬了下腿，似乎是被划伤了，他看向莫南爵：“你想在这里打架？”

“不是我想，这里是你选的，”莫南爵目光冰冷，双手攥成拳挥在身前，“你既然选择来这里送死，这样有勇气，我怎么好拒绝你？”

话落，莫南爵不再多说，他闪身向前，拳头接二连三地就朝洛萧的脸上挥去！

每一击，他都用足了力气！

洛萧一开始并不接招，躲了几下之后，他突然侧了下身，硬生生地受下莫南爵的一拳，背部传来剧痛，洛萧咬紧牙关，突然开口：“当初婚宴上，小染为我接下的这一招，你也是用了这么大的力气？”

洛萧知道莫南爵对这件事情很是介怀，果然，他闻言双眸微眯了下。洛萧趁此机会直起身体，一个反手，直接勾住莫南爵的后颈，右脚顺着他站的地方划了下，将他整个人摔翻在地！

莫南爵瞬间反应过来，他并不是省油的灯，自然看出了洛萧的意图，他勾起嘴角，怎么，跟他玩阴的？

他并不急于反抗，任由洛萧将他掀翻在地，在洛萧拳头落下的那一瞬间，莫南爵突然拽住洛萧的右臂，弹跳起来的时候，直接扳着他的肩将洛萧抵在了地面上！

Chapter 11
是个合格的好老公

莫南爵右腿抵着洛萧的腰侧，他低下头，几乎同他鼻尖相碰，黑眸中熊熊燃烧的火光几乎能将一个人生生吞灭！

“你今天要是打死我，小染会更恨你，”洛萧喘着气，望向莫南爵挥起来的拳头，嘴角浅笑起来，“我想，她现在已经很恨你了。”

“恨我？”莫南爵扬起的手顿了下，锐利的眸子眯起，闪过一丝光芒，“韩青青的事情是你干的？”

“我不知道什么韩青青的事，我只知道，你肯定彻底伤了小染的心，”洛萧望向亮着灯的手术室大门，将眼底的哀戚掩藏起来，“等小染平安出来，我会带她走，因为你已经不配在她身边了。”

“不配的人是你！”莫南爵死死地抵着洛萧的腰侧，让他动弹不得，莫南爵挥起的拳头砸在他的脸上，“她平安出来，你就可以残着进去了！”

右脸颊传来剧痛，洛萧舔一下嘴角的血迹，他不甘示弱，同样挥了一拳过去，莫南爵避开之后被扯住衣领，又反手打去。陈安坐在靠外的座椅上，本不愿意掺和这种事，可见阵势愈演愈烈，这么打下去，非出人命不可。

他起身走过去时，莫南爵正将洛萧抵在墙面上，握紧的一拳砸过去，洛萧快速侧了下头，拳头砸在雪白的墙面上，震得墙灰抖落下来，砰——

莫南爵的指节瞬间红肿起来。陈安见状忙上前拉住莫南爵的手臂，将他半边身体扯开来。陈安知道莫南爵的脾气，这样下去在医院闹出事也不好："爵，我有事情要和你说，你跟我过来下。"

"有什么事情待会儿说，"莫南爵胸口微微起伏，黑眸紧瞪着洛萧，"我现在没空。"

"关于今天下午的事，"陈安拽着他不放，知道只有这个名字才能让他住手，"童染的事，听不听？"

果然，陈安话刚出口，身边的两个男人不约而同地看向他。莫南爵眼神亮了下，紧揪着洛萧的手猝然间松开，将他用力地推开："滚！"

洛萧不同他争，自顾自整了下衬衫的领子，径自走到边上还没被殃及的座椅上坐下来，双手撑在膝盖上，将头垂在手腕上。

莫南爵瞅了眼他这气定神闲的姿势，心里越发不爽，他还想要上前，但是想到陈安说的话，还是跟着走了过去。走廊的尽头有灯光洒进来，他眯了下眼角："下午怎么了？"

陈安知道他心里窝着气，从小到大，除了莫家的人，他还没见过莫南爵因为谁窝过气，他从口袋里掏出根烟递上去："韩青青的死，你怎么看？"

"什么怎么看？"莫南爵顺手接过来，叼在嘴边后又拿下来，放在指尖上转着，"你是想说，那安定剂有问题？"

"不，刚才我让黑衣人把你给韩青青注射的针管取来，我看了下，针管内残余的安定剂是没问题的。"陈安斜靠在墙面上，英俊的脸上泛起狐疑，"只是，她抱着你腿的时候，眼眶泛红，你注意到没？"

"滚，我注意她眼眶做什么？"莫南爵心情不爽，记挂着童染的安危，闻言一脚就踢过去，"有话就快点说，磨磨蹭蹭的跟个娘儿们一样。"

陈安躲开他的脚："具体的医学知识你肯定没兴趣知道，我就不和你详细解释了，总之，她是死于你那一针没错，但通过我看她的眼眶和身体的那些反应来看，她也绝对不只是死于你那一针。"

"你能不能不绕弯子？"莫南爵冷下俊脸，"直接说重点！"

"就是有人想让你杀了她，所以，她疯了，你给了一针安定，她死了。"

陈安摊摊手，视线落在莫南爵脸上，“所以我才说，她看起来是死在你那一针上，但其实又不仅仅是那一针，因为你那一针确实置她于死地，但安定剂本身是没有任何问题的，所以在这之前她肯定有被注射过别的药，或者说是受过别的刑。”

陈安这番话说得很绕，因为毕竟是涉及医学方面的知识，三句两句解释不清楚，但莫南爵稍微细想下，瞬间就明白了陈安的意思，他狠戾地眯起眼睛：“你是说，那一针安定剂只是压死骆驼的最后一根稻草而已？”

果然聪明。

“对，换句话说，其实那根稻草谁放上去都一样，但是人家偏偏就是想要你来放。”陈安耸了耸肩，面露无奈之色，“爵，我说了吧，玩女人玩过了火，这不，把自己给烧了吧？”

“滚，你不损我会死？”莫南爵食指弯了下，手里的香烟被折断，烟草从里面露了出来，他拉开眼角，“想要我杀韩青青的人……”

“得，你可别想到谁就杀谁，我刚才说的那些只是我个人的猜测，万一猜错了，我可不负这个责。”

陈安朝走廊那头手术中三个大字上看了一眼，想起童染之前说的那句我爱你，他目光带着深意，瞅了莫南爵几眼：“爵，你们这样发展下去，可就麻烦了。”

莫南爵眯起眼睛：“什么意思？”

“只缘身在此山中啊，”陈安摇摇头，“我看你现在是深陷美人怀，当初劝你你不听，现在你想拔都拔不出来了。”

莫南爵睨他一眼，陈安话中的意思莫南爵不是不明白，女人是祸水，这是从小到大他们耳濡目染的话。

可他就是跳进了童染这潭水里，现下浑身湿透，他也无所察觉。

陈安也不再多说，感情的事情没人能劝得了，他拍了下莫南爵的肩，径自坐了下来。

手术进行了七个多小时还没结束，陈安叫人送了吃的来，莫南爵也不肯回去，就坐在手术室外面等。

洛萧也一直没回去，傅青霜追过来的时候，手术室外面坐着三个男人，她蹬着高跟鞋走过去，走廊被她踩得嗒嗒作响，她走到洛萧身边坐下来，他始终垂着头，也没看下是谁。

“萧，怎么了？”傅青霜抬头望了下亮着灯的手术室，心里甚至有些幸灾乐祸，她咬住下唇掩饰情绪，“是童染出什么事情了吗？”

“洛太太，”接话的不是洛萧，而是坐在对面的莫南爵，他声音嘲讽，丝毫不留情面，“我很好奇，你们傅氏的人是不是都有多管闲事症？”

傅青霜怔了下，很快便明白过来莫南爵的意思，她脸色一沉，童染出了事洛萧第一时间冲过来，她脸上自然是挂不住的：“爵少，我只是碰巧……”

“碰巧过来看病是吧？”莫南爵勾唇笑了笑，赞同般地点了下头，“洛太太也是该来看下了，自己没本事看不住自己的男人，一天到晚跑来找别的女人，这件事情，不知道傅家二老知道吗？”

傅青霜脸上一红，被戳中心事：“爵少，你……”

莫南爵冷笑一声，从口袋里掏出一张卡，直接朝傅青霜坐着的地方甩了过去，不偏不倚地，那张卡正好落在她穿着白丝袜的脚上：“这里面有些钱，洛太太去看的时候多开点好药给洛总补补，别谢，就当我做了回慈善。”

他话语精准，句句刺中要害，陈安坐在边上听着，双肩不停地抖动，强忍着笑意。

“你——”

傅青霜忍无可忍，她噌地站起身，银行卡从腿上滑落到地面上，发出清脆的声音，她用手指着莫南爵，一时之间竟然找不到话来反驳。

然而自始至终，洛萧都只是用手腕撑着头，连眼皮都没抬一下，更别提替她说一句话。

莫南爵却不再看她，他将视线投向紧闭着门的手术室，现在在这里多等一秒他的内心都是煎熬的，他从未有过这样的心慌。

甚至就连说话，都只是在掩饰那慌张的情绪。

傅青霜见状也不好多说什么，她咬着牙坐下来，心里堵得难受，却又不想洛萧出什么事，只得在这里陪着他等。

时间一分一秒地过去。

外面的天已经完全黑了下来，手术室的门才被人拉开，里面传来脚步声，莫南爵浅眯着的眼睛猝然睁开，几乎是冲上前，直接揪着医生的衣领，将他提出来："说！怎么样？"

"伤者情况目前稳定下来了……"医生被拎到了外面，这句话出口才被放了下来，他推了推眼镜，"暂时没有生命危险。"

莫南爵心下一松，紧皱的剑眉松开，而后察觉不对又拧起："什么叫暂时？"

"爵，你别这么激动，"陈安和这医生是朋友，闻言拍了下他的肩，替他开口问，"没有伤到心脏？"

"没有，那一刀下去扎得挺深的，但是扎偏了，"医生松了下口罩，"就偏了那么一点点，再正一点，这命神仙也保不住了。"

莫南爵舌尖抵了下嘴角，陡然松下去的那口气令他差点心脏病发作，要是童染出了什么事，他真的不知会做出什么来。

洛萧并未站起来，他一动不动地坐在椅子上，听到医生的那番话后，紧绷着的肩膀才重重地一松。傅青霜坐在他边上，能够明显感觉到他沉下去的呼吸声。

"但是她的情绪波动挺大的，应该是受了什么刺激。"医生翻了翻手里的本子，摇摇头，"因为你们说她不能打麻药，我们用了少剂量安定成分的药，可她一直在说胡话，还有挣扎的倾向，看来是吓得不轻，所以我们不确定她醒来之后会不会有什么过激行为，一般这种病人都需要封闭治疗。"

医生说着瞥向陈安，带有询问的意味，可是这事也不可能说出来，莫南爵站在一旁始终冷着脸，陈安摇了下头，向医生随意问了几句，便将这个话题带了过去。

重症监护病房。

童染只觉得自己做了一个梦，她始终都想从梦中醒过来，可是怎么也睁不开眼睛。

梦里有她的爸爸妈妈，有她和洛大哥放学后路过的草坪，有她小时候最喜欢的花裙子……

有她曾经一切美好的回忆。

可是每次她正开心的时候，这些画面就会被一只带着血的残忍大手给生生撕碎，她尖叫着想要逃离，可是却怎么也躲不开。

她动了动唇，干裂的感觉让她浑身发冷，迷迷糊糊之中，感觉到有人用棉签蘸着水涂在她的嘴唇上，动作轻柔，冰冰凉凉的，很是舒服。

童染嘤咛一声，想要翻身却被固定住手脚，她不安地蹙起眉头，只觉得胸口一阵撕裂般的痛，蹿上四肢百骸，失去了那少许的安定，伤口刺痛得更加厉害，她不禁微张开小嘴："啊……"

"去叫陈安来！"

耳边响起男人焦急不安的怒吼声。

她不由得狐疑，是谁在说话？怎么这么大声？

"快去！把所有能看的医生都给我叫过来！"

"我刚刚听见她说话了！"

到底是谁？

那声音是那么熟悉，童染费了好大力气才轻掀起眼皮，微微拉开一条缝，入目，便是一张铁青的俊脸。

"醒了？"见她睁眼，一直守在床沿的莫南爵忙低下头，薄唇轻吻了下她的额头，握着她的手紧了下，"怎么样，哪里不舒服？"

童染张了张嘴，却发现自己发不出声音来，浑身就好像被灌了水银一样，重得难受。

"先别说话，让医生好好看看，"莫南爵不放心，还是伸手再摸了下她的额头，又贴了下自己的，"没烧。"

他的表情难得地温柔，童染从未见过他这样关心别人的神色，她微微扯了下嘴角，还未晕染开笑意，莫南爵脸色却突然沉了下来："童染，我告诉你，你现在最好把身体给我养胖点，敢自杀？等你好了，你看我怎么剥你的皮！"

"……"

"听懂了没？！"莫南爵冷着脸，捏了下她的手，"你这练大的胆子，必须得收收了。不然你以后爬到我头上来，我还得给你喂饭。"童染嘴角僵住，她也没有多余的力气同他争，莫南爵说完之后便将她左侧的被子掖了掖。

童染只觉得脸侧一热。

莫南爵垂下了头，呼吸喷洒的同时，修长的食指摩挲着她苍白的脸颊，却不敢用力。他一眨不眨地盯着她的眼睛看，黑眸里翻涌着波浪，声音却轻了下来："童染，你吓死我了。"

吓死了？

他还会有怕的事情吗……

"我在想，如果你这一刀下去死了，我就也用刀捅死自己，"莫南爵的手指顿在她的脸颊上，眼眸沉下来，"然后追你追到地狱去，让你乖乖跟我回来。"

童染虚弱地看着他的俊脸，感觉他好像整个人都瘦了一圈，下巴上也有了胡楂，她记忆中的莫南爵是那么爱干净要形象的男人，什么时候变得这么邋遢了？

童染微微蹙起眉，想要伸手去摸他的下巴："你……"

喉间的音发了半天，"你真脏"这三个字还是没说出来。

"想说我很帅？"莫南爵牵着她的指尖递到唇边吻了下，睨着她微张的嘴唇，男人喉间轻滚下，"童染，你就算是虚弱起来也还是一副迷人的模样，要不是你不能动，我就在这里要了你。"嘴里没一句正经话。

童染索性闭上眼睛，隐约听到房门被推开的声音，她脑袋晕乎乎的，没过多久又睡了过去。

在医院住了几天，因为药物用得好，所以童染的伤口恢复得很快，才不过两周，就已经转出了重症监护病房。

陈安带医生来检查了一下，现在的恢复还是挺令人满意的："伤口问题不大了，拆了线之后就会好很多，会恢复得更快。"

"那她怎么老是睡着？"莫南爵说着看了一眼病床上的女人，她平躺着，要不是头露在外面，他都要怀疑她是不是瘦成了一把骨头，"两三天醒一次，醒了没多久就再睡过去，你确定没问题？"

"得，你这问题好意思问我？"陈安含着笑意靠在墙边，"不知道以前是谁把人折腾得半夜高烧不退，怎么，现在这么关心了？”

“滚！”莫南爵冷着脸，抄起桌上的水杯就砸过去，“学个医你就拽成这样，快给我说！”

陈安笑着侧了下头，躲过那杯水，他直起身体朝门外走去，到门边时摊了下手：“心病还须心药医，她若是有避世的这种念头，我也无可奈何。”

避世的念头?

莫南爵脸色一沉，这女人敢给他避什么世，他就把这世界给拆了，看她拿什么来避?

十二天之后，童染的伤口拆了线，莫南爵几乎把全锦海市有名气的医生都找来看了个遍，一再确定没有问题后，这才放心。

身体上的伤好得快，只是那个问题依旧在。

有时候日夜反复，她醒了之后说不了几句话又会睡过去，或者是醒了之后瞪着眼睛看着天花板，有人靠近她，她会下意识地闭上眼睛，然后又睡过去。

并且，童染一直吃不了什么东西，只能靠输营养液来维持身体的机能。

又过了半个月，莫南爵已经帮童染转了个医院，洛萧一时半会儿也没能找过来。

病房内应有尽有，装修高档，更胜五星酒店。

这次的检查，陈安已经将话说得很明白了：“爵，她的身体真的没问题，恢复得很好，再过几天，已经可以下床走路了。”

“关键不是她能不能走路，而是她连腿都不愿意动。”莫南爵皱着眉头，他几乎日夜守在病房内，有时候晚上他打开灯，可以清楚地看见童染蹙起的眉尖，“其实她是对外界的动静是有反应的，可是她不愿意清醒。”

“还记得我之前给你说过的吗？”陈安朝病房内看了一眼，“幽闭恐惧症。”

“和这个有关？”

“八九不离十吧，之前你用银链子锁着她的时候，”陈安说着又想损他几句，却被莫南爵的眼神给堵了回去，陈安回归正题，“她那次幽闭恐惧症其实就比较严重了，受不得刺激，更不能有密闭的空间，偏偏这次，还在她面前死了个人，血溅一脸，我看着都发毛，何况她一个女人？这事在她心里留了阴影，她睁开眼睛会想到那一幕，肯定会下意识逃避。”

“那该怎么办？”莫南爵吐出烟圈，白色的烟雾将他的俊脸衬得朦胧，他从未为一个女人如此烦心，“我又不是蛔虫，我控制不了她的思想。”

“得，你都强迫人家爱上你了，还有什么是你做不到的？”陈安笑起来，“你试着查下她小时候的事情，如果能找到幽闭恐惧症的根源，也许会有好转。”

根源？

莫南爵眯起眼睛，童染的幽闭恐惧症是小时候就有的，难不成，要他去问洛萧？

他狠狠地眯起眼睛，将香烟扔在脚下后踩灭：“韩青青的事情你查得怎么样了？”

“我查不到她体内有什么毒药，有些毒药是入体就会被吸收隐藏的，如果直接影响神经，那更无从查起，”陈安摇下头，“那些都只是我的猜测，再说她现在已经死了，想要提取什么也是不可能的了，但是我敢断定，她绝对不可能平白无故地疯了。”

莫南爵点下头，他向来敏锐，细想下便知，要他杀了韩青青的人，目的必定是让童染恨他。

而想让童染恨他的人……

除了洛萧，他想不出第二个。

若他和陈安的猜测是真的，那洛萧这人，还真有那么两下子。

玩阴的他见过，这么千回百转不留痕迹的，他还是第一次见。

但这件事情上他若是找不到证据，肯定是没用的。他若是给童染这么说，八成又要大吵一架，洛萧在童染心目中的地位，他领教过，自然是知道的。

毕竟，二十一年的相伴之情，莫南爵并不傻，他知道童染为什么会如此在乎洛萧，虽然他嫉妒到发疯，但他们从小一起长大，有过的那些回忆，这是不争的事实。

虽然童染说爱他，但她的爱被她自己深深地掩埋了起来，经过韩青青的这件事情，按照她的性子，就更不会大胆地说出来了。

现在关键就是，他该如何让洛萧从童染的心里彻底地退出去。

莫南爵微微抿了下唇，傅氏爬得这么快，背后的手段，看来他确实该彻底地去查一查了。

洛氏集团。

洛庭松今天来得迟了些，他刚踏进公司，就接到了秘书的电话，说来了一位贵客，他问是谁，可秘书说对方坚持不让她说，他听那声音，似乎那人就在边上。

难道，是萧儿？

思及此，洛庭松心里一喜，急忙乘电梯上了楼。

会客室外面站了一排人，个个黑衣墨镜，洛庭松从走廊走进来，看见秘书站在门边上，显然是被控制了行动。

他愣了下，不知道自己惹上了什么人，就见边上的一个黑衣人朝他比了个手势："我们少主等你很久了。"洛庭松不明所以，但毕竟是混了这么多年的，他强自镇定下神色，就推开门走了进去。

会客厅并没有别人，主位的沙发上，男人跷着腿坐着，手里拿着一份报纸。

由于报纸遮挡，洛庭松看不见那人的脸，他礼貌性地轻咳一声："请问您是？"

"洛总记性真不好，居然不记得我了。"那男人放下报纸，露出一张邪魅俊美的脸庞，王者气势尽显。

莫南爵？！

堂堂帝爵总裁怎么会到这种小公司来？

洛庭松吓了一跳，脑子里急忙搜索起来，自己什么时候得罪了这位大爷？他一边走过去递上一支烟："原来是爵少……"

前几个月，他还因为创迪集团的事情去帝爵求见过莫南爵，但别说人，连门都没进去……

这次莫南爵却突然找上门来，他自然是无法置信。

前段时间傅氏结婚宴上的“换妻”事件，虽然引起了在场人的轰动，但事后莫南爵已经派人将消息的渠道都给堵住了，照片也都拦截了，况且并没有多少媒体在场，洛庭松也上了年纪，自然对这些娱乐八卦都不太了解。

他只是略有耳闻，说傅氏得罪了帝爵，至于原因，洛萧从来不和他说话，见面更是妄想，所以他并不清楚。

莫南爵并未接过他的烟，洛庭松有些尴尬，便端了杯水放到桌边。他也是老江湖，不绕弯子，直接开门见山地道：“爵少今天怎么有空过来？是不是有什么事情……”

莫南爵手肘撑在沙发背上，撑起下巴看向他：“洛总有个儿子，叫洛萧，对吧？”

果然是冲着这个。

洛庭松抹了把汗，虽然洛萧把户籍信息抹掉了，但莫南爵若真的去查也是不难的。

“对对……”想了下，他点了点头，“我就只有这么一个儿子……”

就这么和他断绝了关系……

“唯一的一个儿子，还做了倒插门女婿？”莫南爵勾起嘴角，薄笑浅浅，也不知道在想什么，“洛总果然好大的肚量。”

“这……”这一番话刺痛了洛庭松的要害，他摇了下头，叹了一口气，脱口而出道，“其实这门婚事我起先也是不同意的，可是我也没办法，萧儿也大了，他要做什么事我也管不住他了……”

话还没说完，他突然意识到自己说了什么，急忙岔开话题：“爵少，抱歉，我刚才失礼了……”

“继续说，”却不料，莫南爵似乎很有兴趣，他扬扬眉示意，“按照你刚才说的继续下去。”

“……”洛庭松略一愣怔，没想到莫南爵会对这些事情感兴趣，这会儿叫他继续，他还真的不知道该说些什么好：“爵少您想知道的是……”

想知道萧儿的事情？

“据我所知，洛萧和你们断绝了关系？户籍上所有的信息都抹掉了，就连档案也一样。”莫南爵端起桌上的水杯，递到嘴边却并未喝下去，他勾起一抹笑容来，“难道，就仅仅只是因为要入赘傅家？”

这个理由，莫南爵自然是不信的。

傅家比洛家更有钱有势，这样的婚事洛家二老不可能会反对，所以必定还有别的事情。

“这个，我也不太清楚，”洛庭松布满皱纹的老脸上露出哀戚的神色，他掩饰性地垂下眸，低叹了一口气，“萧儿誓死要和我们断绝关系，我们也无可奈何，他的婚宴我们也没去成，更别提他的近况了，所以爵少要是想问事情的话，我确实是帮不上什么忙的……”

一番话，句句向着洛萧，什么也不肯说，莫南爵也不意外，洛萧毕竟是他儿子，再绝情也是。他点上一支烟，手里把玩着打火机：“我听说，洛总还有个侄女？”

小染？

“啊？对对，”洛庭松闻言点了下头，说到这个，他已经很久没有和小染见过面了，脸上露出爱怜的神色，“那孩子在南音艺术学院念书，我也好久没去看她了……”

“南音，好学校，”莫南爵将手里的打火机盖子啪嗒一声合上，好似随口一问，“她和洛萧，是兄妹？”

“这个，也不算是吧。”洛庭松没想到莫南爵会问到这一层上，他想了下，这种事情也没什么大不了的，便说了出来，“他们并没有血缘关系，所以不能说是兄妹，之前我还想着让他们结婚，两个孩子从小就睡在一起，也是亲密得很，也都是互相喜欢的……谁承想，后来也还是没成，这年轻人的事情我们也说不准……”

睡在一起？！

亲密得很？！

互相喜欢？！

莫南爵脸色一沉。看来童染和洛萧以前还真是如胶似漆，难不成她内衣都是洛萧给洗的？！

莫南爵气得差点起身掀桌。

洛庭松见状，以为自己说错了什么引得莫南爵生气，忙将话锋一转：“爵少，萧儿这孩子我最了解，他从小就是本本分分的，生意场上他初生牛犊不怕虎，他性子也直，小时候就直接告诉我他喜欢自己的堂妹了，长大了性子也没改，要是有得罪之处，您就高抬贵手，别和他一般见识，我会找机会和他说的……”

小时候就说喜欢自己的堂妹？！

他到底是什么时候开始喜欢童染的，难不成一年级就互相表白过了？

莫南爵脸色铁青，明明已经知道了的事情，可是从别人嘴里说出来，他还是觉得十分不爽，就好像自己的东西被别人先窥视过，那种感觉让人全身不舒服。

洛庭松见冷了场，也不知道该说什么来圆，今天莫南爵来的目的他都没弄懂：“爵少，要不然我打个电话叫萧儿过来，让他和您当面解开误会……”

趁这个机会，他可以见洛萧一面。

一举两得。

莫南爵岂会不了解他的心思，不置可否，勾起唇，却问了另一个问题：“你侄女，是什么样的人？”

“小染啊，她是个很单纯的女孩子，这孩子从小就性子倔，太善良了，什么事情都自己偷偷藏起来，除了萧儿，就不肯和任何人多说一句话，身体又不好，”洛庭松说着摇摇头，“她很孝顺，不过也是个可怜孩子……”

莫南爵眯起眼睛：“怎么个可怜法？”

“爵少，”洛庭松也不是傻子，莫南爵变着法子问来问去，始终就是绕在这么几个问题上，显然是想知道些什么，“我也是个明白人，您今天来这儿的目的，不妨直说。”

“我想知道关于你侄女的事，”莫南爵顿了下，将打火机朝桌上一甩，翻了个个儿后滚落到地上，“童染的事情。”

“啊？”洛庭松愣在原地，“您和小染……”

难道他不是来问萧儿的事情？

“她现在是我的女人，”莫南爵毫不避讳，他倾身向前，凑在洛庭松耳边，“可偏偏，洛总您儿子还巴着她不放，这笔账，我也不知道该算在谁头上。”

他的女人？！

洛庭松不可置信地浑身一震，小染……居然真的和莫南爵扯上了关系？！

难道……就是因为当初创迪集团的那笔单子？

莫南爵看出了他的心思，气定神闲，从桌边的文件夹上抽出两张纸扔过去："当初创迪的那笔单子，其实就是傅青霜一手搞出来的鬼，创迪这个公司就是傅氏投钱建的，这其中的玄机，就不必我多说了吧。"

洛庭松拿起飘在地上的A4纸看了下，脸色顿时煞白一片，这么说来……

洛萧会娶傅青霜，并不是自愿的，而是因为被威胁了？

傅青霜拿什么来威胁萧儿？她能有什么把柄？

难道……

不，不可能！

洛庭松的脸色越发难看，他将手里的A4纸收起来，望向面前矜贵的男人："爵少，这些事情也都过去了，您看要不然就算了……"

"怎么，你说算就算？"莫南爵打断他的话，他站起身来，走到窗边，"它过不过去并不重要，现在您儿子跟我抢女人，这些事情我说它过去它就过去，我说它不过去，它马上就得成为进行时，这里面若真是有什么猫腻，还能瞒得住吗？"

莫南爵这番话已经很明白了，洛庭松稍微细想下便知道他此番的目的到底是谁，忙开口说道："不会的不会的，爵少您肯定是误会了，萧儿已经结婚了，他会收敛的，毕竟他和小染是那么多年的兄妹关系，关系亲密些也是正常的，我会找机会告诉他分寸的……"

"分寸这东西，多一寸少一寸，差别可就大了。"

"是是，您放心，我一定会和萧儿好好说的……"

莫南爵缓缓勾了下嘴角，他也料到洛庭松什么都不会说，这里面的事情估计也没这么简单，其实洛萧怎么样他完全没有兴趣，可一旦牵扯到童染，他就不可能袖手旁观。

很明显，洛萧娶傅青霜并不是本意，他也不认为洛萧会因为一个傅氏而娶她，这里面，肯定还有些不为人知的事情。

都不肯说，没关系，他迟早会查清楚的。

“这个，爵少……”洛庭松跟着他站起身，莫南爵的背影讳莫如深，他斟酌了一番，还是开口问道，“小染她现在……是和您住在一起吗？”

“废话，我的女人自然是和我住。”

莫南爵冷睨一眼，想到童染怎么也睡不醒的虚弱模样，就觉得心头一阵烦躁，他现在想和她说句话还得看运气，她醒了或许能说上几句。

他什么时候还得靠运气和她说话了？

她要是这么一直避世避下去，那他还不得疯了？

“这……”洛庭松面上有些挂不住，莫南爵说童染是他的女人，这其中的意思再清楚不过。

莫南爵见他一副为难的模样，心中冷笑一声，对于洛萧厌恶至极，更别提眼前这人还是他爸爸，但如果能带洛庭松去医院，也许……会对童染的恢复有帮助。

他毕竟是童染的大伯。

现在，只要那个女人别一天到晚睡不醒，她就是想看冰岛，他也会给她搬过来！

思及此，莫南爵扯了下领带，抬起修长的腿就朝外面走去：“跟我走。”

洛庭松不知道他葫芦里卖的什么药，却也不敢违抗，便跟了上去。

医院十七层，VIP 病房。

莫南爵请了好几个高级护工，因为担心有什么后遗症，所以童染一直没有出院，就在这里静养。

房间里熏着淡淡的茉莉花香，还开了加湿器，外面虽然有些凉意，里面却温暖如春。

尽管如此，躺在病床上的女子依旧紧闭着眼睛，长长的睫毛洒下一片阴影，脸色越发苍白，整个人就好像瓷娃娃一般，仿佛一碰就会碎掉。

莫南爵刚出电梯，守在病房门口的黑衣人便将门打开：“少主，您来了。”

“怎么样？”

“童小姐今天还是没醒，到现在也还没吃饭，我们就按照安少爷的吩咐给童小姐注射了营养液。”

莫南爵眼里蹿起的火光黯了下，点了下头：“好，我知道了。”

洛庭松跟在后面，闻言不解地皱起眉头：“爵少，这……”

“你跟我进来。”

莫南爵也不和他多解释，跨进病房后侧开了身体。

“小染？”洛庭松一抬头就看到病床上的女子，他显然没料到会在这里见到童染，惊讶地瞪大了眼睛，“小染怎么会在这里？她生病了？”

莫南爵点下头，旁边的护工这才敢开口：“童小姐胸口刺了一刀，前段时间刚动完手术，现在没什么大碍了。”

“……什么？胸口刺了一刀？怎么会这样……”

洛庭松几乎站不稳，他不可置信地走上前，在病床边上坐了下来，看着童染消瘦到还没有巴掌大的脸庞，浑浊的双眼就要滴下眼泪来：“小染，大伯来了……你这是怎么了……”

他说着握住童染的手，布满皱纹的脸上满是心疼：“怎么会弄成这样的？傻孩子，有什么事情就给大伯说，大伯又不是不在……”

洛庭松说着就哽咽了下，也确实，他们没什么能力，萧儿和他们断绝了关系，小染出了这种事情他居然也不知道……洛庭松握着童染的手说了好一会儿，这才转过头来看向莫南爵：“爵少，小染这是……怎么回事？”

“我觉得，你可以去问下你儿子，”莫南爵试探着套他的话，莫南爵并不确定韩青青的事情是否和洛萧有关，也不确定洛庭松知不知道这些事情，“他也许会给你答案。”

“你说……他也知道这件事情？”

莫南爵冷哼一声，并未回答。

洛庭松也不再多问，显然事情没有那么简单，他没想到的是，洛萧都已经娶了傅青霜，还会对小染念念不忘，他还以为他们之间再没联系了……

就在此时，童染突然蹙起眉尖，鼻间轻哼了一声：“嗯……”

“小染？”

洛庭松以为她要醒来了，正一喜，突然被人拽住后拉开来。

他向后趔趄了下，就见莫南爵已经坐在了床沿上。他单手抚上童染的脸颊，一手握住她的手，他低下头时，神色竟是从未有过的温柔："童染？"

童染似是能够听到声音，她眼皮翻了下，淡粉色的嘴唇动了动，却没有张开。

莫南爵见状拿起桌上的棉签蘸了点盐水，朝她唇瓣上抹去，动作熟练轻柔，显然不是第一次做这件事情。

洛庭松站在旁边看着几乎傻了眼，这……这是帝爵总裁莫南爵？！

他居然会对一个女人这么温柔？！莫南爵将棉签扔掉后，又接过护工递过来的毛巾给她擦了下脸，童染依旧闭着眼睛，似乎刚才只是被惊扰到了美梦，她第二次蹙了下眉，而后头一歪，又沉沉地睡了过去。

"童染！"

莫南爵眼里燃起的光亮瞬间暗了下去，他眯起眼睛，危险地看着病床上的女人："童染！你敢不敢说句话？你要是再给我睡，我就把你从十七层直接扔下去！"没有人回答他。

莫南爵攥紧拳头，他的威胁，他的怒吼，他的暴躁，因为她此时听不到，所以显得那么苍白无力。

没有人知道，看到她这副模样，他有多心慌。

以往的每一次，她只要一不听话，他就可以吼她，可以骂她，甚至可以直接把她扛起来……

可是现在，她沉沉地睡着，听不见他的声音，也看不见他的动作，所以他说什么都已经失去了作用……幽闭恐惧症？！

想到这个词，莫南爵一双桃花眼眯得越发厉害，他转过头瞪向洛庭松："她小时候发生过什么事情？"

洛庭松正愣愣地看着莫南爵的动作，闻言怔了下："小时候？"

"幽闭恐惧症，"莫南爵不信他会不知道，童染肯定不是第一次发作，"她的这个病，是怎么来的？"

"幽闭恐惧症……"洛庭松脸上闪过一丝惊愕，他摇了下头，"这个，我也不是很清楚，我记得小染是没有的……"

"说！"莫南爵的眼神冷下来，他站起身，俊脸上的表情与方才坐在床沿边上的温柔神色完全相反，"我不信你不知道，她这小时候就带着的病，难不成还能是娘胎里来的？”

幽闭恐惧症这种病除了被折磨被惊吓得的，还能怎么有？

“这个……”洛庭松为难地低着头，“爵少，我是真的不太清楚……”

就冲着莫南爵对小染这么好，必定是将她看得很重了，他怎么说得出口……

这不是找死吗？

“既然你这么不清楚，那我只能从别处找答案了。”莫南爵见他支支吾吾的，一眼就能瞧出有问题，他朝门口扬声道，“去把傅氏所有的股票数据整理出来，明天五点半之前我要看到它跌停。”

“爵少！”洛庭松闻言大惊失色，“别，您别这样！有什么事情就冲我来……”

“冲你来？”莫南爵冷笑一声，“你们洛氏还不够我动动手指头，傅氏这块肥肉就要有意思得多，洛总您说是吧？”

洛庭松就洛萧这么一个儿子，自然看得比什么都重，莫南爵知道，动洛氏他也许都不在乎了，但是要动傅氏动他儿子，无疑是从他心口上割肉。

单凭洛庭松如此护着洛萧这一点，他倒是挺羡慕洛萧的。

“爵少，您千万别这样！”洛庭松脸上露出惊恐之色，莫南爵的手段他是知道的，他怎么可能见得洛萧吃苦，立马便妥协，“我什么都听您的，您别动傅氏……”

莫南爵目露嘲讽，斜睨他一眼：“说。”

“我也不清楚是不是因为这个，但是小染小时候，有被打过……然后经常被关在那种很小很小的储藏室里好几天，估计是那个时候吓出病来的。”

“什么叫有被打过？”莫南爵冷着脸，“打一次和打一百次差别很大。”

“在小染小的时候有那么一段时间……”洛庭松顿了下，还是将三四年缩减了下去，“大概一两年吧……”

“怎么打的？”

“就是用鞭子和棍子打，用针也扎过，有时候也会用脚踢……”

洛庭松说着偷偷瞥向莫南爵，见莫南爵的脸色越发阴鸷下去，他又不能不说，只得将声音压得越来越小：“每次我们把她从储藏室里弄出来的时候，那孩子光吐就吐一两个礼拜，什么也吃不下，白天就只会发抖冒虚汗，晚上睡觉必须开灯，也不能有黑和紧闭的感觉，不然她会边哭边大声尖叫……后来我们发现她在家实在待不住，要去那种宽阔的操场才好一点……”

莫南爵两道剑眉紧紧皱着：“没带她去看医生？”

洛庭松摇摇头：“当时以为休息几天就好了，再加上这孩子什么也不说，不管什么都忍着，后来过了几个月也就好了，我们就没再管了……”

“这些症状之后一直没复发？”

“打了之后才会复发，每次把她关起来她都会叫得很厉害，就像是索命一样地尖叫，因此后来也就不敢打她了，再加上萧儿长大了拼命护着她，所以也没办法打了……”

洛庭松擦了擦额头的汗珠，没想到小染小时候这种症状，会一直延续到现在，竟然还这么严重？

他还以为早就好了……

洛庭松说完之后，气氛顿时沉了下来。也不知道沉默了多久，莫南爵首先出声：“是谁？”

洛庭松怔了下：“什么？”

“我问你是谁，”莫南爵铁青着俊脸，“是谁打的她？”他锐利的眸子冷冷地扫向洛庭松，“是你？”

“不不不……”洛庭松急忙摆手，可是却无法逃脱干系，“是我老婆打的……”

“为什么要打她？”

“因为……她以前脾气比较急躁，小染又老是不听话，所以就……”

莫南爵冷笑出声：“怎么，你刚刚不是说她小时候什么都忍着吗？怎么又变成不听话了？”

“这个……”洛庭松神色为难，语句也是断断续续的，“她大伯母以前也有错，教育孩子，她方法也不对，她也知道自己有错，事后也和小染道过歉了，小染也原谅了她大伯母的……”

一口一个她大伯母，莫南爵也知道他想撇清责任，他也没有深究其中原委，毕竟过去这么久了，也不可能去把她大伯母揪出来：“那她每次幽闭恐惧症发作，尖叫的时候，你们以前都是怎么控制她的？”

“这个……”

莫南爵双眼一眯。

洛庭松也不敢再闪烁其词：“每次都是萧儿抱着她，将手伸过去，小染就咬着他的手背，经常一咬就是好几个小时，萧儿就安慰她，说故事说笑话给她听，其实我们也不知道他们两个到底在说什么，只能在外面等，等到最后都是萧儿抱着睡着的小染走出来……”

“每次？”

“是的，每一次都是这样……还有好多次发作严重的时候，小染晚上好端端的就吓得睡不着觉，整夜整夜地哭，见着人就开始打开始吼，她大伯母气得要把她赶出家去。每次都是萧儿搂着她到楼顶去看星星，一坐就是一晚上，早上下来的时候，小染在他怀里倒是还好，我看萧儿双腿打颤，嘴唇都冻紫了……”

“大概多久，她才转好？”

“持续了也有一两年吧，那一两年小染都不能去上课，萧儿也休学在家陪她，两个孩子天天待在一起，为这件事，她大伯母还跟我吵过很多次。”都已经这样了，洛庭松也没什么好隐瞒的，“她大伯母说，绝不能让他们产生感情，她一直就不太喜欢小染……我也劝了好多次，但是这年轻人之间的事情，也不是我们能控制得住的……”

莫南爵阴沉着俊脸，他并没有问为什么，童染自幼父母双亡，什么都没有，和他们家也没有血缘关系，她大伯母不喜欢她，不愿意让她做儿媳妇，自然是可以理解的。

洛庭松见状，忙为自己老婆说起好话来：“之后小染恢复了，也就能上学了，萧儿转到她学校，两个人就一起上课，到后面她大伯母年纪也大了，也就没那么暴躁了……”

“爵少您也别介意，要是没有萧儿，估计小染那时候也撑不下去，还多亏了他们兄妹两个感情深……”洛庭松讨好似的说着。

他不希望莫南爵因为这个对付洛萧。

莫南爵也不知道听进去没有，他侧首望向病床上躺着的女子，神情露出复杂之色。原来，洛萧在她的生命中，竟然占了那么重要的位置。

洛庭松见他不动，试探性地唤了句："爵少？"

莫南爵也懒得和他多说，再问也问不出什么来。莫南爵挥了下手："你回去吧。"

"爵少，那个……"洛庭松斟酌了半天，还是开了口，"小染现在昏睡不醒，我觉得，最好的办法，还是要把……"

最后四个字，被莫南爵一眼给怒瞪了回去："你是想说把洛萧找来？！"

"是的，只能这样了，因为每次小染这样也都只有萧儿才能劝得了……"

"滚出去！"莫南爵蓦地转过身，抡起桌上的白瓷杯就朝门口一摔，"马上给我滚出去！"

洛庭松浑身一震，也不敢再多说，他朝病床上看了一眼，虽然想要多留一会儿，却还是走了出去："爵少，那我先走了，小染……就麻烦您多照顾了。"

"滚！"

一旁站着的护工和黑衣人见状也悉数退了出去，病房门被关上。

刹那间安静下来。

莫南爵面对着窗户，他脸色阴沉，垂在身侧的手握成拳后又松了下，他走到床沿边坐下，静静地看着床上的女子。

"童染，你想见洛萧是吗？"

"只有他才能唤醒你，对吗？"

"是不是他来了，你就肯醒过来了？"

"他对你来说，就真的那么重要？如果让你在我和他之间选，你会选谁？"

他一个人说着，嗓音低哑醇厚，可不管他用什么声音，床上的人还是一动不动。

这次，就连眉头也没有蹙一下。

莫南爵坐在床边，他修长的手攥成拳，攥了松，松了攥，反反复复也不知道多少次，直到手部都快没了知觉，他才顿下动作。

他要她醒过来。

他要她活生生地在自己面前。

他要一个正常的童染，而不是躺在这里的一具躯壳。

心中坚定了这个想法，莫南爵站起身来，颀长的身形被透进来的阳光拉开一条影子，他没有再看一眼，而是转身走了出去。

童染现在住的这家医院是陈安开的，并不对外开放，位置比较隐蔽，设施和医生自然都是一流的，能够来这儿看病疗养的，非富即贵。

洛萧接到电话之后，几乎是立刻赶了过来。

他按照约定只身前来，并未带任何人，将车停好之后，等候在医院门口的黑衣人便领着他上了私人电梯。

十七层。

莫南爵站在VIP病房门口，他抬眸望向房内，视线收回来后，恰好就落在刚刚走出电梯的洛萧身上。

二人对视，目光竟都是出奇地平静。

莫南爵朝他身后睨一眼："我以为，你会带人来。"

"我没什么可怕的，"洛萧穿着浅蓝的西装，风度翩翩，极为绅士，"难道莫总还能吃了我不成？"

莫南爵轻笑一声，并未就此回答，他眯起眼睛："我把话先放在这里，我今天叫你来，不是要把童染让给你。"

"我不需要你让，"洛萧对上他的眼睛，身高二人差不多，都能很清晰地望进对方的眼底，"小染本来就是我的。"

"就算我死了，她也不可能是你的。"

"小染人在哪里？"

莫南爵也不愿意再同他多说什么，侧了下身，将挡着的病房门让出来："我希望你不要让我失望。"

洛萧看了他一眼，抬腿就走了进去。

在即将走进去之际，洛萧回了下头，伸手握住了门把手："不要让人进来，小染不希望我和她在一起的时间被任何人打扰。"

莫南爵冷着俊脸，眼睁睁地看着房门关上。

他侧着身子站在门口，透过病房玻璃窗上的百叶窗，依稀能看见洛萧朝童染躺着的病床边走过去。

莫南爵负在身后的双手紧紧攥起，让洛萧来，他比谁都痛。

可，他更希望童染能醒过来。

他想抱着她，听她说话，听她嘟嘟囔囔，听她骂自己，哪怕是她恨极了他，他也不愿她就这么一动不动地躺着。

莫南爵烦闷地掏出一根烟，刚要点上，陡然想起这里是医院，将香烟在手里折断后，怒气十足地扔了出去。

白色的香烟抛出一个优美的弧度，恰巧被路过的男人伸手接住："哟，爵，你这又是在发哪门子火？"

"滚。"莫南爵冷冷地出声。

陈安察觉到他的不对劲，走过去后，朝紧闭的房门扫了一眼，瞬间就明白了过来："你还真把他叫来了？"

"心病还须心药医，不是你说的吗？"莫南爵脸色铁青，显然很不爽，"难不成你现在要告诉我，你是开玩笑的？"

见他一副要吃人的眼神，陈安便也不再开玩笑，正了神色："你也说了，她小时候的心病一直都是洛萧帮她医的，人变了意识不会变，所以在她的潜意识里，洛萧才是最能保护她的那个人，因为人一旦产生了依靠，并且这个依靠持续了将近二十年，那真的不容小觑。爵，这个一两天是改变不了的。"

莫南爵神色阴郁，也不知道听进去没有。

他想说，童染该依靠的是他并且只能是他，可事实摆在眼前，男人想反驳也没了借口，只得冷着脸朝陈安腿上踹去："滚！少给我一套一套的。你这儿房间装没装摄像头？"

"当然装了，有些公子哥还会带女人来睡，玩死了我可担不起责任，"陈安耸了耸肩，突然明白过来，"爵，你要看？"

"既然装了你还在这杵着做什么？"

"没救了。"陈安摇了下头，只得带着他朝办公室走去，"爵，我看等她醒了，就有你累的了。"

私人办公室内。

屏幕虽然不是高清的，但莫南爵依旧能很清晰地看到房内二人的动作。

他抿起唇，神色专注地盯着屏幕，就连陈安给他倒了杯水放在手边都没有察觉到。病房内，洛萧按摩着童染的手，很仔细，童染手上的每一个穴位他都没有落下，一边揉着，一边抬起头望向童染。他温和地一笑，模样如同清俊的少年："小染，我知道你能听见我说话，其实你每次都能听见的，就是调皮，每次都要吓我。"

说着，洛萧将童染的右手放下，又轻柔地执起她的左手，女子闻言依旧紧闭着眼，并没有反应。

洛萧也不着急，他将毛巾再度过一遍水，又继续说着。

"小染，还记得那次，你哭得超级大声，把周围的邻居都给引来了，我用毯子裹着抱你上楼，人家还以为我把你给怎么了，一个劲地瞪着我，然后你哭着哭着，听见别人骂我，居然还能哭着抬头骂回去。

"还有那一次，你在天台的时候喊冷，我把我的衬衫脱下来给你穿，我光着上身抱着你，你睁眼之后以为我衣服被人抢了，还说要打电话报警。你说，你那个时候怎么就那么傻?

"还有那个冬天，你晚上睡不着起床偷吃冰激凌，第二天被我妈发现了，我就说是我吃的，结果我被罚站在门口，那时候天下着雪，我站着站着就冻得动不了，你过来推我，以为我怎么了，结果又哭了……

"小染，你说你那时候怎么就那么爱哭……"

病房里很安静，洛萧的每一个字都清晰地从话筒里传出来，传入莫南爵的耳膜。

他在讲述着他们的过去，每一字每一句，都是他从来不曾参与过的。莫南爵单手撑着额头，绝美的侧脸透出些许迷茫和懊恼，陈安不禁摇头，动了真心，当真是世界上最可怕的事情。

洛萧将童染的双手按摩完，又起身换了一盆水，拧干毛巾后，坐在了床沿上。

"小染，"他轻唤，毛巾擦了下她苍白的脸颊，这才将手抚上去，"让你受苦了，是我没用。"

洛萧手指轻轻摩挲上去，动作，竟比莫南爵还要小心谨慎："我知道你现在很累，你很想睡，你很害怕……都怪我，我没有早些来陪你，我如果一直陪在你身边，这些事情都不会有，你也不必吃这些苦。”

“小染，可我现在来了，我会一直陪着你，再也不会离开你了。”说着，洛萧俯下身去，手臂穿过童染的后背，轻而易举地就将她整个人抱了起来，让她的下巴抵在自己的肩膀上，“小染，你不用再怕了，就像以前一样，我说能带你看星星，每次天空都会有星星，这次也不例外，你醒醒，醒了我们就去看，好不好？”

因为童染毫无知觉，所以下巴抵上去马上就会滑下来，洛萧便一手环住她的细腰，一手轻按着她的后脑勺，让她能完全地靠在自己怀里。

看见洛萧这个动作，莫南爵脸色一沉，他一下站起身，身下的椅子被蹬出去老远，转身就朝门外冲去。陈安见状伸手一把拉住他，语气并不是在开玩笑：“爵，你不想她醒了？”

莫南爵俊脸上阴鸷无比，他紧攥着拳头，可以看见手背上暴起的青筋。莫南爵顿住动作，虽然不想看，但眼神却还是朝屏幕上看了过去。莫南爵侧着头，他紧盯着屏幕，本来抬起的腿，竟然就这么生生地顿住了。

他突然觉得，自己没有那个资格走过去，没有那个资格去拉开他们。

“爵，你快看，”陈安松开拉着莫南爵的手，朝屏幕上的一角指过去，目光闪了下，“她动了。”

莫南爵眯起眼睛，他没有动，依旧侧头看着，可以清晰地看见，随着洛萧手掌的轻抚，童染垂在身侧的右手食指稍微向上抬了下。

虽然童染并没有醒来，但手指那么轻微的几下，却恰好被他敏锐地捕捉到。

屏幕里的洛萧并没有注意到，但他似乎并不在意这些，依旧继续着他的动作。对于童染，也许他真的是熟悉不过了。

“真的有用，”陈安有些不可思议地望着屏幕，他轻摸着下巴，“看来，潜意识对一个人真的有很大影响，这么多年过去，还是埋在脑海里，人脑，还真是一门学问啊。”

莫南爵听着他的话，眼皮抬了下：“这所谓的潜意识，一辈子也改不了？”

“也不是，这种东西不能说改不改，都是不经意间刻在脑子里的，人为肯定是无法左右的，”陈安摇了下头，也没对他撒谎，“但是要改应该是比较难的，一般都是很深刻的。”

莫南爵眼里蹿起的火光黯淡下去，没有再接话。

是啊，他为什么要去破坏?

他算什么?

在童染和洛萧的美好记忆中，他莫南爵算什么?

什么也不是……

他苦涩地勾起嘴角，忽然有种酸涩从心口蔓延开来，刺得他全身犹如过电般酸麻，他攥成拳的手缓缓松开来。

这副模样的莫南爵，陈安当真是第一次见。

陈安走上前拍拍他的肩，在他的印象中，莫南爵向来是玩世不恭的，这种时候他也只得劝道：“爵，你往好处想下，她若是能醒过来，还不就是你的了吗？”

莫南爵转头睨了他一眼，突然开了口：“你觉得她会是我的吗？”

“呃……”陈安怔了下，这个问题，换作以前的莫南爵，他肯定会说只要留在身边就是。可现在这样看来，莫南爵要的并不只是身体，陈安一下子也不知道该说什么，只得将话题往好的地方扯：“她不是说过爱你吗？”

“如果我在她心里和潜意识里始终比不上另一个男人，”莫南爵也不知道自己为什么会说出这些话，“这种不知道是不是爱的东西，要来何用？”陈安闭上了嘴，被他这一句话彻底堵了回去。莫南爵退后两步，也抵在了办公桌上，他掏出烟，点上后狠狠吸了一口。

病房内，洛萧说了很多很多，几乎将他们小时候所有的事情都说了出来，他一下一下地拍着童染的背，这一刻能够抱着她，让他觉得，以前所有隐忍和痛苦，都是值得的。洛萧肩膀抖了下，扶着童染的肩让她的头靠在自己臂弯里：“小染，你还要调皮到什么时候？你再不醒过来，我就要把你关到橱子里去了。”

“我数三下，一，二，二点五，二点六……”

“嗯……”蓦地，童染鼻间轻哼一声，她侧了下头，“摸……”

莫南爵双目一眯，她要醒了吗?

喜悦和嫉妒之情交织紧缠在心口处，他嘴边叼着的烟灰抖落在手背上，一阵刺疼。

“什么？”洛萧见她开了口，忙问，“摸什么？不舒服吗？”

“摸……”

洛萧闻言低下头，用侧脸贴了下她的额头：“没烧，小染，你要说什么？”

从屏幕上的角度看去，极像是吻了一吻。

这般亲密，说他们没上过床，他怎么可能会相信？

此情此景，莫南爵再怎么强迫自己，也不愿意再看下去了。他站直身体，将烟在烟灰缸里按灭，伸手拿起桌上的车钥匙，转身朝门口走去：“我先回去了，有情况通知我。”

“嗯。”陈安点了下头。

莫南爵走到门口，伸出去的手刚碰到门把手，便听得一句有些焦急却娇柔的低喃声，自后方清晰地传入耳膜中：“莫南爵……”

他动作一顿。

黯淡无比的目光刹那间燃了起来！

“莫南爵……”

病床上，洛萧闻言手臂一僵，他有些不可置信地低下头，拍了拍童染苍白的小脸：“小染……”

“莫南爵……”童染依旧闭着眼睛，秀眉却紧紧蹙着，好像正在寻找着什么，“莫南爵，你在哪里……我……我找不到你……”

洛萧瞳孔剧烈地收缩了几下，他握在童染肩头的手收紧，温润的脸庞溢出痛楚：“小染，你能听见我说话吗？”

“嗯……”童染又哼了一声，听见声音后，蹙起的眉又松了下去。

见她没有反应，洛萧便将她上半身搂起来，晃了晃她的肩：“小染，你知道我是谁吗？”

童染也不知道是不是在回答他的问题，微张的粉唇之中，只有这三个字：“莫南爵……”

“小染，我不是莫南爵，”洛萧拧起眉头，语气有些急切，带着几分妒恨，“小染，你听清楚看清楚，我不是莫南爵！”

“啊——”童染浑身一震，她几乎是下意识地蜷起身体，双手保护性地环住自己的肩，“不要，我不要——救命——”

“小染？”洛萧一怔，也知道自己吓到她了，他忙放轻了动作，想要去拍她的背，“小染，别怕，别怕……”

“不要，你走开，走开——”

童染却丝毫听不进去，她拼命地蹬着双腿，只觉得四周都不是自己所熟悉的气息，“不要碰我——”

“小染，你别激动。”

洛萧只得伸出右腿压住她的双腿，并没有太用力，他搂紧她：“我唱歌给你听，好不好？”

“不要，我不要，”童染毫无意识地用力摇着头，小脸煞白一片，突然尖叫起来，“莫南爵，莫南爵——”

洛萧俊脸上眉头紧皱，他扳住童染的肩，低头几乎要凑到她的唇边：“小染！”

“爵！”办公室里，陈安一把拉住往外冲的莫南爵，“她现在已经有复苏的迹象，你这时候过去刺激一下，她可能今天就醒不过来了。”

他说得没有错，如果这时候打断，确实有可能导致童染再次睡过去。

“松开！”莫南爵用力甩开他的手，他剑眉紧皱，却难掩眼底雀跃的火苗，他扯了下领带，“我的女人在别的男人怀里喊我，我若能忍，你也不可能认识我。”

陈安手劲一松，还没抬起头，红木门已经被砰的一声甩上了。

而病房里，洛萧不管说什么，童染唇边反反复复就只有“莫南爵”三个字。洛萧心口抽痛，他站起身，顺着童染的腿弯腰将她打横抱起来，转身就朝门口走去。

他要带她走！

砰——

洛萧走了还没有两步，房门被一脚踹开，莫南爵铁青着脸色站在门口，眼底的阴鸷几乎吓死人：“你要做什么？”

“带她走，”洛萧毫不掩饰，搂在童染身上的手紧了下，“带她回家。”

“我在的地方就是她的家。”

"呵，"洛萧轻笑一声，"敢问爵少，你能给小染一个家吗？"

"她要，我便给，"莫南爵望向洛萧的眼底，黑眸凌厉，"她要什么，我就给什么。"

"你难道能娶她？"这点，洛萧显然是不信的。

"那你能吗？"莫南爵勾唇反讽，"你离了婚，是不是还得给老婆一大笔赡养费？"

洛萧温润的脸色一变，他皱起眉："跟着你，小染一辈子只能是个无名无分的地下情人。"

"哦？跟着我若是叫情人，那跟着你，是不是就得叫有名有分的插足第三者？"

话音刚落，莫南爵突然抢步上前，手肘抵在洛萧的肩头，膝盖朝他下腹部用力一踢！

"嗯——"他的动作奇快，洛萧还未反应过来，手里的人儿已经被他一个反手给抢了过去！

莫南爵旋身在病房内站定，俨然是主人的姿态，他搂着怀里轻飘飘的女人，俊脸微微仰起："不好意思，我的女人向来只习惯我来抱。"

"莫南爵！"洛萧攥着拳头上前一步，温和的眼底跳动着火光，"你觉得你这样强留小染在你身边有意思吗？"

"只要她还肯喊我的名字，我就觉得有意思，"莫南爵俊脸含笑，他低下头，在童染脸颊上轻轻一吻，"怎么，洛总还想留在这儿吗？"

"莫南爵，我劝你放手，"洛萧脸色阴沉，垂下去的眼眸闪动着无法确定的幽暗光芒，"这话我不止说过一次，我不会再放过你。"

"嗯……"

不等莫南爵开口，躺在他臂弯处的童染突然出声，她动了动脑袋："莫南爵……"

"嗯，"莫南爵搂着她的手臂紧了紧，低头吻了下她的嘴角，"我在。"

"嗯……"童染朝他怀里拱了拱，似乎感觉到了熟悉的气息和怀抱，小脸上浮现出一抹恬静，"你在就好……"

洛萧眼底一刺。

"洛总，你还杵着做什么？"

莫南爵眉梢眼角满是笑意，他直起身体，笑眯眯地望向洛萧，先前的嫉妒和怨念这会儿被抛诸脑后。莫南爵俯下身，将童染平放在病床上。

就在此时，洛萧陡然沉下脸色，他双手攥紧，冲上去时，手臂弯起就朝莫南爵背后用力地捶下去！

莫南爵自然是敏锐的，他直起腰的一瞬间便感觉到背后的杀气，他双眸一眯，大手抄起床头上的玻璃杯，反手迎上洛萧的那一击！

洛萧手肘将玻璃杯打落在地，他快速地扬起一拳，却被莫南爵一个顺手握住！

两个男人对峙，似乎每次见面，他们非打即讽。

莫南爵手臂同洛萧交缠，二人同时抬腿上前，鼻尖几乎相碰。只听莫南爵邪魅地笑："怎么，洛总上次还没被我打爽，这次害怕自己跳楼摔不残，所以来找我帮忙？"

哐当！

玻璃杯应声落地，巨大的碰撞声响彻整个病房，病床上的女子闻言翻了个身，手臂打到病床的扶栏处，冰冷的感觉刺激了下腕部脉搏。童染眼皮跳了跳，突然就睁开了眼睛。

此时，莫南爵正好侧了下眸，目光不期然地同她的相碰。童染第一眼便看到了他，不由得一怔："你……"

莫南爵也是一怔，没想到她醒得这么突然，手劲松了松。

童染刚要开口，视线又移到床边的洛萧身上，她睁大眼睛，看着眼前拉开架势的二人，显然有些反应不过来。

莫南爵此时所有的注意力都在童染身上，他甚至忘了对面的是谁，就在他松手的那一瞬间，洛萧突然挥起拳头，朝着他的嘴角就是一拳砸了下来！

砰！

洛萧几乎用尽了全身力气，莫南爵猝不及防，被这一拳打得俊脸一偏，硬生生地向后退了几步！

血腥味瞬间从嘴角蔓延开来。

莫南爵倒抽一口凉气，他直起身体时，用食指轻按了下嘴角，火辣辣地疼，指腹上鲜血印明显。

莫南爵眉宇间带上抹轻笑，走上前一手搭上洛萧的肩："洛总这一拳，当真是为跳楼摔残做最后的挣扎。”

洛萧冷冷地看着他，目光冷厉：“这一拳与你对小染做过的事情相比，还太轻了点。”

“啊……”

病床上，童染见状张大了嘴巴，她裹着薄被蜷起身体，拼命地朝里面缩去：“不要打，不要——”

“小染，你醒了？”洛萧见状收回目光，甩开莫南爵的手，上前想要坐在床沿，“感觉怎么样？”

莫南爵冷笑一声，怎么，洛萧这个动作，难不成是想告诉童染，是自己先要打他的？

童染愣愣地看着他，感觉到他倾向自己的身体，有些不由自主地向后缩了缩。洛萧见她闪躲，眉峰皱起：“小染……”

“洛萧，不要得寸进尺，”莫南爵扳住他的肩，侧身挡在床边，“今天看在童染的面子上，你现在就可以走。”

否则，打了他莫南爵的人，还想轻易地离开？

洛萧却纹丝不动：“我要带她走。”

“哦？”莫南爵勾起冷笑，嘴角泛起带血的青紫，丝毫不影响他的气势，“我很好奇，你哪来的自信。”

“因为小染始终是我的。”

“是吗？”莫南爵若有所思地点了下头，他突然侧开身子，将目光投在童染身上，“既然洛总你如此自信，那么就让童染自己选择，若是她今天选择跟你走，我绝不会多为难。”

当然……他这番话，肯定是给自己留了退路的。

若她真的选了洛萧，今天之后，他一样会把她抓回来。

其实，莫南爵并没有多少胜算在手。

对于这个提议，洛萧自然不会反对：“好。”

至于胜算……

他掩去那抹担忧，在小染这里，他应该稳赢莫南爵的，不是吗？

莫南爵闻言，抬眸瞅了眼病床上窝着的童染。

他不信她没听懂他的意思。

童染用薄被将自己自眼睛以下全部裹起来，她动作带着小心翼翼，看向面前的二人，目光清清，竟让人看不进她的眼底。

“选择题，做不来？”莫南爵俊目微眯，带着危险信号睨着她，“童染，你这么多年书白念了？”

洛萧双手负后，视线也定格在童染身上。

被两道目光同时看着，童染只觉得浑身不自在，她掀开身上的薄被，没有多少力气，只得一点一点地朝床沿挪过去。

莫南爵眼底一沉。

她这个动作，是要下床跟洛萧走？！

这女人还真够给他面子的。

童染慢慢吞吞地挪到床边，一双莹白如玉的小脚伸下床，四处晃晃，找到拖鞋之后，穿好就起身朝洗手间走去。

门刚刚关上，洗手间里面就传来一阵洗脸的声音，莫南爵和洛萧对视一眼，谁都没有开口。

过了好一会儿，洗脸的声音才停了下来。

洗手间的门被打开。

童染手里拿着毛巾，她擦了下脸，然后……侧身走进了一旁的浴室。

紧接着，浴室里又传来了哗啦哗啦放水的声音……

莫南爵剑眉一皱，脸色明显黑了下去，这女人居然在洗澡？！也不知道过了多久，浴室里面的水声才停了下来，童染用大浴巾擦干净身体，换上旁边橱柜里的棉绒睡衣。

就在她换睡衣的时候，病房门被人推开，陈安端着需要注射的医用药盘走了进来，他看向病床边的二人，不解地皱眉：“你们都站着做什么？”

莫南爵总不能说在等女人洗澡，他不悦地抿了下唇：“没你的事。”

“怎么，爵，我的地盘说没我的事？”陈安闻言笑了下，也知道场面很尴尬，算是缓解下气氛，他视线扫向四周，“童染人呢？”

莫南爵冷着脸，并没有接话。

就在此时，浴室的门被人推开，伴随着一阵沐浴露的香气，童染擦着头发走了出来。

莫南爵看见她，脸色更冷：“你洗得倒爽。”

童染抬眸看向他，还没开口，莫南爵又说道：“你现在可以选了。”

洛萧闻言也看向童染。

显然，他也很期待她的选择。

“选什么？”陈安完全不在状况，这是在玩什么？

难不成……爵叫童染在他们之间挑一个？

童染停下擦头发的手，从醒来到现在，她始终没有什么过激情绪，看起来倒是和正常人无异。

莫南爵见她不紧不慢的，心中越发揪起来，他眉眼凌厉地扫过去：“童染，你还不选？”

这女人真傻了不成？

童染却对他这话充耳不闻，她转身走回浴室，将毛巾放好后又走出来，却直接走到了陈安身边，伸手扯了下他的袖子：“我饿了。”

莫南爵：“……”

洛萧：“……”

陈安瞬间怔住。

童染见陈安没反应，直接伸手拽住了他的袖扣：“我饿了，有吃的吗？”

莫南爵一张俊脸几乎阴鸷到吓死人，她这是选了陈安？

陈安怔了半天，反应过来时，浑身被一道道刀尖般的目光射得几乎体无完肤，他急忙触电般地躲开童染的手，身体闪到一边：“你认得我是谁吗？”

童染手顿在半空中，五指还维持着抓着他袖扣的姿势，她点了下头：“我如果不认得你，怎么找你要吃的？”

陈安：“……”

莫南爵目光一沉，看着陈安的眼神更冷，认得？难道他们之间还有什么见不得人的关系不成？

“这话可不能乱说……”陈安连忙摆了摆手，“童染，你是不是恨我？”

恨他所以用这招报复他……

要是童染真的选了他，爵还不得把他剁成肉酱？

再加上个深不可测的洛萧……

“我只是说我饿了。”童染一本正经，清秀的小脸看起来不像是开玩笑的，“难道你们这里连吃的都没有吗？”

陈安闻言松了口气：“吃的肯定是有的。”

童染上前两步，再度伸手拽住他的袖扣：“那你现在带我去吃吧，我真的好饿。”

陈安：“……”

他又不敢当着莫南爵的面推开童染，只得再度躲开，小姑奶奶，你这是非要置我于死地吗……

洛萧抿着唇，他紧盯着童染的侧脸，并未开口。

“童染，你给我过来！”莫南爵忍不下去了，这女人绝对是欠抽了。他双眼眯成一条缝，警告般地开口，“不要让我再说第二次！”

他真的是脑袋抽风了，竟然眼睁睁地看着她当着他的面，去拉另一个男人？！

还该死的让她选什么选，她就是他的，她没有选择权！

童染秀眉不着痕迹地蹙了下，她侧过身体，用背影对着二人，抬眸看向陈安时，瞳仁闪了闪：“那现在可以去吃吗？”

陈安刚想走开，可视线同她相碰的时候，很明显地捕捉到童染眼里的求救信号。他微微一怔，很快便明白了她的意思，于是将话锋一转：“你是不是感觉不太舒服？”

此话一出，莫南爵立刻紧张起来：“不舒服？哪里？”

“好像……是有点，”童染顺着他的话点了点头，伸手捂住腹部后，微微弯下腰去，“感觉胃里有点空空的，饿得难受。”

“怎么会这样？”莫南爵看向陈安，语气不自知地急切，“是和胸口的刀伤有关系？”

“应该不是，我觉得可能是醒来后身体的自然反应，毕竟也睡了这么久，”陈安垂眸，他也看不出童染是不是装的，但是这样看过去，好像也确实不太舒服，他朝二人看去，“你们就不要再刺激她了，她才刚刚醒，让她好好休息，卧床几天，恢复精神再说吧。”

“听见没？还不快滚回来躺好？！”

陈安毕竟是医生，他这么一说，莫南爵立即皱起了眉头，他大步走上前，扯住童染的胳膊后弯腰将她打横抱起，转身放在了病床上：“再让我看到你下床，我就剁掉你的脚！”

他将薄被裹在童染身上，她并没有动，任由他盖好之后，就闭上了眼睛，分明就是一副即将睡着的样子。

莫南爵见状抿起薄唇，指了下她看向陈安：“她这下睡过去……”

该不会又睡个十天半个月?

“正常睡眠，别担心，”陈安见事情终于得以收场，自己也没被剁成肉酱，便无所谓地摆摆手，如释重负，“什么时候起来都随她心情，总之和病情是无关的。你们都出去，别打扰她，让她好好睡吧。”

“听见没？”莫南爵瞪向洛萧，语气不善，“还不快滚？！”

洛萧并不同他争，他自始至终都没有开口，这会儿垂下眸，看了眼病床上的童染，语气柔了几分：“小染，我先走了，改天再来看你。你照顾好自己，别让我担心。”

童染一动不动地躺着，闻言只是睫毛轻颤了下。

洛萧见状勾唇一笑，对着陈安礼貌性地点了下头，转身就走出了病房。

洛萧一走，莫南爵紧绷的俊脸这才松了下来，他睨向陈安：“你确定她不会有事？”

“这个嘛，我又不是神仙，”陈安耸耸肩，朝病床上挑了下眉，轻咳一声道，“反正现在都没人了，你可以自己问她。”

说完，他也不当电灯泡，走出去时还好心地带上了门。

病房内的气氛顿时陷入沉静之中。

莫南爵是什么人，陈安那么一句话，他瞬间就明白过来了。他冷着脸，声音更是冰冷：“怎么，你装睡还装上瘾了？”

这么快就被拆穿了?

童染将眼睛拉开一条缝，入目，便是一张逼近的俊颜。

炙热的呼吸喷洒在脸上，她不由得一怔。

莫南爵低下头，见她肯睁眼，便伸手搂住她的细腰，将她整个人拉起来后搂进怀里：“童染，你玩了个自尽，什么都没变，胆子倒是大了不少。”

“……”童染依旧温顺地垂着眸，并不说话。

“怎么，这么老实？”莫南爵让她整个人坐在他腿上，霸道地扳过她的脸，“知道刚刚自己错了？嗯？”

童染抿着唇，她哪里错了？

她刚才只是避免战争发生罢了，不管她选谁，莫南爵还是洛大哥，难保他们不会冲动，肯定都会有麻烦的事情发生，她不希望他们又为了她打起来……

所以，她只有装傻，拜托陈安帮自己蒙混过这一关。

“不说话，就是承认了？”

莫南爵紧盯着她的小脸，嘴上虽然这么问，心里却是雀跃的，她终于醒了，他不用再日夜看着她一动不动，他可以抱着她，感受她的呼吸和挣扎……“你放开我！”童染只觉得胸前一凉，酥麻之感升起，她不舒服地伸手推他，“你别这样——”

“怎么，我碰都不能碰下你了？”莫南爵怎么可能松手。

“……”童染被他堵得哑口无言，她用力地别过头去：“你能不这样吗？我不舒服……”

“不舒服？”莫南爵听到这三个字才顿住了动作，“还是胃？”

“头也有点疼，胸口胀。”童染没有撒谎，她确实觉得头晕目眩，估计是一起来就洗了个澡的原因。

想到童染刚才醒来的反应，莫南爵突然就皱起了眉头，他薄唇动了动："你知道自己叫什么名字吗？"

童染怔了下，他这么问是什么意思？

见她不说话，莫南爵突然紧张了起来，他抱起童染让她坐在病床上，双手握住她的肩：“我问你，我是谁？”

“……”童染又是一怔，他不是莫南爵吗？

“回答我，”莫南爵握在她肩头的五指收拢，死死地盯着她，“认不认识我？我是谁？”

“你……”童染张了张嘴，他这是以为她失忆了？

“你当真不认识我？”莫南爵俊脸一沉，还是觉得不会这么严重，又开口问道，“你知道自己为什么在这里吗？”

童染见他一脸严肃，竟不想去破坏他难得的紧张，便摇了摇头：“不知道。”

“那我是谁？”

“我好像……不认识你。”

“刚刚在这里的那两个男人，你都不认识？”莫南爵试探着找出她的记忆点，“你不是还叫门口的那个带你去吃东西？”

“我只是看他像医生，才找他的，”童染故作平静地开口，说起来也是一套一套的，“你们三个好像很眼熟……但是我真的都不认识。”

话音落下，这回轮到莫南爵彻底愣住。

这女人是真的失忆了？！陈安到底靠不靠谱？！

“你怎么了？”童染看着他黑着的脸，心中想笑却又忍住了，她伸手推了推他的肩，小心翼翼地问道，“你能告诉我，我是谁吗？”

莫南爵睨了她一眼，突然开口：“童染，你在骗我。”

童染心里咯噔一下，险些就要穿帮，她强自镇定后，小脸上露出迷茫的神色：“我的名字，叫作童染吗？”

莫南爵抿唇不答，黑眸一眨不眨地打量着她的一举一动。

童染被他看得发毛，不由得缩了下身体：“我以前……是不是经常惹你生气？你是不是经常这样恶狠狠地瞪我？”

莫南爵眉头一皱：“我什么时候恶狠狠地瞪着你了？”

童染忙推开他搭在自己肩头的手，脚伸下床：“我看，我还是去找医生好了……”

“你敢！”莫南爵一手就轻而易举地将她扳回去，他咬着牙，“我说了，你敢下床，我就剁掉你的脚！”

童染闻言抬眸对上他的：“你这不就是恶狠狠吗？”

“……”莫南爵脸色一沉：“你在套我的话？”

“我为什么要套你的话？”童染摇下头，“我只是觉得你太凶了，我怕你会打我。”

“我从来不打女人。”

他这句话，让童染陡然想到了韩青青，韩青青别过头去：“谁都会这样说，但是做起来又不一样了。”

“我向来说到做到，”莫南爵不厌其烦地将她的脸扳回来，“你当真不记得我？”

“不记得，”童染也不挣扎，目光灼灼地看着他，“那，你是我的什么人？”

莫南爵见她眉目平静，真的不像是在撒谎，他想了下，觉得这是个很好的机会：“我是你老公。”

“……”童染差点被他的这个回答给哽死，她诧异地看着他：“你怎么可能会是我老公？”

“怎么不可能？”他眯眼，“难道我还配不上你？”

“不是，是我配不上你，”童染怕他兽性大发，忙解释，“你又高又帅，看起来就是有钱人，我这种人怎么可能是你老婆……”

“我说你是，你就是。”

莫南爵坐到床沿，将她耳际的秀发拢到耳后，低头用舌尖熟练地卷了下她小巧的耳垂，引来童染浑身一阵战栗。

“我们是什么时候结的婚？”

“两个月前，一见钟情，闪婚。”莫南爵毫不犹豫地回答。

童染被他胡编乱造的能力哽住：“……那我们的初次相遇是什么样的？”

莫南爵随便胡扯了个地方：“在一个风景如画的美丽地方。”

“……那婚礼美吗？”

“美。”

“结婚之后你对我发过火吗？”

“没有。”

“你强迫过我任何事情吗？”

“一件都没有。”

“你是不是经常夜不归宿，留我一个人在家？”

“显然不是。”

“你有没有经常使唤我做这个做那个，替你服务？”

“怎么可能，从来都是我服务你。”莫南爵自然是事事都留个好印象。

“你喜欢赌博抽烟喝酒吗？”

“从来都不。”

“你会带女人回来，在家里亲热吗？”

“这更不可能了。”

“你会乱扔我的东西吗，比如我个人的物品？”

“我向来尊重你的一切。”童染将他做过的所有事情都说了一遍，他件件否认，话落还一副受冤枉的表情。

“真的都是实话实说吗？”童染一脸天真无邪，问得懵懂，“我真的可以相信你吗？”

“当然，你只能信我，”莫南爵郑重其事地点下头，“从以前，你最信任的人就是我。”

“我骗过你吗？”

“……没有。”

“那我以前有爱过别人吗，你是我的初恋吗？”

“当然，你只有我一个男人，只爱我一个人。”

“那你爱过别的女人吗？”

“没有，我也只爱你。”

“那我们有孩子了吗？男孩女孩？”

“这个，正准备要，已经在实施阶段了。”

“哦。”童染点了点头，“我知道了，谢谢你告诉我这么多。”

“什么叫你知道了？”莫南爵不悦地皱起眉头，他这么优异的表现，正常女人听了应该感动才是，“你就没什么感想吗？”

“感想？”童染偏头想了下，摇了摇头，“没有。”

莫南爵自然不满意这答案：“为什么没感想？”

“为什么要有感想？”

“你不觉得我做的那些事，是个合格的好老公？”

“没有啊，”童染不解地反问一句，“我问的那些不都是老公该做的吗？难道有哪一件是额外的？”

“……”好像还真没有。

莫南爵俊脸上闪过一丝窘迫，他伸手扯了下领带：“没什么，你满意就好。”

“我突然很想问一个问题，”童染抬眸同他对视，目光灼灼，“莫南爵，你要不要脸？”

“什么？”莫南爵闻言怔了下，随即勾起一抹笑，“我在你身上要脸做什……”

话还没说完，莫南爵陡然想起并未告诉她自己叫莫南爵，勾起的笑意瞬间凝结在嘴角。

这女人在耍他？！

他低下头，视线随之滑下去，果然就看到童染带笑的眉眼。莫南爵双目一寒，却又像要喷火：“童染，你敢耍我？！”

“我没有啊，我什么时候耍你了？”童染怎么可能承认，她强忍着笑意摇摇头，“我也是突然才想起来的，刚刚真的什么都不记得了。”

“童染，你——”莫南爵这会儿连骂都骂不出来。她居然给他玩假失忆？！

这女人活腻了？！

“我怎么了？”童染咬着下唇，看着他咬牙切齿的模样，差点就要笑喷出来，她故作正经地开口，“莫南爵，你不是个合格的好老公吗？我怎么了，你直接说出来啊，你自己说的，你向来尊重我的一切，不是吗？”莫南爵单手撑在她的头侧，闻言别过头去，一想到自己刚才回答的那些问题，竟然是在她没有失忆、完全清醒的情况下……

那不就等于，她看着他一个人在那儿睁着眼睛说瞎话吗？

莫南爵第一次觉得无比丢脸，他手掌贴向额头，纵然脸皮再厚，一时之间，他也不知道该说什么好。

他竟然被她这么摆了一道！“你怎么了？”童染见状伸手去拉他贴住额头的手，只觉得自己从来没有这么开心地笑过，哪怕是小时候都没有，“合格的好老公，你这是怎么了？不舒服吗？需要我这个从来不为你服务的老婆替你叫医生来吗？”

莫南爵俊脸一沉：“童染！”她居然敢调戏他？！

“我在，从来不对我发火的好老公，喊我有事吗？”

莫南爵觉得这简直就是自己挖了个坑，然后自己双腿一抬跳了下去，还顺带着叫人把土填下来。他觉得自己第一次在女人面前栽了个大跟头，还是自己爱的女人。他声音压得很低：“童染。”

“嗯？”童染以为他又要说什么狡辩的话，便下意识地想要堵他，“合格的好老公，你又怎么了？”

莫南爵低下头，将俊脸埋进她细嫩的颈窝处轻蹭着：“我想听你再叫一遍。”

“叫什么？”童染没有听明白，伸手捶了下他的肩，“难道继续叫你合格的好老公……”

话音还没落，她猛然间反应过来他说的叫一遍是指什么，脸上一红，连带着颈间也跟着发烫了起来。

她咬住唇，自然是不肯开口再叫。

“怎么不叫了？”莫南爵鼻尖充斥着清幽的体香，他没有抬头，腰间的手反倒收得更紧，“还需要我再不要脸一点吗？”

“……”

“只要你每天叫三次，脸这个词从此以后可以和我无关，反正在你心里我也从来没有过，要不要无所谓，”他吃定了她，一招就能完美反击，“怎么样？你考虑下？”

“……”

“不说话就是默认了，来，现在把这些天缺的先补叫完。”

对于莫南爵这种人，童染再怎么耍他，到头来也只能甘拜下风：“不闹了，你快起来……压得我不能呼吸了。”

莫南爵不肯起身：“这些天我为了照顾你，一天都吃不了一口东西，怎么会压得你无法呼吸？”

“我以为我死了。”童染双眼睁得很大，有些出神地望向天花板，“我听见了好多人在喊我，可是我怎么也找不到你，也没有听见你喊我，睁开眼睛什么也看不见，身上很冷，四周都是黑的。我伸手扑腾，也不敢再睁眼了……”

“我没同意，你想死哪有那么容易？”莫南爵抬起头，俊脸上还有压出的红痕，“你自己捅自己一刀，这笔账我会跟你算清楚。还有，你之前说的那些话，我听清了，也都记住了。”

童染闻言垂下眸，再强颜欢笑，可是之前那一幕始终是真切地发生过，鲜血喷出来溅在她的脸上……

她心里憋得难受，只得将目光瞥向别处：“莫南爵，我们……”

“好了，我知道你要说什么，”他食指竖在她的唇上，示意她不用开口，“你先把身体养好，别的，以后再说。”

童染见他说得坚决，也不再反对，她轻点下头：“好。”

“好好睡一觉，我晚上再来。”

莫南爵撑了下手臂站起身，抬头时，薄唇擦过她的脸颊，印下一个吻：“相信我，那件事情我一定会给你一个满意的答案，不会让你白白受惊吓，我自己的清白，我自己来还。”

童染抬眸看着他的俊脸，心中还是难以抑制地泛起涟漪，她撇开了一切，点了点头：“好，我相信你。”

“乖，睡吧。”

莫南爵也不再多说，帮她盖好被子之后，便转身走出了房间。童染睁着眼睛，自然是睡不着的，她看着天花板发呆，脑子里乱糟糟的，也不知道在想些什么。

Chapter 12
我们在一起就是家

过了一会儿，房门被人轻推开，童染侧过头，就看见陈安端着药盘走了进来。

“我以为你睡着了。”陈安视线在四周扫了一圈，“爵走了？”

“嗯，刚走没多久，他说晚上再来。”

童染掀开被子坐起身，身上的睡衣还有几粒扣子维持着被拉开的弧度，她赶忙伸手系好，脸上有些红晕：“你……你找他有事吗？”

“我不找他，”陈安笑了下，他端着药盘走过来，将童染今天的药水注射完，而后收起针管，“没想到爵这么猴急，八成是回家换裤子去了。”

陈安同莫南爵经常开这种玩笑，童染也习惯了。她将挽起来的袖子拉下来，又坐回了病床上，见陈安并没有离开的意思，她斟酌了下开口：“你是不是有话对我说？”

“聪明，”陈安目露赞赏，将药盘里的东西收拾好，坐在床边的软沙发上，“有些事按照爵的性子，他断不会跟你解释什么，但是我觉得你还是有必要知道。”

“好，你说。”

“关于韩青青的事情，我知道对你刺激很大，也让你受了很大的惊吓，但是这件事情并不是你看到的那么简单。”陈安简单地将他的推测大概说了下，“爵那天下午注射进韩青青体内的只是普通的安定，并不是你所认为的致死毒药，但是她的死亡也确实是因为那一针安定，所以有问题的不是爵，是韩青青的身体。”

陈安只是稍微点了一下，童染听后皱起眉头。她并不傻，细想了下就能明白：“你的意思是，青青体内……本来就有致死的毒素，安定只是起了一个推动的作用？”

“对，你还挺聪明的，但是你漏了个词，”陈安顿了下补充道，“恰好。安定只是恰好起了个推动的作用。”

童染秀眉皱得越发紧，她有些不可置信：“你是说，青青会死……这不是一场意外？”

“是意外，但是这意外并不分人，”陈安回想起韩青青疯狂的行为和表现，“如果那天她爱的不是爵，那天扑上去抓住的人不是爵，而是别人，那你就会看到她死在别人的手里。明白吗？”

童染心底一沉。

“这一招确实很漂亮，既能摘花，还能收果，但完全不需要经过自己的手，保自己一身清白。”陈安微笑起来，眸内漾起的却绝非温和之色，“所谓借刀杀人，就是如此。不过，这些也都只是推测，没有证据支撑。”

“可是……”他说得隐晦却又明了，童染听后只觉得浑身发凉，她下意识地环住双肩，“如果你这些推测都是真的，那，借刀的那个人会是谁？”

谁会如此狠毒……竟然用人命来做赌注？！

她问了所有人听完这番话都会问的一个问题，陈安闻言却并不回答，他微微一笑，站起身时，目光极深地看了一眼童染，而后便朝门外走去：“该说的我都说了，言尽于此，别的我也帮不了你们。”

“等等！”童染出声喊住他，她激动地下了床，双拳紧攥，乌黑的秀发下，一张小脸越发苍白，“陈安，你知道是谁，对吗？”

“我不知道，因为我没有任何证据。但凡事百密终有一疏，我比你们看得更明白，只因为我是个局外人。”陈安没有回头，代替莫南爵说出了那句话，“但是你想想也许就能有头绪，韩青青死在爵手中后，产生的一系列后果中，最为严重的是什么？”

所谓当局者迷，当时的童染并不能完全理解他的意思，陈安目的也达到了。他伸手握住门把，却还是顿了下：“爵是我从小到大最好的朋友，我们生死患难过，那些年扶持着走过来，我看着他倒下去也看着他重新站起来，所以我不希望看见他到头来栽在一个女人身上，可是这次他确实动了心。”

说着，陈安回过头，目光带着探究：“童染，你说你爱他，是真的吗？”

到了此时此刻，不管韩青青的事情是否存在，不管她心里有多么痛，可是她爱他，这是她再怎么骗自己，也无法否认的事实。童染轻点下头：“是……真的。”

陈安预料之中地点点头，他想说爱上才是最大的劫难，可是别人感情的事情，他终究是不可能插手的。他转过头：“如果你以后伤害了他，我第一个不会放过你。”

话落，陈安便转身出了房间。

童染后退几步坐在床沿，她拳起双腿，双手抱住膝盖后，只觉得浑身都在发抖，陈安方才的那番话像是一张巨大的网，在她的脑海中盘旋不去。

韩青青的事情，还能是怎么样？

那天凌晨她去仓库，一切都已经说得很明白，青青是回来报仇的，说的每一句她都记得很清楚，这些她都知道了，那，还有什么是她不知道的？

难道青青离开锦海市，还遇到了谁吗？

还能有谁？

一系列的疑问展开后，童染发现，其中当真有些不易被发现却说不通的结，莫南爵深知韩青青对她有多重要，聪明如他，断不会傻到在她面前直接动手……

可偏偏，他确实导致韩青青一针毙命。

这就是最大的问题。

还有，莫南爵的人找到了韩青青，那么罗成现在又在哪里？

问题越来越多，童染只觉得头痛欲裂，她将头埋进臂弯处，胸口的伤口虽然已经成了疤痕，可还是会疼，她闭上眼睛，仿佛还能看见韩青青死不瞑目的那张脸。

还有自己将匕首捅进胸口时那种撕心裂肺的疼痛……

七天之后，童染早上做了个全身检查后，被告知可以出院了。

“这些都扔了。”病房里，莫南爵将她穿过的那些睡衣一股脑踢开，他冷着脸，“医院里用过的，留着做什么？”

童染忙要去捡，那些都是才穿过一次的：“你别这样，很浪费的……”

“浪费？”莫南爵勾起唇，伸手将她拽到跟前，“你多陪我做几次，就都补回来了。”童染推开他，今天太阳很好，阳光暖暖地洒进来，照得人很舒服，她逆着光站直身体，直视眼前的男人：“莫南爵，今天出院，对我来说，是一个全新的开始。”

“全新的开始？”莫南爵闻言双眼一眯，“你的意思是，你和我的过去已经被你扔掉了？”

“……”

“我告诉你童染，除了我，你别想着什么和这个男人开始跟那个男人结束的，我绝不可能同意！”

“你就不能听我好好把话说完吗？”童染无语，在他那从来没干净过的思想里，她就非得有男人才能活下去吗？

她为什么不能有属于自己的生活？

“给你一分钟。”

“莫南爵，”童染指了指自己的胸口，语气并不是在说笑，“我已经死过一次了，所以这次，我不想再像以前一样生活了，我希望给自己，还有我们……一个全新的机会。”

莫南爵敏锐地眯起眸子，审视着她认真的小脸：“你想要什么样全新的机会？”

这女人又想跟他玩哪出戏？

童染没想到他会直接这么问：“那，我说了你会答应我吗？”

莫南爵走到边上的软沙发上坐下，双手交叉于脑后，下巴微扬：“除了离开我，至于别的，我可以斟酌下。”

见他一副慵懒的模样，童染皱起眉头："莫南爵，我现在是很认真的，不是在和你开玩笑，我希望你也能认真点。"

"那好，我也认真点，"莫南爵闻言跷起一条腿，"我现在就想和你上床……"

童染："……"

"你说认真，我说的就是我最真实的想法，"莫南爵见她红了脸，俊脸上扬起笑意，"说吧，什么条件？"

童染好半天才回过神，他一句话总能将她堵得死死的，她闻言怔了下："条件？"

"你跟我说给一个机会，不就是要开条件吗？"莫南爵睨着她，他眯起桃花眼，"你若是老老实实说，我也许会考虑，要是绕弯子，那就彻底没的商量。"

一语击中要害。

童染本想绕一绕将他绕进去，可是这会儿知道行不通了，她索性就直接开口："我不想再回帝豪龙苑住了。"

"为什么？"

"因为我想自己出去住，这样能有自由的空间。"

"你要自由的空间做什么？"

"每个人都有属于自己的时间，我希望我也能一样，做一个正常生活的人。"

"这和你不住在帝豪龙苑有什么直接关系？"

"如果住在帝豪龙苑，那不就是你的情人吗？"

"哦？"莫南爵危险地眯起眸子，他倾下身体，双手撑在膝盖上，"童染，你这句话，我是不是可以理解为，你想离开我？"

"是，"童染并不否认，她点了点头，"我想离开你，不想再做你的情人。"

莫南爵脸色一沉："这就是你所谓的，一个全新的机会？"

"是。"

"把东西放下吧。"

童染一下子没听懂："什么？"

莫南爵站起身朝门口走去，神色阴鸷："我觉得你现在出院太早了，脑子的问题还得治治。"

"……"童染哑口无言，她忙伸手拽住他的手腕："莫南爵，你能不能不要这样？我这次真的很认真！"

"很认真？"他蓦地转过身，双手握住她的肩，双眼冷冷地眯起，"童染，你第一次如此认真地跟我说话，就是想谈该怎么离开我？"

"莫南爵，你——"童染彻底无语，她突然发现，有时候这男人的智商真的不得不令人怀疑，"你就非得这么极端地理解吗？难道我们要在一起，就不能是别的关系和方式吗？"

"哦？那你还希望是什么方式？"

"不管是什么方式，我只希望结束现在的这种关系，"童染推了下他的手，"因为金主和情人是不会有结果的。"

她不希望他们之间一直这样下去……直到最后无疾而终。

新的开始，所以一定要有新的结果。

但莫南爵却还是没理解，纵然他平时再怎么聪明绝顶，这会儿满脑子却都被她说的那句"我想离开你"给占满了，什么理智和深思熟虑都悉数被他抛诸脑后，"难不成变成你是有夫之妇，然后我们再偷情？"

"莫南爵！"童染觉得他这会儿简直像个幼稚的大男孩，怎么也点不通，她深吸了一口气，"在你的脑子里，难道男女之间的关系除了金主和情人，就只剩下偷情这一种了吗？"

"不然是什么？"男人皱起眉头。童染伸手扶住额头，得了，没什么说的了，是她的错，是她高估他的智商了……

他还能不能再蠢一点？

莫南爵见她一脸无奈，俊脸更冷："童染，说话！"

"你还要我说什么？"童染连瞪着他都没力气了，"你已经把我给堵死了。"

他的脑子转不过弯来："童染，你到底想要什么？"

"莫南爵！"童染简直找不到词来形容现在的他，"你简直就是块木头！"

"木头不是正合你的意吗？"莫南爵说着拽住她的手腕，"跟我回去！

你一天不给我打消这个念头，以后就待在帝豪龙苑别出来！”

他的力气很大，童染被他拖着走了几步，还没来得及开口，他突然转过身，一个弯腰就将她扛上了肩头！

她不顾形象地大喊出声：“莫南爵！我警告你，你要是再不放我下来，我以后都不会给你追我的机会了，到时候你再怎么追我，我都不会做你的女朋友！”

砰——

她话音刚落，莫南爵已经走到了电梯口，他右腿一踢，直接将即将合上的电梯门挡住，里面的人都吓了一跳：“这……”

“都给我滚出去！”

莫南爵大步跨进去，高大的身躯让电梯都显得逼仄，大家见他肩头还扛着个女人，也不想惹事，便都走了出去。

“莫南爵！”童染气得用膝盖顶他，他这会儿也没再用力，手一松，童染便从他的肩头滑了下来，“你松开！”

他却没有理会她这句话，他握住她的肩将她拉起来，抵在电梯壁上：“你刚刚说什么？”

童染抬头，便触及他澄亮的眸子，她咬住下唇：“我说你变态，没听见吗？”

“不是这句，上一句。”

“你是浑蛋，是暴君……”

莫南爵拧起眉头，直接打断她的话：“你想和我谈恋爱？”有这样直接问的吗？

“我什么时候说想了？”童染自然是否认的，“是你听错了。”

“你想搬出去住，也是因为这个？”莫南爵完全无视她的话，自顾自地问着，“为什么非得搬出去住？不行，换一个。”

“为什么不行？”童染一下子急了，脱口而出道，“如果不搬出去住，怎么能叫谈恋爱？”

莫南爵闻言一手扳过她的脸，俊脸含笑：“怎么，你承认想和我谈恋爱了？”

童染彻底败下阵来，若是绕起来，他分分钟就能将她绕得找不着北：

“莫南爵，我只是想结束我们之间金主和情人的关系，因为这种关系是见不了光的。”

莫南爵勾唇：“要见光做什么，你难道不知道，熄灭了灯，感情更深？”

“……你能正经点吗？”童染伸手将他推开，小脸上漾着认真的神色，“莫南爵，如果我们不结束这种交易的关系，那么我们之间的一切永远只会停留在身体上，也许不会退步，但永远都不可能更进一步，你难道不明白吗？”莫南爵闻言深邃的眼底蹿起火光，他不知道她现在所想的，伸手将她拉到胸前：“你说的是真的？”

不得不承认，她那句“更进一步”，突然让他产生了前所未有的期冀。

“是真的。”童染轻点下头，“莫南爵，我只是希望我们能给彼此一个空间，一个跨出去的机会……不管以后会如何，起码这一步，我是真的希望能走出去。你好好考虑一下，好吗？”

她这一番话，已经将他彻底打动，他垂眸睨视着她的眼睛：“那我怎么能确定，你这一步走出去，是使得我们更进一步，还是想要走到别的男人身边去？”

他心中始终有个芥蒂。

童染同他对视，一个字一个字极为清晰：“莫南爵，你若是不相信我，那这番话就当我没说过。”

莫南爵眉头拧起来后松开，几番思索之后，电梯刚好到了一楼，他牵起她的小手，裹住后朝外面走去：“我们先回去，东西我让周管家找人来收拾。”

童染闻言没有回答，任由他牵着走到车边，她垂着眸，心底却荡起一圈难以抑制的失望。

他果然，还是不信她的。

帝豪龙苑内，周管家已经准备好了午餐，童染随便吃了几口，便借口不舒服上了楼。

莫南爵也没有出声喊住她，直到童染的身影消失在楼梯口，他这才站起身，接过用人递的外套便出了门。

周管家看着这两个人，只觉得很奇怪，安少爷之前说，少主和童小姐已经和好了，怎么看这情况，好像又开始冷战了？

他摇摇头，这相爱容易，相守难啊……

晚上的时候，莫南爵并没回来。

由于吃了药，童染很早就睡下了，迷迷糊糊中感觉到房间的门被人打开，她只当自己还在医院，以为是护士来查房，也就没在意，翻了个身准备继续睡。

蓦地，头侧的床向一边凹了下去，男人熟悉的气息灌入耳鼻，童染咻的一下睁开眼睛，入目便是一双黑眸。

她怔了下："你……"

话未出口，童染就闻到了他身上浓重的酒气，隐约还有女人的香水味。

"怎么还没睡着？"莫南爵低下头，将俊脸埋入她的颈窝处轻蹭下，今晚的应酬他莫名其妙地喝了很多酒，也不知道心里为什么特别烦躁，"在等我回来？"

"我已经睡了，是被你吵醒了。"童染心里莫名泛酸，伸手推着他的脑袋，"你起来，压着我难受。"

"难受什么，我又不是第一次压着你。"他有些微醉，听着她娇柔的声音，喉间轻滚了下，薄唇移上去含住了她的耳垂。

莫南爵搂紧她，虽然她此刻真实地躺在他臂弯里，可他却觉得她像是流沙一般，怎么也抓不住。

早上在医院，她说想要搬出去住，想要将他们之间的关系推进新的一步，他又怎么可能不明白？

可是他不敢。

他从未想过自己有什么不敢的事情，可是这一次，他是真的不敢，他不敢放开她，他不敢让她离开自己的视线。

因为他比任何人都害怕失去她。

他轻叹了口气，将下巴抵在她的头顶后，薄唇紧抿了起来。

童染枕着他的手臂，想起他身上女人的香水味，眼眶莫名地泛酸。

第二天一早，童染醒来的时候，身边早已空无一人。

她有些自嘲地勾起嘴角，坐起身体时，丝质睡衣滑下来，能够看到锁骨上明显的淡红色吻痕。

是啊，他是高高在上的男人，就凭她，怎么可能握得住他？

再爱也没有用。

童染突然觉得自己好傻，也许他们之间缺的不是信任，而是天生无法改变的身份。

她下楼吃了早餐，便抱着楠楠窝在了花园的摇椅上。

小猫咪似乎也知道她心情不好，不吵不闹，眯着眼睛躺在她腿上，小脑袋舒服地蹭着。

午后的太阳很暖，莫南爵一大早便出了门，回来的时候，还未下车，就看到了花园内的女子。

她歪着头，也不知道是不是睡着了，手边摆着的书已经快要掉下来，窝在宽大的摇椅中，更显得她身姿孱弱。

莫南爵眯起眼睛，刚下了车，楠楠便听到了声音，从童染身上跳下来，几下便冲到他脚边，喵喵喵地叫着。

他瞅了它一眼，冷淡地将它踢开，楠楠不乐意，直接咬住他的西装裤腿。莫南爵烦躁不已，索性蹲下身子，拎起猫咪的后颈，作势就要扔进边上的垃圾桶。

“等等——”

童染一个激灵醒过来，发觉楠楠不见了，回过头，这才看到回来的莫南爵，她穿着棉拖鞋走过来，将他手里的猫咪抢过来。

莫南爵也就松了手，本以为她会同他说些什么，没想到童染接过之后，抱着楠楠就走了回去。

看都没看他一眼。

他俊脸微沉，跟着她走进去，将钥匙啪的一声扔在茶几上。童染置若罔闻，径自抱着猫咪坐在沙发上，开始按着遥控器。

电视上播放着热门的韩剧，童染双腿叠起，目不转睛地看了起来。

无视他？

莫南爵见状也在另一侧沙发上坐了下来，他左右瞅了下，没话找话：“去给我倒杯水。”

童染一言不发，起身给他倒了杯水。

“把报纸拿来。”

她起身将报纸递到他身边。

“泡杯咖啡来。”

她起身给他泡了杯咖啡。

“这不是我的拖鞋。”

她起身将他的拖鞋拿过来。

“我的笔记本在二楼书房。”

童染闻言轻点了下头，起身上了楼，她并不明白他说的是纸质笔记本还是笔记本电脑，索性全拿了。

下了楼，她将他要的东西摆在他面前的茶几上，完全无视他阴沉的脸色，又坐下来继续看电视剧。

“童染，”莫南爵走过去站在她身边，“你在生什么气？”

“生气？”童染闻言摇了下头，“我为什么要生气？”

“没生气你耍什么脾气？”他皱起眉头，伸手扯住她的手腕将她拉起来。

童染也不挣扎，顺从地站起来，一双大眼睛直勾勾地看着他：“现在还是白天，要做吗？”

莫南爵怔了下：“什么？”

“你看见我，不就是要做吗？”童染说得直白，她望了一眼时间，才不过两点而已，“现在做了，晚上还要吗？”

她说得如此直接，他并未听懂：“你到底在发什么疯？”

“我没发疯啊，你不就只有这一个目的吗？”童染眉目平静，她伸手解开睡衣的纽扣。

莫南爵眸底一暗，抓住了她的手：“童染。”

她也就顿住了手，用询问的目光看向他：“怎么了，不做吗？”她突然间如此顺从，他一时之间竟然有些无法适应，他攥住她的手，将她半解的睡衣拉起来：“你今天做了什么对不起我的事？”

“什么？”

“要不然你突然这么听话？”

“我听话不好吗？”童染光着脚丫，冰冷的木地板冻得她直哆嗦，“莫南爵，我每天都听话，乖乖地待在这里等你回来，这不就是你一直希望的吗？”

莫南爵沉默不语。

童染也不多说，她伸手拂开自己肩头的手：“既然没什么事，那我去晒太阳了。”

“等下，”她刚走了两步，莫南爵突然拽住她，他嗓音低哑，“你确定，你不是要离开我？”

童染顿住脚步，她可以很明显地感觉到拉着她的那只手在颤抖，她回过头：“莫南爵，我对离开的定义，是心，而不是距离。”

“我只想听你对离开我的定义。”

“你问错人了，你该问你自己。”童染扯开他的手，“莫南爵，我的心已经在你身上了，所以决定权在你，不在我。”

话落，她转身就出了房间。

第二天一大早，童染便被叫了起来，她换好衣服下楼，吃过早餐后，他直接坐进了车里：“上车。”

她怔了下，下意识地问出口：“我们要去哪里？”

“你不是开始听话了吗？”莫南爵冷睨她一眼，“废什么话，叫你上来就上来。”

得，童染自知失言，也不再多问就上了车。

一路无话，司机开得也很快，不过几十分钟，黑色的劳斯莱斯就停了下来。

童染探头望去，只见面前是一栋欧式风格的公寓，白色的雕塑立在门口，整栋楼都是蓝白相间的，喷泉旁边，藤蔓爬满墙面，看起来甚是美丽。

带她来这里做什么？

下车后进入小区，几个人便迎了上来，一阵点头哈腰，莫南爵也不同他们说话，接过钥匙后，便径自朝前走。

童染摸不着头脑，却也不好开口问，只得跟着他。

乘电梯上了六楼，莫南爵走到最里面一间开了门，他并未进去，而是侧了下身望向身后的童染："你磨磨蹭蹭的在做什么？"

他先开了口，童染这才问道："那你带我来这里做什么？"

莫南爵冷着脸，始终不愿意说："你不走进去，那我只能扛你进去。"

童染搞不懂他的怪脾气，只得先走了进去，屋内并没有什么特别的，三室两厅，装修是欧式的，很高档，看起来像是新家。

童染四处看了看，只觉得这和自己想象中的差不多，帝豪龙苑那种豪华别墅她自然是奢望不起的，所以以前她幻想的房子也就是这种类型的。

"怎么样，"莫南爵环着胸斜倚在门边上，"你喜欢吗？"

"真漂亮，"童染憧憬般地点了下头，想着自己什么时候能一个人住在这样的房子里，她走到阳台边，推开窗户，面前是一大片的花园，她张开双臂呼吸着新鲜的空气，心情都跟着好了起来，"这里真的好美。"

说着，她突然皱起眉头，回过头时才想清楚他问的那句话："你问……我喜欢吗？"

莫南爵将手里的钥匙一抛，扔在了童染身边的茶几上："这房子的主人现在是你了。"

童染以为自己听错了，她诧异地看向他："你……答应我搬出来住了？"

他不是强烈反对的吗，怎么突然之间……

"你若是邀请我来一起住，我也许会考虑下。"莫南爵瞅了几眼屋内的摆设，还是入不了他的眼，"不过得把东西都换了。"

童染侧过身，弯腰将钥匙拿起来握在手心："你为什么突然同意我搬出来住？"

"这是有条件的，"莫南爵直起身体，修长的手指了下她，又指了下自己，"你说的会更进一步，若是一个月之内我发现没有进步，或者是有任何退步，我会亲自来把你扛回去。懂吗？"

这不就是变相的威胁吗？

童染直视着他的眼睛，这男人老是给她挖坑，这回她不会傻不拉几地就跳进去："莫南爵，我说的关系更进一步的前提，你知道是什么吗？"

莫南爵不解："前提？"

"结束了那种关系，难道我们不需要别的关系吗？"童染无奈，只得再点一次，"有关系，才有发展。"

莫南爵皱起眉头，他睨着她粉嫩的小脸，半晌才冒出一句话："童染，你是叫我追你？"

"你——"童染气得差点将钥匙摔到他脸上，"莫南爵，这种事情还分叫不叫的吗？"

童染几乎要怀疑，是不是高智商的男人情商都很低？

莫南爵眉头皱得越发深，他从未谈过恋爱，也不知道什么样才是谈恋爱，像他这样的人，是从来不缺女人的，讨好这种事情也从来不是他需要考虑的："这种事情你不说，我怎么会知道？"

童染以为他开窍了，于是点了下头："所以……我现在不是说了吗？"

"你说了，所以，"莫南爵俊脸上眼角轻拉开，"我才问你是不是要我追你，这有什么错吗？"

童染摇摇头，这男人八成是追他的女人太多了，让他学会追女人，估计也不是一天两天就能成的事情。

在莫南爵的思想里，估计从来不认为女人还需要追，凭他那张脸，就有无数女人贴上来。

她将钥匙放进口袋里，四处看了下："我去收拾下房间，你今天先回去吧。"

"我为什么要回去？"他扯下领带，径自走到沙发上坐下，随手拿起一份报纸看，"你不用收拾，周管家等下会带人过来，你的衣服也都会送过来，坐着吧。"

"……"童染怔了下，她指了下他，"你不回去吗？"

他跷起腿，直接耍起无赖："今天累了，不回去了。"

"……"

"这里好像小了点。"莫南爵放下报纸，高大的身体让原本宽阔的客厅都显得逼仄，他左右瞅了下，怎么看怎么不舒服，"要不我把上下左右四套都买下来，打通了再住。"

"……莫南爵，"童染好半天才从他土豪的气息中缓过神来，"如果你也住在这里，那我还搬出来干什么？"

"我怎么知道？"他睨了她一眼，"不是你说你不喜欢住帝豪龙苑的吗？"

他说的改变相处方式，但不代表他晚上不能搂着她睡。

“你——”童染觉得在这一件事情上，和他简直无法沟通，他在这方面绝对属于残障人士，“我们都还没确定那种……关系，就住在一起，这进展会不会太快了？”

而且他明明什么都还没说过！

“还需要确定什么关系？”莫南爵闻言冷瞪她一眼，“你是我的女人，这点谁也别想改变。”

童染想了下，他既然问了，她还是尝试着对他进行教导：“那你说，我为什么是你的女人？”

莫南爵看着报纸，眼皮都没抬一下：“因为你是童染。”

“……”这是什么逻辑？

童染扶扶额，彻底放弃了同他交流。她走进卧室看了下，这里一应俱全，被单和日用品都是全新的，也没什么灰尘，应该是才打扫不久。

童染简单地将卧室按照自己的喜好摆设，把拖鞋和毛巾重新洗了一遍，又将卧室和客厅的地板擦了下。

她忙忙碌碌地跑来跑去，莫南爵放下报纸，看着她这副家庭主妇的模样，脑海中浮现出一个词。

老婆。

他在她的身上，莫名地就想到了这两个字。

他抿起唇，童染刚好从卧室里走出来，她擦着手望了眼时间，才忙了一会儿，就已经快要五点了。

莫南爵还坐在沙发上看报纸，她了解这男人的脾性，不请不动：“晚餐你不留下来吃吧？”

“留下来？”他眉梢一挑，随手将报纸丢到一边，“你要做晚餐？”

“是啊，难不成饿死吗？”童染将他丢的报纸捡起来，叠好后放在茶几上，“你要留下来的话，我就多做些。”

这么好的提议，他自然是点头答应的，他双手交叉于脑后，一副慵懒的姿态：“留。”

“好，那你在家等我。”童染说着转身走到玄关处。

“你去哪里？”

“买菜啊！”她穿好鞋子，抬眸发现外面下了雨，便从抽屉里翻出伞来，“不买菜难道红烧沙发和茶几给你吃吗？”

这男人那么挑剔，她还得好好挑选买什么菜，不然不对他的胃口。

莫南爵抿起嘴角，他侧眸望了下：“外面下雨，麻烦。我让人买了送过来。”

“麻烦又没叫你去，你在家等我，我自己去就行了。”

童染睨他一眼，买菜这种事情他才不会有兴趣，她也不多说，拿了伞就开门走出去。

“童染！”

莫南爵从沙发上站起来，喊出声时门已经被关上。他皱起眉头，却又不放心她一个人出门，想了下还是追了出去。

小区外面不远处就是个生鲜大超市，雨越下越大，可伞并不大，莫南爵又很高，二人撑着完全不够，男人拢起大衣将童染完全裹进去，手臂搂紧她的肩，五指收拢呈保护姿态：“童染，你要是今天淋雨感冒了，看我不扒了你的皮。”

“怎么会，我以前可是经常淋雨的。”

童染被他紧裹着丝毫淋不到雨，倒是他护着她半边身体都湿了，冰冷的雨水从他深棕色的短发滴落下来，顺着精致的眼角滑到鼻尖。童染看着便伸出手，摸了摸他的鼻子：“冷吗？”

“你很冷？”他脸色不悦，下这么大雨，这女人身子这么弱，吹吹说不定就生病了，“很冷就不要滚出来吹风，你这么喜欢买菜，明天我给你开间菜市场让你买个够。”

嘴角虽然这么说，莫南爵手臂还是更紧了几分，大手滑下去搂住她的细腰，让她更贴着自己的身体。

童染心里一暖，她深呼吸了下，大胆地伸手环住他精壮的腰，将脸侧过去贴在他温暖的胸口：“莫南爵，你晚上想吃什么？”

莫南爵冷着脸：“随便。”

童染不依，抬起头望着他：“你说说看，我这几天上网学了点菜式，看看有你喜欢吃的不？”

“你能做出什么菜来？”莫南爵抬眸看了眼红灯，差点冲动地想给它拆了，他伸手按住她的脑袋，“给我把脸埋进去！”

这么大的风她是想把脸给吹裂了？！

童染听话地侧过脸，抱着他腰侧的手收紧，闻着熟悉的气息，突然瓮声瓮气地说了一句：“莫南爵，你不要凶我嘛，我这不是想买菜做饭给你吃吗？”

她突如其来的撒娇让他动作一顿，马路上车水马龙，来来往往的车子呼啸而过，莫南爵微微侧过头，就能看见她靠在自己肩上的侧脸，白皙如玉，睫毛长长的，粉唇一张一合，还在说着什么。

他心中一动，整个身体都跟着沸腾起来。

以前他一直觉得真正的保护和遮挡是无穷大的，是他翻手为云覆手为雨时才能体现出来的。

可是现在，这一场雨，一段路，几句话，他怀里能抱着自己心爱的女人，为她挡风遮雨，听她撒娇说着话……

这便是幸福。

这便是人们口中的，爱。

他护住了她，就是护住了他整个天下。

“莫南爵？”红灯已经过了，周围的行人都已经走光，身边的男人却还是没有动，童染这才抬起头，手肘轻顶了下他的胸膛，“你发什么愣呢？”

“童染。”蓦地，他低声轻喊了一句，双眸渐渐染上火热。

“马上就要红灯，我们快走吧……”童染向后倾了下身体，“你别闹，我们先买菜去，不然等会儿就卖完了……”

莫南爵一手拿伞，一手搂住她的腰：“你吻我一下。”

“你别闹！”

“你吻不吻？”

“莫南爵，这是大街上！”

“你若是喜欢，这条街马上就会是你一个人的。”

“……”

“吻我一下，”莫南爵低垂着头，雨滴从削尖的下巴滴落在童染的脸颊上，冰凉冰凉的，“就一下，我就不闹了。”

“你也知道你在闹？”莫南爵本就耀眼，四周已经有人往这边看，童染小脸上红了一片，这男人倔强起来就像个孩子，“莫南爵，回去，我回去好好吻，好不好？”

“不行，”他哑着嗓音，想到她那句“你不要凶我嘛”，他就觉得浑身的神经都在颤抖，“童染，你现在吻我一下，我保证以后都不凶你，再也不会凶你。”

他哄着她，声音轻柔，童染心下一动，脚尖不自知地踮起，差点就要吻上去——

莫南爵勾起唇，漾起一个魅惑的弧度，就这么一个细小的动作却被童染捕捉到，她猛然间清醒过来，她差点被他骗了！

要是在这里吻了一下，依这男人的性子，他还能松得了手？

别说买菜了，估计被路人拍下来都能上头条了——【情侣不顾大雨拥吻浑身淋湿，证实男主为帝爵总裁……】

诸如此类的标题，光是看着都让人脸红心跳。

就在莫南爵闭上眼睛的一瞬间，童染突然撑起双臂，在他胸前用力一抵，他吃痛，手上的劲道松了下。

童染趁机从他怀里钻出来，这时正好是绿灯，她抱了抱肩，步伐轻盈地就朝马路对面的超市跑去：“我在超市门口等你！”

“童染！”莫南爵这才反应过来被她给耍了，他直起身体，将手中的伞朝边上一扔，双眸眯起，“你给我站住！”

这该死的女人，居然敢这么明目张胆地耍他？！

他越是关心她就越是不听话，这么大的雨是想住院是吧？

童染跑得很快，几下就到了超市门口，她冲到遮雨棚下跺跺脚，远远地，就看到莫南爵走过来。

超市里的灯很大很亮，她抬起头，能看到洒在头顶的光晕，莫南爵脚步急切地走着，纵然淋湿了也掩不住他俊美的外表，童染浅浅地眯起眼睛，突然觉得周身的冷意都被一股暖洋洋的感觉给取代了。

她多么希望，每天都能这样，看着他从远处朝自己走来，而不是从自己身边一点点滑开……

她正出神，手臂被人猛地拽住，莫南爵阴沉着俊脸瞪着她：“童染，你跑什么跑？”

“我没跑啊，我这不是在等你吗？”童染笑眯眯的，她双手握住他冰冷的手，拿到嘴边呵了呵气，“我们进去吧，里面不冷的。”

莫南爵冷着脸，显然因为方才她说吻又跑了而不爽。

童染见状便走过去抱住他的胳膊晃了晃，讨好意味明显：“莫总，我们走不？”

“等一下。”

莫南爵脸色缓和了下，将她拉至身前，童染还以为他又要做什么，刚要躲，却见他双手抚上她的脸，大拇指将她脸上的水渍抹去，而后将她半湿的头发拢到耳后。

“我自己来就好……”

他的动作像个细心至极的男朋友，童染有些不好意思，刚要伸手推拒，只见他眸底一沉：“以后再敢在雨中乱跑，我就把你吊在街口的路牌上。”

“……”

不知道为什么，他此刻的话，童染怎么听都觉得暖，莫南爵将她的湿发都顺至身后，露出一张巴掌大的脸，他脱下大衣，裹住她的身体，这才满意：“我只要发现你打了一个喷嚏，我们马上就回去。”

童染忙捏了下鼻子：“放心，我身体好着呢。”

生鲜超市里应有尽有，童染推着购物车走在前面，脑袋里盘算着该做些什么好，她走到牛肉专柜，低下头挑选着：“晚上吃牛肉火锅吧？”

“随你。”

莫南爵点下头，双手插兜站在后面，这样的地方，他当真是第一次来，超市里很热闹，他走在路中央自然是耀眼的，所有人几乎都盯着他看。

“哎呀，这是谁家的女婿啊，帅成这样，是不是整了容的啊……”

“你看他的眼睛！桃花眼！这种是最勾人的了……”

“看那双腿，好修长啊……”

莫南爵耳力极好，听得一清二楚，他眉头一皱，侧眸扫过去，那群人立刻消了声。

童染选了些进口的霜冻牛肉，称斤的时候，服务员看着她的目光中流露出羡慕之色，能跟着这种男人，真是几辈子都修不来的福气啊。

逛了一圈，童染将推车停在蔬菜区，时不时地回头望一眼，见他还在身后，这才安心。

“看什么？”

“我怕你走丢了，这里还挺大的，”童染笑了下，“再加上那么多小姑娘盯着你看，说不定哪个就合你胃口了呢？”

莫南爵眉梢一挑：“你要不要我现场证明下？”

“……”童染轻咳一声，手朝边上的货架上伸去：“洋葱吃不吃？”

后面半天没有回应，她回过头去看，就见莫南爵紧盯着正前方，她还以为他真的看中了哪家的小媳妇，有些开玩笑地开口：“莫南爵，我还以为你已经从良了……”

话还未说完，视线扫过正前方，童染动作蓦地顿住。

不得不说，有时候世界很小，小到无数个巧合像是放大镜般出现。

他们面前站着的，赫然是洛萧和傅青霜！

傅青霜也推着个推车，前端同童染的推车相抵，洛萧负手站在她身后。

童染手一抖，洋葱掉下去，发出咚的一声。

傅青霜握着推车的手攥紧，童染上次自杀，她还以为能闹个半死不活的，居然这么快就好了？！

她尴尬地笑了下：“爵少。”

莫南爵俊脸冰冷，因为童染的那个动作，更是闪过戾气，他勾起嘴角：“我说外面怎么下这么大的雨，原来是洛总来了。”

洛萧点了下头：“爵少，好久不见。”傅家二老就住在附近，他们今天过来看看，傅青霜非拖着他来买菜，说是要亲自做给爸妈吃，二老面前他也不好拒绝，没想到，竟然就这么巧。

“没多久，”莫南爵冷笑一声，“距离你上次跑去抢我女人，也没几天。”

傅青霜一怔，眸光不由得暗下来。

洛萧依旧不同他争，视线落在童染身上，见她身上披着深蓝色的大衣，很明显是莫南爵的，方才同莫南爵斗嘴之时的欣喜之色还未褪去，小脸上红扑扑的。

他眸光黯了下，而后看见推车里的东西，这里离帝豪龙苑很远，断不可能特意来买东西：“小染，你现在住在这里吗？”

童染张了张嘴，还未回答，莫南爵已经走上前揽住了她的肩，语带嘲讽：“洛总，你觉得你能管得着吗？”童染知道他脾气上来了很难控制，别又在这里打起来，她忙拉住他的手：“莫南爵，买得差不多了，我们走吧？”

莫南爵看着她的小脸，敏锐地捕捉到一抹着急之色。

他双眼一眯，怎么，她这是害怕他和洛萧打起来，洛萧会受伤？

如此尴尬的情景，傅青霜自然是不愿意再待下去，她将推车朝边上拐了下：“爵少，我们先走了。”

洛萧站在原地没动，视线依旧定格在童染身上，自从那一次病房见过她，听她睡梦中都在喊着莫南爵，他的思念就越发深了。他甚至有过冲动，想要去将她强抢过来，可没过多久，童染就出院了。

童染垂着眸，她能感觉到洛萧的视线，可是这时候无暇顾及，她更担心莫南爵会不会生气，这男人气起来总是没完没了的。她再次拉住他的胳膊：“我们走吧，不然待会儿牛肉化了就不好吃了。”

莫南爵也不动，视线停在洛萧身上。

他倒要看看，洛萧有多大的能耐，能够当着他的面，就这么肆无忌惮地盯着他女人瞧。

场面就此僵住。

傅青霜只觉得无比丢脸，洛萧总能这样无视她，将他对童染的爱在她面前无所顾忌地展现，因为他从来都不怕她伤心，她强忍着嫉妒：“萧，你不走吗？爸妈还等着咱们的鱼呢。”

他越是要这样对她，她就越是要让童染看看，洛萧是已经和她结了婚的，这是无法改变的事实。

童染见状，知道这样下去不行，索性伸手抱住莫南爵的胳膊，一手推着推车：“我都饿了，再不走待会儿就天黑了。”

莫南爵冷勾起唇，将视线收回来，反搂住童染的肩朝收银台走去。

“小染，”擦肩而过的时候，洛萧伸手握住了童染垂在身侧的手腕，他认定了她已经不住帝豪龙苑，“你现在住哪里？我改天去看你。”

莫南爵眼神一寒，他并未伸手阻止，而是笑出声来：“洛总，有时候，我还真是佩服你的勇气。”

“不用了，”童染抽回手后摇了摇头，“洛大哥，我现在过得很好，你不用担心我。”

洛萧见她这样说，心中急切起来：“小染……”

“洛大哥，我们先走了。”童染任由莫南爵搂着，转身之时，视线看向傅青霜，“嫂子，再见。”

此话一出，傅青霜和洛萧同时怔住！

就连莫南爵都诧异地挑了下眉。

嫂子？

这还是童染第一次叫傅青霜嫂子，其实她没有叫错，傅青霜本就是她名分上的堂嫂。

不管她这么做是出于保护洛萧，还是想澄清关系，那一声嫂子，起码说明了她此刻的态度。

莫南爵今儿个心情还是不错的，他闻言瞥了一眼洛萧，也没再说什么，搂着童染便走了出去。

洛萧脸色苍白地站在原地，他盯着二人的身影，看起来匹配至极，俨然一对情侣。他皱起眉头，拿出手机拨了个号码：“给我查莫南爵近期出入过的小区，越详细越好。”

对方恭敬地应声后挂上电话，洛萧将手机放回口袋里，发现自己竟然连指尖都在颤抖。

小染当着他的面喊傅青霜嫂子，代表了什么？

这其中的含义，不需要他说，都能明了。

难道说，她已经完全将他排除在外，完全接纳了莫南爵？

回到公寓之后，童染手上的菜还没放下来，便被莫南爵抱进了浴室，二人没了伞，再怎么护着身上还是湿透了。

莫南爵将童染放在大理石的洗漱台上，他伸手脱下她上身的卫衣，却在拉出手肘时顿住了动作。童染被迫维持着双手举起的姿势，她挣了几下，不舒服地瞪他一眼：“你做什么？”

莫南爵不说话，双手滑下去握住她的细腰，倾下身时，鼻尖同她相抵：“童染。”

他神色认真，童染也不挣扎了，同他对视：“怎么了？”

“你，”莫南爵顿了下，掐着她腰的手用力，“爱他吗？”

童染一下子没有反应过来：“什么？”

莫南爵垂下头，淋湿的短发擦过她的嘴唇，童染只觉一阵冰凉。莫南爵已经将薄唇印在了她的胸口上：“你有多爱他？”

“……”

“我说的是洛萧。”童染蹙起秀眉，一时之间不知道该怎么回答。

这是他第一次如此心平气和地同她说起洛萧……

“我这样很不舒服，”童染扭了下被他抓着的腰，想要从台子上下来，“头发都是湿的，我会感冒。”

浴室里开了浴霸，莫南爵不让她动：“怎么，想蒙混过去？”这个话题，童染当真是不想谈的，倒不是因为纠缠不清，她已经承认自己爱上了莫南爵，可是对于洛萧，她是不可能抛下的，因为这么多年都是他陪着她走过来的：“莫南爵，我不想说这个，可以吗？”

这二十一年的陪伴，她真的不可能就此忘记，还不起他给的情，但是她也不可能看着他受伤。

她必须看见他过得好。

“回答我，”他哑着嗓子，“你爱他吗？”

“莫南爵……”

“你爱他吗？”

“能不能别……”

“回答我！”

“我爱你……”童染咬住下唇，透过氤氲的雾气看向他，“莫南爵，我爱的是你。”

莫南爵不吃这套，他要的女人，每一寸都只能属于他：“可是你心里有他。”

“莫南爵，我……我是不可能忘记他的。”童染实话实说，洛萧于她，真的是从小根种在心里，“不管有没有血缘关系，他始终都是我的堂哥，我们从小一起长大，我的衣服都是他帮我洗，一直都是他护着我，他从来没有伤害过我，一次都没有。他不会让我受伤的，你知道吗？大伯母的鞭子打下来，每次都是他扑过来替我挡，那么用力的一鞭就直接抽在他背上，皮开肉绽，鲜血淋漓……”

她说着抬起头来，星眸中蓄满莹莹水光：“他从来不喊疼，他说小染，一点都不疼，你别怕，真的不疼……莫南爵，我爸爸妈妈很早就走了，我从小就没有爸妈，没有洛大哥就没有我，没有他我活不下来的，没有他我早就冻死在家门口了……他给我的这些时光和陪伴，我一辈子都还不起，我怎么可能忘记他……”

莫南爵望进她眼底浮动的泪光，心里抽痛，伸手环住她的背将她搂进怀中。

他的怀抱一如往常地坚硬，却无比温暖，童染贪恋般地蹭了下，她缓缓闭上眼睛：“莫南爵，对不起，我不想伤害你，我也不想伤害他，可是我真的不知道该怎么做，我怎么做都是错的，我觉得我真的好笨……”

莫南爵并不说话，他双臂收紧，下巴抵在她的头顶，透过朦胧的雾气，他从镜子里望着自己的脸，竟然看到了从未有过的迷茫。

哪怕他能操控一切，能够拥有无数的金钱和权力，可是，他终究无法从自己深爱的女人心中赶走一个人。

半晌，他垂下头，伸手握上她的肩：“童染，他若是要带你走，你会走吗？”

“不，我不会走的。”童染同他对视，“除非你叫我走……不然我是不会走的。”

“若他硬要带你走呢？”

“不会的，他不会强迫我的。”童染摇了下头，“他从来不会做强迫我伤害我的事情。以前不会，现在不会，以后更不会。”

她神色坚定，莫南爵深知他始终无法动摇洛萧在她心中的地位，心里涌起千万种思绪。他喉间哽了下，突然松开了手，转过身就朝门外走去。

“莫南爵！”

童染伸手扯住他，可是手肘上还有上衣，这么一动，整个人从台子上栽下来，莫南爵手疾眼快地旋身搂住她，浴室本就湿气重，莫南爵脚下一滑，二人竟然一起摔倒在地。

砰——

巨大的碰撞声传来，浴池都震了几下，水花飞溅出来。

童染被他搂着，莫南爵自然不会让她摔着，所以双手始终托着她。“你怎么样，摔到哪里了吗？”

莫南爵咬了下牙，并未出声，似乎，是真的摔着了。

“莫南爵，你别吓我！”童染双膝跪在地砖上，她伸手扳住他的肩，在他身上来回看着，“哪里疼？”

莫南爵侧着俊脸，他单手撑住地砖，想要坐起身，却始终无法动弹：“拉我起来。”

“你动不了？”童染拉着他的一只胳膊，却没有用力，“到底伤着哪里了？”

莫南爵冷着脸重复：“拉我起来。”

“不行，这要是伤筋动骨了，怎么能随便乱动？”童染慌忙中便从他的口袋里摸出手机来，“我打电话叫救护车。”

“叫什么救护车！”莫南爵脸色一变，伸手拍掉她手中的手机，“你想全锦海市都知道我摔了一跤是吗？”

“那怎么办？”童染急得团团转，“可是这样下去也不是办法，你又不说你摔到了哪里……”

“所以我叫你拉我起来！”

“你现在怎么能随便乱动？”

半个小时后。

陈安赶来的时候，莫南爵还是半趴在浴室里的，他强忍着笑意，却还是怎么也绷不住：“爵，你这玩得真够劲，三天两头不是伤这里就是破那里的。”

“滚。”

莫南爵冷瞪陈安一眼，男人死要面子，不肯任何人来帮忙，童染花了好大的力气才和陈安将他扶到卧室里，好不容易打扫干净的卧室地板上又湿了一大片。

童染也顾不上擦，陈安站在床边上，只瞧一眼便明白了：“你这是摔着腰了。”

“废话，还用你说？”莫南爵面色不善，他伸手按了下，腰侧这会儿疼得厉害，“什么时候能好？”

“哪有这么快，伤筋动骨一百天嘛。”陈安笑着打趣道，“你就好好歇着，这段时间别做和腰有关的运动。”

他这话寓意深刻，莫南爵闻言脸色一沉，抓起边上的枕头就扔过去：“你是叫我一百天就这么干躺着不成？”

“谁叫你哪里不好玩，偏偏选在浴室，摔着了我还能有这方面的灵药？”陈安睨了眼童染，“再说了，你是不是干躺着，又不取决于我。”

童染心思却不在这上面，走过去拉起莫南爵的手，他想推开她却使不上劲。她伸手指了指他的腰侧：“是摔到这里了吗？”

陈安见莫南爵就差把他给吃了，这才说了句男人满意的话：“对，你要好好照顾他，这伤可得每晚按摩活血的。”

“好，我会的。”童染闻言竟然神色认真地点了下头，“那该怎么按摩？有什么方法要遵循的吗？”

“这个嘛，”陈安望了眼莫南爵，心想这动了心的女人有时候还真是好骗，“反正他怎么舒服你怎么按，让他觉得不疼了就好。”

“好，我知道了。”

童染起身拿了件干净的衬衫过来，帮莫南爵换上后，起身朝外面走去：“我先去做饭。”

“多做点，我饿着呢。”陈安冲着外面喊了句，直到童染进了厨房，他这才掩下笑意，“怎么，放着大别墅不住，来跟我们一起体验平民公寓了？”

“得，你少跟我扯什么平民，”莫南爵睨他一眼，半靠在床沿，短发还是湿的，拿过童染摆在手边的毛巾擦了下，“上次我说的事情办得怎么样了？”

“我已经找人了，我韩国的朋友，”陈安在床边的沙发上坐下来，跷起一条腿，“技术是绝对可靠的，保准我马上给你做个童染出来，你都不会怀疑真的假的。”

“你确定？”莫南爵单手枕着脑袋，闻言颠了下腿，“只要容貌像就OK，对方已经知道她疯了，就不可能再去调查言行举止，只要看到脸就行。”

“放心，女孩我也给你找了一个，比你上次找的那个身高矮些，韩青青差不多一米六八，我找的那个一米六七。”

“我觉得这些都不重要，很多事情都是捕风捉影，放过鬼就怕鬼回来，但凡对方有一点怀疑，都会深入去查，只要他们一查，我们就能收网，”莫南爵眯起眼睛，他丢了根烟给陈安，“哪怕捞不到鱼，我们也能捡片鱼鳞，看看到底是个什么种类的。”

“你就损吧。”陈安嘴角含笑，“我那朋友大概这几天就会来，我已经派人去接他了，你大概计划是什么样的？”

“很简单，螳螂捕蝉，黄雀在后，既然对方要我杀韩青青，必定以为她已经死了，试想一下，一个死了的人突然出现，谁会不怕？”莫南爵舌尖轻抵下嘴角，勾勒出几许玩味，“既然都喜欢整容，那我也给他们整一个裴若水出来，韩青青之前去过的地方我们都知道，那就让这个裴若水按照顺序重新都去一次，我敢保证，要不了几天，马上就会有按捺不住的人浮出来。”

他自然会派人一路跟着这个假的裴若水，只要有人冒出来抓了她，他的人就会跟上去，难道鱼吃了饵，还能吐出来不成？

韩青青的身体他已经找人秘密处理了，所以不可能有人知道，对方找不到，又看到了一个完好无损的她出现，肯定会好奇。

到时候到底是谁动的手脚，一看便知。

“这确实是个好办法，到时候你给那女人安个摄像头在身上，什么都能拍得一清二楚。”陈安赞同地点了点头，对于这种玩阴的人，最好的办法就是给他阴回去，“整容那边的事情你就交给我吧，包你到时候见到都吓一跳。”

“滚，我看都不想再看她一眼。”

“得了，你现在眼里就只有你的童染了是吧？”陈安叼着烟站起身，突然压低了声音，“美洲那边，没有联系过你？”

“没，”莫南爵闻言脸色沉了下，“你突然提那边做什么？”

“最近倒是有人来跟我打听你的现状，看来那边始终按捺不住啊！”陈安无奈地摇了下头，“你说童染能藏得住？”

莫南爵冷下脸：“只不过是一个女人，我需要藏什么？”

“行，当我没说。”陈安知道他的脾气，也不去碰他心里的这块禁地，伸手拍了下他的肩，“爵，那边的事情我帮你盯着，你这腰两三天也就能好了，到时候再联系。”

“嗯，”莫南爵点了下头，虽然面色不善，却还是抬头说了句，“你自己小心点。”

陈安摆摆手，笑着走出去：“得了，我又不姓童。”

童染听见玄关的声音，擦着手走出来：“你不在这里吃晚饭吗？”

“不了，你好好陪爵，我可不爱当电灯泡。”陈安睨了眼围着围裙的童染，倒是像个贤妻良母，“我走了，你晚上用温毛巾给他敷敷腰。”

“好。”

陈安走后，童染进厨房继续忙活，她将笔记本电脑摆在微波炉上，上面是做菜的视频，她一步步地跟着学：“先放水，再放洋葱……”

她手忙脚乱，这种大菜她还是第一次做，刚将牛肉放进去，身后便传来男人冷冰的声音：“蠢女人，洋葱应该最先放。”

童染一惊，手里的锅铲掉到地上：“你怎么跑出来了？”

莫南爵眉头一皱，这女人说的什么话，什么叫跑出来了？

“我不出来看看，你这菜做得能吃吗？”

“你就不能老实点？”童染不顾捡锅铲，过去扶着他，“走，回房间去，你得躺着才行。”

“躺什么，我要待在这里。”莫南爵半弯着腰，到底还是疼的，他指了下厨房边上的椅子，“你去拿个枕头来，我靠这儿。”

童染不同意：“这椅子太硬了，你坐着不舒服。”

“你不在房间，我躺着更不舒服。”他耍起性子来，谁也奈何不了他，童染只得小跑到房间拿了个最大的抱枕，垫好后让他坐着：“这样成了吧？”

“我不盯着你，我怕你趁我不能动偷跑。”

“这么久了，我哪一次跑成功了？”

童染不同他斗嘴，继续转身研究牛肉，忙忙碌碌了好半天，几盘菜才端了出来。她将桌子摆好，侧过头，才发现莫南爵已经睡着了。童染知道他累了，她小心翼翼地到卧室拿了条毛毯，给他盖上后，又将枕头小心翼翼地塞到他的侧脸旁，刚转过身，手臂便被抓住。

“别走。”

她一怔，莫南爵已经醒了。

“到哪去？”

“你睡着了，我把汤拿进去热热。”

“没事，我就眯了会儿。”莫南爵拉着她坐到身旁，扫了一圈桌上的菜，童染以为他又要泼她冷水，却不料男人突然将她炒菜的那只手拉起来，放到掌心揉了揉，“累吗？”

“不累，答应了做给你吃的。”童染笑着伸出手，夹了一筷子牛肉递到他嘴边，“尝尝看，我学人家按照黄金比例调配的。”

莫南爵尝了下，毕竟是童染第一次做牛肉，味道差强人意，他却赞赏地点下头：“好吃。”

“真的？”童染一乐，她夹了一筷子塞进自己嘴里，含混不清地道，“那我以后天天做给你吃。”

“好。”

莫南爵看着她笑逐颜开的小脸，以前在帝豪龙苑他送了那么多名贵的首饰和衣服给她，都没见她这么开心过，今天他说了一句她做的菜好吃，她就高兴成这样。

她所谓的幸福，真的很简单。

莫南爵俊脸露出一丝困惑，这样简单的幸福，他能给她多久？

陈安说，美洲那边已经开始找他了……

有些东西他逃避了这么久，终究还要来的。

其实洛萧有句话说得很对，他输给洛萧的，就是他不能娶童染。

可她们女人，最想要的，不就是婚姻吗？

他能给得了她一切，可偏偏这个，他给不起。

他若是娶了她，那便是害了她。

“怎么了？”童染盛了碗汤，见他盯着桌上的洋葱炒牛肉出神，“不舒服吗？”

莫南爵摇了下头：“没什么。”

话落，见童染还是看着自己，他抿了下唇，突然开口：“童染，你想结婚吗？”

“结婚？”童染不知道他心中所想，她笑出声来，“莫南爵，你都还没追到我，就想着结婚了？”

她笑得无邪，莫南爵实在无法将那些残酷的现实说出口，他扯了下嘴角："反正你迟早要嫁给我。"

"我才不要，"童染伸手在他肩头捶了下，"你不好好对我，我就不答应你。"

莫南爵双眸眯起，她这副娇嗔的模样让他心头一阵抽痛，他知道，他动了心就是最大的不该，可是他真的无法放手。他别过头，突然伸手将童染用力地抱进怀里。

"你又来……"

"别动。"

莫南爵将下巴抵在她的肩膀上，他素来清冷的黑眸中溢出哀伤："童染，以后，你想怎么过？"

"还能怎么过？"童染看不见他俊脸上的哀伤，她任由他抱着，说出心中最平凡的愿望，"和我爱的人结婚，生子，然后带着孩子到处玩，告诉他们这个世界所有的最美好……"

她每说一个字，莫南爵眼里的哀戚便加深一分，她想要的是所有女人都想要的，也是他永远都给不起的……

莫南爵深吸口气，手上的劲松了下："好了，吃饭吧。"

他的手臂始终横在她的腰间，一餐饭下来童染都看不见他的表情，吃完后童染扶他回房。莫南爵拉住她："你不睡这儿？"

"当然不，"童染抱着枕头退开两步，"莫南爵，你可别得寸进尺，你现在还没开始追我，我就给你睡了，那我不是亏死了？"

莫南爵冷下脸："又不是没睡过。"

"那不一样，我们现在是全新的关系，得遵守规定，"童染不吃他这套，反正他伤了腰，也不可能冲下来抓她，"反正，在你追到我之前，我们不能有肌肤之亲。所以你要努力。"

莫南爵皱起眉头，冷冷地瞪了她半天，见她态度坚决，他这才开了口："我，我怎么追你？"

童染彻底无语："莫南爵，你要杀人之前，会去问那个人，我该怎么杀你吗？"

"你这是在暗示我杀了你？"

童染深吸口气，她低头摸了摸自己脖颈上的项链，索性点明："你还记得你上次放烟花给我看吗？”

“记得。”

“那不就行了吗？”

“那能代表什么？”

“那你给我放烟花是为了什么？”

“那是因为我想告诉你，你只能是我的。”

原来他是这个意思？

她还以为他是懂怎么给女人浪漫……

童染扶了扶额，她抱着枕头朝外面走去：“反正我已经说了，至于怎么追我也帮不了你。莫南爵，我已经很够意思了。”

“童染！你给我站住！”

眼看着她就要走到门口，莫南爵直起靠着的身体，而后右手按住腰侧：“好痛！”

“怎么了？”童染闻言急忙转身跑到床边，他低着头，她扶住他的肩膀，“又扭到了？你知道自己腰伤了，还非要动……”

“你不走，我能动吗？”莫南爵抬起头，俊脸上痛苦的表情也不知道是不是装的，“到时候别瘫痪了，你就后悔了……”

“住嘴！”童染止住他的声音，“你就没句好话，躺好，我去打水来给你敷下。”

他轻咬了下她的手指：“你要是敢骗我，我就从这里跳下去。”

这话怎么听着这么耳熟？童染依稀记得，她以前似乎就这样威胁过他。

打了盆热水来，童染让莫南爵脱掉衬衫后趴在床上，他的身材很好，更胜 CK 牛仔裤的模特，线条分明，修长匀称。

借着橙黄色的灯光，童染能够看见莫南爵背上细碎的伤口，并不显眼，却非常多：“这是什么？”

莫南爵回了下头，神色如常：“没什么，小伤口。”

“怎么会这么多？”童染伸手摸上去，虽然已经感觉不到凹凸感，却还是令人发颤，“很久了吗？”

“小时候被针扎的。”

童染闻言吃了一惊：“谁敢扎你？”

“谁都可以扎我，”他双手托在精致的下巴上，“你要是愿意，你也可以。”

“为什么要用针扎你？”

“因为针扎最痛，可是却看不到伤口，”莫南爵眯起眼睛，那种疼痛若是感受过，别的当真不算什么，“扎下去伤口细小不见血，却比见血疼千万倍。”

光是听着，童染都觉得胆战心惊：“是谁扎你的？”

莫南爵勾起唇，薄凉之色从唇间溢出。

那人的名字，他这辈子也不愿意提起。莫南爵黑眸中划过一丝哀戚，却很快地掩藏起来：“怎么，你还想替我报仇吗？”

“我只是问下，这伤疤好吓人，估计当时很疼吧？”

“再疼能怎么样？”莫南爵连眼皮都没抬一下，“没死就不算疼。”童染抿起菱唇，她也听周管家说过，莫氏家族内部的恩怨重重，她曾经几次想问却都没敢问出口，今天，似乎是个好时机。

童染小心翼翼地开口：“莫南爵，你家里是什么样的？”

“什么？”

“我是说，你的爸爸妈妈是什么样的？”童染观察着他的神色，“他们平常很忙吗？”

“我没有家人那种东西。”童染闻言怔了下，刚要开口，他又冷声道：“也从来不需要。”

难道他没有家人？那美洲莫氏……

她睨他一眼：“莫南爵，你说有人用针扎你，我还真不信。”

他这霸道的性格……

“是我母亲。”莫南爵突然出声，双眸晦暗下去，“没扎之前你要是跟我说，我也不信。”

话题就这么急转直下，童染不由得一怔：“你……”她知道他那样的家族一定是用尊称，“你母亲……用针扎你？”

“嗯。”

“为什么？”

“因为我不肯杀人。”

“不肯……杀人？”童染无法理解，“为什么非要你杀人？”

“因为你不杀别人，别人就会来杀你，这个世界弱肉强食，我不站起来，下一秒就会被人踩成灰烬。”

“那，你后来杀了吗？”

“那时候我还小，才四岁不到，她就要我学枪，拆卸，组装，扣动，瞄准，射击。”他顿了下，“一步一步必须精准无比，错一步就得饿一天。我不肯，她就强迫我，一次不行两次，两次不行三次，我性子倔，她就打我。鞭子抽我会跑，她就强制命令周管家抓着我的双手，用绳子捆在头顶把我吊起来，拿来一大把细银针，用手抓着扎我的后背，直到我说肯练枪为止，她才放我下来。”

童染只觉得浑身发麻，从背脊一直到头顶都在颤抖，她喉间哽了下，连说话都觉得艰难：“扎了……多久？”

“从太阳升起扎到太阳落下，我应了声好，她才停了手。”

“你……”童染双唇抖得厉害，比起大伯母打她，这才算是真正的残忍和酷刑，“你母亲她……”

“她是个女强人，所以，她不允许她儿子差，把我放下来之后，我高烧了三天三夜，在床上爬不起来，她不允许任何用人进来看我，让我自己好好待着。我不懂事，扑过去拍门，”莫南爵说着眼角流露出嘲讽，“我死命地拍，我叫妈妈，我说放我出去，我好难受，可是拍到我双手发红，连睁眼的力气都没有了，还是没人进来。我只能自己爬起来，到浴室去洗热水澡，然后用被子捂，怎么难受我都咬牙不出声。第二天早上她们开门进来，我已经自己下床了。”

童染抿住唇，小手攥紧了他的手。

“然后她开门进来，告诉我以后逆境中没人能帮得了你，只能自己站起来，站不起来就得死。我以为她表扬我，就想去抱她，她反手就给我一巴掌，她说，不要将自己的喜悦分享给任何人，因为谁都有可能是你的敌人，包括你的亲人。”

童染望着他，想要望进他的眼底，可是他已经彻底地掩藏了起来。他从小就是这样，只有伪装才能活下去。童染垂下头，声音带着哀伤：“莫南爵……”

莫南爵黑曜瞳仁闪了下，他视线投向窗外，与路灯混合在一起，眼底的晦暗之色竟能生生盖过那些明亮："我还没反应过来，她就让人把我装进袋子里扛下楼。上了车之后我也不知道去了哪里，车一直开，很久才到，解开袋子的时候，我抬头就看到面前的大圆桌，上面摆满了枪支和弹药。她要我按照老师教过的拆解组装一遍，我没力气，接着就是两鞭子，我咬着牙装好了，她就打开外面的铁丝网，递给我三把枪，把我推进去，她说，今天若是活着出来，才有资格做莫家的继承人，否则死在里面，是没有人管的。"

他说到这里，童染已经彻底失去了说话的能力，她杏目圆睁，小嘴半张着，他却依旧风轻云淡，仿佛不是在说自己经历过的事情。

"我进去之后，铁丝网外面的用人说，里面加上我有十五个孩子，都是名门望族，最后站起来的那个才能活着走出去，我手里三把枪，也只有十五发子弹，我一发都不能浪费，否则我就会死在别人的枪下。"

说到这里，莫南爵顿住了声音，他眯起眼睛，眼角魅惑的弧度让人无法相信他小时候竟然经历过这些，他轻合起眼皮，没有再开口。

童染从喉咙里挤出几个字："那，你把他们……都杀了吗？"

"我右腿、左臂、肩胛骨都中了弹，手臂上擦了两枪，可是到最后，用人说包括我还剩两个孩子，我左顾右盼还是没找到，最后我钻进后面的花丛里，突然有个男孩子从后面拍了下我的肩。他脸上都是擦伤，还在流血，我正要举枪，他却按住我，他说他愿意自杀，他让我赢，因为他不敢杀人，他很怕。他说得很真诚，我信了他，他就拉着我的手，说让我把他口袋里的一样东西带给他家人。"

"那他后来……"

"我信了他，还犹豫着要不要干脆把活下来的机会留给他，他伸进口袋的手突然掏出匕首，朝我胸口就是一刀刺过来。我躲了下，被他抱着按倒在地，最后，我用匕首割断了他的喉咙。"

"……"

"当时鲜血溅到我脸上，温热的感觉，那是我第一次感受到别人的血，到后来我才知道，他就是现在欧洲最有名的南宫集团曾经的大少爷南宫凌天。"莫南爵冷笑一声，"我用匕首抹过他脖子的一瞬间，用人就在外面喊。除我之外的十四个已经全部死光，我杀了九个，我面前这个刚刚被我杀了的男孩子杀了四个，他虽然没被打死，可是身上枪伤太多，所以没能打得过我。”

童染死死地咬住下唇，这场厮杀无法评论谁对谁错，明明都只是四五岁的孩子……

她无法想象，当时莫南爵一个人拿着三把枪站在草坪中央，望向四周全是潜伏杀机的绿草地，心里该是怎样一种绝望?

那时候，他还只是个孩子……

“从那以后，我再也没有心软过，枪支弹药，赤手搏击，跳伞潜水，只要是能学的，我都学了。因为我知道，我今天不学这些，明天就会有人学了来杀我。”

“可是……”

“没有可是，当年死的若是我，莫氏集团照样会和其他的家族合作，因为这涉及利益。在他们那些家族人的眼里，性命和亲情放在利益面前，是可以随意践踏的东西。”

童染垂下头，她确实想得太天真了，他说的这些话让她的心口抽痛着:“那后来，你赢了比赛，你母亲还是那样对你吗？”

“对我？”莫南爵轻笑一声，眯起眼角，“用人当时跑过来要接我回车上，可是她却不让。因为她要的不仅仅是赢了比赛，这个比赛对她来说根本不算什么，她要的是我能在枪林弹雨下站起来。她径自上了车，不许任何用人留下来帮我，我来这里的时候是被套住袋子的，根本不认识路。她告诉我，我必须一个人走回去，没有人会带着我走。丢下这么一句话，轿车就从我眼前呼啸而过。”

童染强忍住震惊：“那你受了那么重的伤……是怎么回去的？”

“当时天已经黑了，我又不认得路，路牌也看不清楚，地方偏僻也不可能问到什么人，我只能拖着腿朝前走，其实血已经流得差不多了，子弹还在身体里，我当时真的以为我要死了，到后面右腿已经完全没知觉了。”莫南爵说着扬起嘴角，“在那条马路的尽头，我碰到了一个和我差不多的男孩子，背后背着个药篓子，里面装满了药草。”

他这么说，童染瞬间就想到了：“……是陈安？”

“他们家族是医学世家，在美洲那边极有声望，我们当时比赛的那片绿地的后方，就是他家的药园。”

“是他救了你？”

“他采药回来，半路上看见我浑身是血，想把我带到他家去。我当时满身戾气，差点掏枪把他给杀了，最后他还是倔着把我拖过去了。去的时候我差不多失去意识了，他爷爷当时说，若是再晚一步，我整条右腿就彻底废了。我在陈安家住了一个多月才能站起来，这期间莫家没有人来找过我，等我伤好了肯开口说话的时候，陈安他们才知道我是莫家的人。我回到莫家后，用人看到我很惊讶，而她的第一反应，是要给我把以前教我学射击和学搏斗的老师重新请回来，明天开始继续学。”

莫南爵没点明，童染也知道那个“她”指的是他的母亲。

亲生母亲……

她甚至都不敢相信，这个社会的弱肉强食，竟真的将原本血浓于水的亲情生生逼至于此！

“那……”

“后来，其实也没有后来了，这样的比赛在我十五岁之前也进行过好多次，只不过我都活下来了。从四岁开始我就不知道什么叫作合家欢乐，大家从来没有吃过一餐饭，不过也无所谓，吃不吃，都是一样的。反正他们，从来都不是我的家人。”他说得潇洒，语气中竟不带一丝悲伤。童染知道，这需要多大的绝望，才能将骨子里的感情淹没得一滴不剩。周管家曾经和她说过莫家的孩子是没有妈妈的，陈安也和她说过莫南爵是没有童年的，直到此时此刻，莫南爵亲口说出那些事情，童染才能够理解当初他们说的那两句话。

这比没有妈妈、没有童年，还要来得可怕。

她咬着下唇，心里难受得无法言喻。

莫南爵没有再抓着她，他双手交叉垫于脑后，像个没事人一样轻眯起眼角：“你要听的，我说完了。”

童染垂着头不说话。

莫南爵颠了下腿：“童染？”

她依旧不说话。

“我叫你说话。”

童染始终垂着头，她用手背挡着脸，从他身上朝床下跨去，瓮声瓮气的：“我去下洗手间。”

“站住。”莫南爵拉住她的手，她还是不肯转过来，他故意冷下口气，“童染，你在偷笑？”

“我才没有！”童染不服气，当即就放下手双眼瞪向他，“这种事情谁笑得出来！我才没那么冷血！”

她白皙的小脸上非但没有笑意，反倒还挂着泪珠，还有几滴垂在睫毛上，看起来楚楚可怜。

他怔了下，随即失笑出声：“童染，你哭什么？”

“我没哭！”童染用手背抹了下眼泪，“我只是觉得难受。”

“很难受不就是哭了吗？”莫南爵不能大幅度起身，扯着她的手腕让她坐在床沿，伸手擦了下她的眼角，“这些事都是我受的，又不是你，你哭什么哭。”

童染低着头，那些事情她光是听着就堵在胸口，更无法想象莫南爵是怎么挺过来的：“你当时……很难受吧。”

莫南爵轻笑一声：“我说过，没死就不叫疼。”

童染咬住下唇，她到底是没有亲身体会过，感同身受是不可能的。她放低了声音，抬头望着他：“那，你母亲现在还在美洲吗？”

难怪莫南爵从来不肯踏进美洲一步……

“不在，”莫南爵侧身拿过床头柜的餐巾纸，给她擦了下眼泪，“她已经死了。”

“……什么？！”童染闻言猝然睁大眼睛，吓得连呼吸都停住了，“死了……她是怎么死的？难道、难道……”

她一连说了两个难道，莫南爵顿住为她擦眼泪的手，眉梢轻挑了下：“怎么，你以为是我杀了她？”童染抿了抿唇，一瞬之间，她确实有过这样的念头……莫南爵勾起唇角：“如果我那时候能下得去手，那么今天我就不会在这里，也不会有帝爵，莫氏就会是我的。”

“……什么意思？和莫氏有什么关系？”童染听得蒙了，脱口而出问道，“不是你杀的，那你为什么不替你母亲报仇？”

“你没听说过一个词吗？”莫南爵眉梢淡淡，“报仇雪恨。”

“听过，可是？”

“顾名思义，报仇是为了雪恨，”他眸光晦暗不明，“如果恨永远都无法雪清，报了仇又有何用？”

童染愣愣地看着他，眼角未干的眼泪滚落下来：“你母亲……是什么时候去世的？”

莫南爵知道她要问什么，他怕他再说下去，童染听了会受不了：“你要我说针扎的事情，我已经说完了。”

“可是……”

“你这女人，怎么哭起来没完没了的？”

莫南爵睨她一眼，他将话题岔开，显然不愿意再说下去。他伸手扳住她的脸，拉向自己，而后薄唇凑上来，一点一点地将她的泪痕全都吻干净。

他的唇是冰凉的，可吻却是炙热的，冰火两重天，本是极度缱绻的柔情蜜意，可童染却没有力气去回应。

她一动不动地任由他吻着，整个人还处于极度的震撼中无法回过神。

他拥有那般显赫的家世，莫氏家族权势滔天，可他身为继承者，他的童年却是这样的残忍血腥……

童染动了下，如玉般纤细的手指轻抚上他英俊的眉间，她从没有一刻如此心疼他：“莫南爵……很疼对吗？”

“不疼。”莫南爵对上她的眸子，嘴角扬起弧度，“这是我的命，我早已经习惯了。”

“命……”

童染抿着唇，她别过头去。

莫南爵以为她又要去洗手间哭，便皱起眉头：“你这女人，就不能消停……”

他话还没说完，童染突然转过来，俯下身体后，双臂环住他的脖颈，紧紧地搂住了他。

莫南爵怔了下，俊脸被她按在肩上，还从没有女人这样抱过他，印象中，这是他对她才会有的拥抱姿势，他手抬起来，几番想要落在她的腰间，最后，却还是垂了下去。

他没有动，就任由她这样抱着。

童染脸颊贴着他的短发，她伸手抚上他的背，一下一下，拍得极轻，嗓音也是从未有过的温柔："莫南爵，都已经过去了，你以后再也不要想起了，把这些都忘了吧……"

莫南爵背脊一僵。

这女人……是在安慰他？

"对不起，我不该叫你说，不该让你回忆这些，是我的错……"童染双手收紧，起伏的胸膛内，整颗心都在跟着跳动，"你说你从来没有家，没关系，我们在一起就是家……"

她也没有家，她曾经以为有洛萧的地方就是她的家，可是他最终也和她走散了，如今，他有了自己的家……

而她，却一直没有找到家。

就这么简单一句话，莫南爵听了却浑身一震，他于她的肩上抬起头来，黑眸渐渐明亮起来，紧接着，整个人都开始燃烧。

她说，我们在一起就是家……莫南爵眼里闪动着光芒，他垂下的手抬起后搂住童染的细腰，几乎要将她揉进自己身体里："既然你说我们在一起就是家，那我的要求只有一个，你永远都不许离家出走。"

童染重重地点了下头："嗯，你也是。"

"好！"莫南爵嘴上应着，手从她的后背伸进睡衣里去，"既然你已经答应了，那我们可以开始了。"

这男人的节奏转换得太快，童染猝然间松开抱着他的手，两眼瞪着他："我答应什么了？"

这男人就属于得寸进尺类型的，不能对他有一丝一毫的温柔！

莫南爵无奈，这女人怎么这么难伺候？

"那你想怎么样？"

童染懒得再看他，她从床边绕过去，拿起一个枕头就朝外面走去："我去客房睡，你好好反省一下。"

"童染！"莫南爵下不了床，无法用强，只得冲着门口喊道，"你先给我站住！"

她顿住脚步回过头："刚哭过很累，明天还得照顾你，所以我要去睡觉了。”

“在这里睡。”

“不行，你会毛手毛脚。”

“我保证不碰你。”

童染像是听到什么天大的笑话，她斜他一眼：“莫南爵，你觉得你的话可信吗？”

话落，童染侧身就朝门外走去，身后响起男人暴戾的怒吼声：“童染，你给我站住！你再走一步试试看？！”

童染毫不在意地朝后摆摆手：“再见。”

砰！

隔壁房门被关上的声音传来。

莫南爵气得俊脸铁青，这女人竟然敢扔下他。他正喘着气，红木门边突然又冒出一个脑袋。童染勾勾手指：“莫南爵，你不是很牛吗？有本事就下床来抓我啊，你下床啊，你来啊，来啊！”莫南爵瞬间一头黑线。“算了，跟你这种暂时性残障人士没什么好说的了。”童染咬着牛奶的吸管，朝他扬了扬下巴，“我得睡了，反正你喜欢吼，有事情吼大点声，运气好我兴许能听见。”

砰！

又是一声房门被关上的声音。

靠！

莫南爵单手扶住额头，他这是被调戏了？

想下床却动不了，他怎么想怎么不爽，亏他还和她说了那么多，这女人就是这样回报他的？

夜色渐浓，房内已经熄了灯，莫南爵却没有入睡，他睁着双眼望向窗外，只觉得今夜的月亮圆入心田。

“我们在一起就是家……”

番 外

今天的晚餐格外丰盛。

莫曜辰和莫初柒也都放学回来了，一大家子人落座，用人端上最后一个排骨汤，莫南爵拿了勺子，给童染盛了一碗放到她手边。

相比于莫初柒端坐在儿童椅上的乖巧，莫曜辰就显得格外调皮，偏偏就背对着桌子坐，低着头，小手里拿着个黑胡椒瓶子玩得不亦乐乎。

莫北焱用筷子敲他的脑袋："小捣蛋，吃饭了。"

"不许打我头！"莫曜辰扭过小脑袋，一张稚嫩的小脸精致而俊俏，黑曜石般的眼珠子瞪着他，"会把我敲矮的，那样一点都不帅！"

莫北焱挑了挑眉，大掌揉他的头。莫曜辰伸着在同龄人中算是很长的小短腿踢他一脚，而后滑下椅子，跑到莫南爵身边，仰着小脸蛋看他："爸爸，我要吃饭。"

话音才落，原本坐着给童染剥虾的男人长臂一伸，直接把莫曜辰抱到了自己腿上。

莫南爵手臂环着儿子的小身体，另一手拿起筷子给他夹喜欢吃的菜，又舀起一勺饭，比例配好后用薄唇试了试温度，喂到他嘴边。

莫曜辰张着小嘴边吃边逗一旁陌欢瞳抱着的莫心念玩，二人嘻嘻哈哈，就是不理莫北焱。

莫北焱坐在桌子这边，看着另一端自己的弟弟无比的受欢迎，顿时觉得自己老婆不疼孩子不爱，莫南爵瞅着他，又看了眼童染，忽然道："染爷，你不是有话要跟爵说？"

童染舀汤的手一顿，顿时感觉到男人深邃的目光落在自己身上。

她还没想好要怎么说……

莫北焱继续添油加醋，叹了口气："你不是想了一天了，纠结得半死，这会儿不如直接说了吧。"

莫南爵似乎想到什么，微微眯起眼睛，盯着身旁侧颜娇嫩的女人："要跟我说什么？"

"我……"

"不敢说？"

童染咬着勺子，眼睛眨了眨，神色有些纠结："我……"

心口的喜悦太满，她甚至不知道该怎么跟他说。

"你什么？"莫南爵捏着儿子的小下巴喂饭，一双深邃的黑眸却直直地盯着她，目光霸道且强势："童染，你说不说？！"

这女人还敢有事瞒着他，难道是这些年洛萧躲猫猫玩腻了，忽然现身了？！

"你干吗这么凶？"童染撇嘴，对上他紧盯她的那天生带着冷傲气的桃花眼，感觉自己被凶了，顿时就不高兴了，委委屈屈地道，"我从早上就开始等你回家，还让用人准备了一大桌子的饭菜，一天就光眼巴巴地等你了，结果你就这么凶我？！"

莫南爵俊脸微微绷起，抿起薄唇看着她，视线深邃："想我了？"

"谁想你！"

童染越想越生气，放下筷子就站起身，却被男人一把摁住手腕："饭还没吃完，去哪？"

"你又不关心我，你一直都在喂儿子，又没有喂我！"

莫名中枪的莫曜辰抬起塞满饭而鼓起的小脸，难道爸爸给他喂饭，妈妈吃醋了吗？

嗯哼，女人果然就是小心眼啊……

莫北焱不紧不慢地切着盘子里的牛排，见状抬起眼皮，不咸不淡地火上浇油：“说起来我也觉得，爵你最近对染爷好像……有点冷淡。”

最后四个字出口时他还是停顿了下，毕竟莫南爵对童染好到人神共愤，这辈子都不可能会用冷淡两个字来形容。

“哦？”莫南爵黑眸扫向他，“你觉得了？”

“当然，你刚刚不还凶染爷吗？”

“你听见了？”

“听见了。”

“你生气？”

“当然生气！”

莫南爵望着莫北焱点点头，而后视线望向陌欢瞳：“嫂子，”他挑眉，语气很平静地道，“昨晚他在酒店门口被一个女人表白，混乱之中那女人还亲了他一下，具体亲到哪又发生了什么我不清楚，总之后来他特意在酒店洗了个澡，换了身衣服才回来的。”

莫北焱俊脸顿时一僵，噌地站起身来：“莫南爵！”

“你不是说在外面洗澡是因为酒洒到身上了吗？”陌欢瞳却跟他同时出声，她仰着鹅蛋脸望着他，细眉拧起，“莫北焱，你骗我？”

“不是！”莫北焱一急起来就不知道怎么解释，“莫喊痛，我骗你是因为……”

“这四个字念做贼心虚，”莫南爵不知从哪儿拿出一本儿童字典，他扳着莫曜辰的小脑袋，让儿子低头看书，“比喻做了坏事的人，总怕被人发觉而心里不安，懂了？”

莫北焱：“……”

“真的有女人亲你？”陌欢瞳见他这样懵圈的反应，不由咬住了唇瓣，嗓音也变得急切而愤愤，“而且你……你还洗澡，是亲到哪儿了？！”

“莫喊痛！”莫北焱凤目瞪着她，“晚上再跟你说！”

现在吃饭这么多人，还有孩子，他总不能当面哄老婆？！

更何况……莫喊痛这女人吃软不吃硬。

“还要等到晚上？”莫南爵眼皮轻掀，照搬他跟童染说话的语气，“你不是想了一晚上了，纠结得半死，这会儿不如直接说了吧？”

莫北焱咬着牙，扭头狠狠瞪他：“莫南爵，你信不信我……”

“我怀孕了。”

一道清雅恬然的嗓音忽然打破了餐桌上的你吼我我吼你。

最先最快反应过来的是莫南爵，他罕见地微微一愣，俊脸望向童染，黑眸重重地收缩：“你说什么？”

“我说……我怀孕了。”童染捏着筷子，见状索性全都说出来了，“早上才查出来的，用过验孕棒之后我去了一趟医院，医生确定了……怀孕九周。”

九周，两个多月。

她怀孕了。

莫南爵一时没有说话，黑眸就这么毫无顾忌地深深盯着她，黑曜石般的瞳仁中闪烁着异样而夺目的光芒，顿了好一会儿才重复了句：“你怀孕了。”

“嗯。”童染点点头，忽然有些不好意思看他，垂着嫣红的脸蛋道，“今天本来想给你个惊喜，庆祝一下什么的……还是觉得大家一起吃饭比较好。”

本来她也想跟他出去吃甜蜜的二人餐，可转念一想又觉得太矫情了，他们结婚好几年了，也已经有两个孩子了。

只不过，这个孩子来得很突然，让她措手不及，这几年莫南爵一直没做避孕措施，事实上这男人从来不爱做，但她还是能感觉出来他想她再生一个。

但可能是因为流过产，再加上怀辰辰小柒之后没养好身体，所以她一直都没怀上。

这是她跟他结婚以后，真正意义上的“第一个”孩子。

是他们能陪伴出生的孩子。

说不激动是假的，童染在医院知道的那一刻，恨不得立即飞奔去公司找他，抱住他，深深地亲吻，分享这喜悦。

蓦地，男人磁性暗哑的声音将她的思绪拉回来：“你早上一个人去的医院？”语气中带着略微的不悦，“没让嫂子陪你去？”

童染一愣，没想到他第一句话会问这个：“没……我怕万一是乌龙……”

“谁让你一个人去医院的？！”莫南爵的嗓音一下子提高了，黑眸瞪着她，薄唇冷冷吐出一句话，“下次不许一个人去，要去就打我电话，要不然你以后就别用手机了！”

这女人，检查怀孕这种事居然忘了他！他不是她名存实存的老公?

童染前面的委屈本就没消散，被他这么一吼，顿时更委屈了：“你……”她星眸盯着他，秀眉紧蹙，“我都怀孕了，你就这样凶我？”

“就是啊，这态度真是让人看了都受不了啊，”莫北焱挑眉，“爵，染爷怀孕了你就一点都不高兴啊？”

男人斜眼看过去：“没你被女人亲了来得高兴。”

陌欢瞳用勺子搅拌着碗里的汤，低眸道：“心念这几天闹得厉害，我晚上带着辰辰跟她睡主卧，你先睡安哥的房间吧。”

莫北焱：“……”

既然已经被老婆赶出房间，莫北焱索性放开了添油加醋，谁也别想在老婆面前好过：“爵，看你这态度……你真的一点都不激动？”

莫南爵切着白瓷盘里的牛排喂给儿子，闻言眼皮轻挑，拿着刀叉的手微颤，淡淡地道：“怀孕了就生下来，激动什么？”

“……”

童染备受打击，完全没想到他是这个态度，淡定得跟听见外面刮风了似的，一点都没有她那种喜悦与激动……

他不是也说想要个孩子吗，难道是骗她的?

她握着筷子扒饭，顿时一点胃口都没了，快快地垂着脑袋。亏她还这么期待他回来，明明受折磨的是她，他连笑都没对她笑一下……

耳边响起刀叉敲在瓷碗上的清脆响声，加上男人磁性的不悦的嗓音：“不吃饭在走什么神？”

她抬眸，入目就是一张俊美而冷傲的脸，迷人的桃花眼此刻正一瞬不瞬地盯着她，那神色带了几分慎重的认真，仿佛在说很重要的事：“童染，吃饭。”

童染的委屈又上升了一阶层，随即把筷子一放：“……我吃不下。”

说完，她站起身要走，却被男人一把拽住了手腕，他眯眼看她：“去哪？”

“吃不下，”她甩了甩手，撇嘴，“我要去睡觉。”

“先吃饭，吃完我抱你上去睡，嗯？”

“可是我吃不下。”

“我喂你？”

“我不吃！”

“童染！”

“你又凶我！”

“叫你吃饭也是凶你？”男人黑眸瞪着她，到底还是没绷住，“过来！”

莫南爵拍拍儿子的小臀让他下去，随后长臂一伸将童染拽到自己腿上，动作霸道却小心地圈着她的细腰，另一手已经开始夹她喜欢吃的菜。

童染动不了，只得不情不愿地被他搂在怀里。她确实没什么胃口，却被男人粗声粗气地哄着硬是喂了一碗饭。

莫曜辰抱着莫心念站在一旁，从他这个角度，正好能看见男人圈在女人腰上的手臂。

咦，好奇怪，爸爸为什么……在抖？

晚餐过后，童染牵着辰辰在中景濠庭偌大的花园里散步消食，又陪他看了动画片，好不容易哄儿子睡着了，她才回到房间。

可莫南爵却并不在。

童染起先没在意，可洗了个澡出来，男人仍旧没有回房间。

他出去了？

想着，童染走到阳台往外看，果然看见书房的灯亮着。

他肯定又在工作了。

这么晚了，而且她都怀孕了，他居然还把她一个人扔在房间！

她哼了一声噘起嘴，想到女人也要有骨气，于是在舒适的沙发上坐下，随手拿了本书翻着。

……

时间一分一秒地过去，十点过了，男人依旧没有回来。

童染皱着小脸，实在忍不住了，丢开书起身就走出了房间。

她轻手轻脚地来到书房门口，侧过脸将耳朵贴在门板上偷听……

一阵奇怪的音乐声传来，间或还有像是女人轻柔说话的声音。

他在里面……干什么？

童染一怔，几乎是不受控制地立即拧开了门把——

房门推开的刹那，里面正在做动作的男人猛地站直身体，腰部紧接着传来一阵抽痛，他顾不得许多，长臂快速伸过去啪的一声合上笔记本，咬着牙回过头：“谁让你进来的？！”

“你的书房我难道不能进来吗？”童染穿着睡衣站在那，闻言又委屈了，再加上晚餐时的委屈，她顿时声音降低了好几个调，“你都不回房间，我一个人……睡不着。”

男人眼角轻扬起，面上仍旧没什么表情：“这么大了一个人睡不着？”

“就是睡不着，”童染咬着唇瓣，星眸直直地望着他，“你抱我回房间睡觉。”

她在撒娇。

莫南爵当然听得出来，他最爱她撒娇时的那副柔软的模样，可现在……他自然不可能说他刚刚扭了下腰，只是眯眸瞅她：“你先去睡，我一会儿就回去。”

“什么工作非得现在做，明天做不行吗？”

“不行。”

她就是想让他抱她：“那我在这等你，你做好再抱我回去睡。”

莫南爵皱起眉头，他微微咬牙，有些不自然地吼道：“你不出去我没法工作！”

“你又凶我！”童染星眸微抬，幽怨地瞪着他，“莫南爵，你今天凶了我好几次了，你要是不抱我去睡觉我就一个月不理你！”

“……”这女人今天怎么这么黏人？！

莫南爵薄唇紧抿，瞪着她的目光怎么也凶不起来，只是粗着嗓音重复：“我现在要工作！”

她难得任性，站着不走：“不行！”

男人同她对视，二人就这么瞪着对方，很快，还是童染发现了不对：“你……”她视线落在他维持一个姿势不动的身上，“你不舒服？”

她说着走过去，手习惯性抱住他的腰，莫南爵顿时皱眉嘶了一声。

“你受伤了？！”童染一愣，葱白的指尖在他腰侧摁了摁，“是不是扭到腰了？”

“谁说我扭到了？！”莫南爵一把握住她的手，哪怕微弯着腰仍旧将她搂到怀里，童染忙伸手推他，男人本就腰痛，蓦地被她一推没站稳，直接向后跌去——

童染伸手想扶他，却被连带着一起跌下去，莫南爵手疾眼快地托住她的细腰，让她整个人坐到自己身上，背部撞到地毯的疼痛让他倒吸口凉气：“你这女人找揍是不是？！”

“你没事吧？”童染倒是一点没摔着，起身就想扶他，眼角余光却瞥到掉在一旁的纸张。

她视力好，一眼就看见上面的几个字眼。

第三个月……女人……体内……

童染一愣，伸手想去拿，莫南爵却先她一步抢过纸张，飞快地揉成一团，直接丢进了垃圾桶。

“你……”她没想到他会是这个反应，“那是什么？”

那词语看起来就觉得……不正经。

“工作资料，你感兴趣？！”莫南爵黑眸狠瞪她一眼，手臂抬起环住她的细腰，“扶我起来，大晚上不睡觉，你想让孩子变成夜行侠？”

“……”就知道他嘴里没一句好话。

童染也不再多问，扶着他起身，男人可能是腰扭得比较严重，走起来很慢，正好在走廊拐角处碰到了莫北焱，他眉梢一挑，颇有些意外：“怎么，染爷都怀孕了你也能把腰给扭了……做什么高难度动作了？”

莫南爵冷着俊脸，二话不说直接给了他一脚，莫北焱侧身一避，忽然想到什么，挑了挑眉，折身往楼下走去。

童染刚扶着莫南爵在床上躺下，房门就被敲响。

莫北焱一听就不怀好意的声音传来：“爵，染爷，睡了没，出来跟你们说件重要的事啊。”

童染起身要去开门，却被莫南爵一把拽住手腕，他瞅眼房门：“睡了。”

“睡了还能说话？”

“野山猪不是也在跟我说话？”

“……”

我去。

莫北焱又敲了敲门：“真的，非常重要的事，可以震惊全球，染爷，快出来啊。”

“他可能真的有事……”

童染望向莫南爵，还未继续说下去，男人便打断了她，黑眸不满地瞪着她：“大晚上不许见别的男人！我出去，你在房间里等我！”

她为难：“可是他也叫我……”

“你爱他还是爱我？！”

“……”

童染到底还是敌不过他的醋意，乖乖在床上躺着，一边听音乐一边看书，等他回来。

莫南爵一出来就反手关上了门，他手掌摁着腰侧，俊目不耐而危险地眯着，懒散地道：“怎么，老婆不让你上床，来搞我？”

“切，我是那么尿的人？”莫北焱亲密地搭住他的肩，神秘地眨眼，“安哥刚回来，我们去客厅……看一个永生难忘的东西。”

陈安和慕橙菲才下了飞机，正在餐厅吃宵夜，莫曜辰小手垫着小下巴趴在一旁，只要陈安一夹起肉就凑过去，张着小嘴要吃。

陈安索性把他抱到腿上，一碗面给他吃了一半，眼角余光瞥到莫北焱强行搂着莫南爵下来，不由哼了声：“你们俩注意点影响，勾肩搭背的。”

“我们兄弟之间注意什么影响，”莫北焱瞅他，“你吃醋啊？”

陈安才不睬他：“爵，”他望向莫南爵，“小染怀孕了？”

莫南爵神色如常，淡淡地应：“嗯。”

陈安知道童染怀辰辰小柒时他没能陪着，心里一直都很遗憾，他笑着挑眉：“高不高兴？”

“不就是怀孕了，大惊小怪做什么，”莫南爵在沙发上坐下，搭起一条长腿，云淡风轻地道，“你跟你老婆亲热，她不是也怀孕了？”

慕橙菲闻言瘪嘴看向自家男人，委委屈屈地娇嗔着：“陈先生，我们好几天都没亲热了，我都饿了。”

陈安：“……”

莫曜辰圆圆的小脑袋从他臂弯内探出来，唇红齿白的一张俊俏小脸懵懂地望着他们："亲热是什么意思？"

莫北焱凤目睐他一眼："就是睡觉。"

莫曜辰愁苦地皱起小脸蛋，小手摸着自己的小肚子："那为什么我每天都跟小柒睡，我没有怀孕啊？是不是我肚子有问题……"

陈安直接给他嘴里塞了一大块牛肉。

莫北焱双手环胸："爵，你真的不高兴？"

"你烦不烦？！"莫南爵抬眸狠瞪他一眼，"大晚上的，你叫我下来就是废话这些的？！"

"来来来，那我们切入重点。"

莫南爵撑着沙发站起身，陈安瞥见他的动作，皱眉："爵，你腰怎么了？"

莫北焱接话："做某种运动伤到了。"

莫南爵不睬他们，单手插兜就要往楼上走，莫北焱拿起遥控器，只听嘀的一声，偌大的挂壁液晶屏幕开始播放——

场景赫然是书房。

画面中，高大俊美的男人站在立式镜边，他眯眼端详着镜子里的自己，一边翻着手机里童染的照片放在自己脸边三百六十度比画着，怎么看怎么觉得满意。

简直是郎才女貌。

世界上怎么会有他们这么般配的夫妻？！

男人唇角勾着浓而艳的笑容，璀璨如星芒，长指时不时比画着自己精致的眉眼，兴致勃勃地设想孩子刚出生时的模样。

自恋地对着镜子看了好一会儿，莫南爵转身走回书桌，他坐下后打开笔记本电脑，似乎正在查询什么，拿过钢笔与本子记着，眉头微皱，十分仔细严肃的模样。

约莫过了十几分钟，男人终于放下了笔，合上本子。

他用鼠标点击了几下，一阵悦耳的声音就从音响内传来："来，接下来我们先进行孕妇操最简单的动作，身体微微向下弯曲，双手交握往下，深呼吸……"

莫南爵站直身体，退后几步站在书桌边，双眼紧盯着电脑，身体随着视频里的指导开始做。

他的动作有些生硬，再加上是个 187cm 的男人，所以看上去……难免有些滑稽。

他在跳孕妇操。

动作竟然意外地……标准。

客厅里安静得掉一根针都能听见，只剩下屏幕中男人做孕妇操时发出的自言自语，带着略微困惑的懊恼低吼："手要往下，腿要弯曲，这是什么鬼动作……"

陈安惊得张大了嘴，半晌才反应过来："爵，你、你这是……"

"你管我？！"莫南爵黑着一张又冷又沉的俊脸，他几步就要去抢莫北焱手里的遥控器，"快点把这鬼玩意给我关了！"

莫北焱刚刚还特意去调监控了？！找死是不是？！

可他才扭到腰，走路肯定受了影响，莫北焱熟练地退后几步，跟陈安对视一眼，沉积的惊讶过后是疯狂的爆笑声——

"哈哈哈哈哈！爵你那腰是做操扭的吧？"

"哎哟你不是不高兴吗？不是生孩子很正常吗？那你一个人躲着跳什么操啊，准备转行当舞蹈家了？"

"你看他那动作，还有模有样地扶着腰，就跟肚子里有个孩子一样，哈哈哈……"

莫北焱和陈安互相扶着对方弯腰狂笑，眼泪都快笑出来了，莫曜辰不明所以就跟着一起嘿嘿地笑，慕橙菲咬唇强忍着，可看到屏幕里还在各种弯腰后仰的男人，还是忍不住扑哧一声笑了。

"莫北焱！"莫南爵咬着牙，双眸喷火，狠瞪着他怒吼道，"你快关掉听到没有？！信不信我把你扒光倒挂在屋顶？！"

"你怎么不说教我跳孕妇操？"莫北焱笑得嘴角抽动，"还是说你就喜欢一个人偷着跳……"

"莫北焱，你再胡说八道，我……"

"莫南爵？"蓦地，一道清甜的声音从上方传来，童染揉着眼睛，睡眼惺忪地望着下方客厅，"你们在吵什么呢？"

“染爷，我跟你说……”

嘀！

莫北焱话未出口，莫南爵蓦地一个旋身，抬手就拔掉了电视机的插头。

顿时安静了不少。

莫南爵回头以眼神警告般地瞪了眼莫北焱，随即转身大步上楼，也顾不得腰间的疼痛了，伸手就搂住只着单薄线衫的童染：“想我想得睡不着了，嗯？”

童染撇撇嘴，依赖地抱着他的胳膊：“你们刚刚在说什么？我还听见很大的笑声……”

“没什么，莫北焱羊角风发作了。”

“……”

回到房间床上，莫南爵关了灯搂着童染躺下，女人靠在他怀里，纤细的指在他胸口画圈：“莫南爵……”

“嗯？”

“我现在肚子里……是我们的宝宝。”童染微微笑起来，拉住他的大手，“你摸一下，好不好？”

莫南爵闻言浑身一僵，连带着整个人都跟着僵硬起来。

被她拉着的手能签字，能打斗，能保护，能做很多很多事……可这一刻，他却仿佛动不了了。

无法自控的喜悦与激动蔓延在胸膛，起初也许不那么浓烈，直到亲耳听她说肚子里是他们的孩子。

不知道从多少年前，他就在等这一天，怀里拥着她和孩子的这一天。

男人指尖微颤，在童染拉着他的手过去时，他却忽然抽回手，一把从身前搂住她，俊脸埋入她颈间，哑声道：“睡觉。”

童染心里一阵失落，推了推他却没推动，她等了一会儿，想再开口时，耳边已经传来均匀的呼吸声。

他就这么睡着了……连摸一摸宝宝都不肯。

难道，他对这个宝宝真的不期待吗？还是说，两个孩子他其实觉得够了？

童染咬着唇委屈地想了好一会儿，因为怀了孕，敌不过沉沉困意，很快睡了过去。

身后的男人却缓缓睁开了眼睛。

他微撑起身体，注视着怀里女人娇嫩的睡颜，低下头，薄唇在她粉唇上吻了一下。

莫南爵重新躺下搂住她，大掌从她胸口一点点下滑，最终，落在了她尚且平坦的小腹上。

动作带着小心翼翼的温柔与庄重。

掌心紧贴着她微烫的腹部，似乎就已经能感受到孩子的存在。

是只属于他们的孩子。

"童染，"喑哑而绵缠的嗓音响在耳畔，他吻着她的耳垂，一下一下很轻，呼吸声却又极浓极沉，"我爱你。"

……

翌日。

童染醒得很早，睁开眼睛就看见坐在床边的男人，他似乎在很认真地盯着她看，目光深邃地凝视，她小脸有些红，揉了揉眼睛，嘟囔着道："你怎么没去上班……"

莫南爵薄唇轻勾："不是你昨晚说要跟我一起吃早餐？"

"……"童染蒙了蒙，她有说吗？

男人没给她继续问的机会，俯身将她打横抱起，低头鼻尖摩挲着她柔嫩的脸颊，"我等你醒等很久了，强忍着才没脱了你衣服。"

"莫南爵！"

童染被他抱到洗手间，莫南爵让她坐在池台上，替她挤牙膏，帮她刷牙洗脸，抱她下楼。

她不用动，没睡醒般地靠在他胸膛上。

一楼餐厅内，用人端上早餐，童染起得晚，其他人都已经吃过了。

莫南爵优雅地切着小牛排，童染盯着他袖扣的铂金袖扣，咬着勺子软软地开口道："莫南爵……"

男人眼皮轻抬："怎么？"

"你今天要上班吗？"

“要。”

“可以不去吗？”

“不可以。”

“欢欢和橙子今天都不在家，我一个人好无聊……你留下来陪我好不好？”

“今天有个很重要的会议要开，”男人将切成小块的牛排放到她面前，倒上酱料，“必须要去。”

她瘪着小嘴：“很重要吗？”

“嗯。”

“……”

他都这么说了，童染也不好再挽留，哀怨地看了他一眼，叉着牛排往嘴里塞，又吃了几大口面包。

莫南爵瞥她，几次之后终于看不下去了，伸手抢了她的刀叉，大手一捞将她抱到腿上，喂她吃。

……

吃过早餐莫南爵就去公司了。

儿子还在睡懒觉，童染百无聊赖地坐在沙发上看电视，差点就要睡着了，听见玄关处传来声音才勉强睁开眼。

“染爷？”莫北焱走过来，见她缩在柔软的沙发里打瞌睡，拿起一旁的毛毯给她盖上，“爵人呢？”

“他上班去了，”童染撑着坐起身，喝了口他递过来的水，“说是今天有重要的会议。”

“会议？”莫北焱皱眉，“没有会议啊，我刚有事去了一趟MR，他们说爵推掉了会议，不在公司。”

“……”

童染顿时蒙了。

是……他骗她？

……

童染很快让莫北焱查到莫南爵在哪——那男人太过耀眼，走到哪都容易被记住，太好找。

她立即换了衣服准备出门，恰好莫曜辰醒了，非吵着闹着要跟她一起去，拽着她的裤子可怜巴巴地不肯放，童染到底心软，抱着儿子一起上了车。

拉斯维加斯市中心的商场很大，足足上下七层，各种商品应有尽有。

莫曜辰穿着帅气的迷彩绿背带裤，小手被童染牢牢牵着，他好奇地仰起小脑袋：“妈妈，你为什么戴一顶这么大的帽子？”

童染没心思理儿子，大眼睛四处看着，目光很快就锁定在正前方的二人身上——

男人背影高大挺拔，身材比例完美，尤其一双修长笔直的双腿引人注目，而站在他身边的是一个女人，穿着白色的裙子，看上去年纪不大。

二人边走边说着话，似乎很愉悦的样子。

童染整个人惊愣在原地，她睁大眼睛望着前方两个并排行走的身影，铺天盖地的委屈与伤心顿时涌上来。

他真的骗她！

还跟女人出来逛街……他们关系很好吗？还是说……是那种……

不可能……莫南爵怎么可能会……

童染不可抑制地红着眼睛，正想继续跟着看看，莫曜辰却扯了扯她的袖子：“妈妈，那边有冰淇淋，我要吃。”

童染这会儿哪有空理儿子，牵着他就往前走。莫曜辰被冷落了一路，这会儿连冰淇淋都吃不上，顿时就不高兴了，拉着童染不肯走：“妈妈，我要吃冰淇淋！”

“不行，会拉肚子，”童染弯腰去抱儿子，“别闹，妈妈要生气了。”

“哼！我这么听话你还生气！”莫曜辰瘪着小嘴，白嫩的小脸上写满委屈，他扭动身体不让她抱，一抬脑袋看见正前方熟悉的身影，立即大叫出声：“爸爸！爸爸！”

他嗓音又大又清脆，整个商场的人的视线都朝这边看了过来——

童染一惊，做贼心虚似的忙抱起儿子就要往外走，身后传来一阵脚步声，紧接着手臂被一把拽住：“童染！”

莫曜辰抬头就看见她身后的男人，小脸一喜，忙伸出双手要抱：“爸爸！”

莫南爵长臂一伸将她怀里的儿子抱过来，眯着眼睛看向低着头的女人，不悦地冷声道："怀孕了谁让你抱儿子的？"

此时，一旁女人带笑的声音响起："爵少。"

童染心口一抽，转身就要走，腰间紧接着被一搂，整个人都被抱进了男人怀里："童染，你跑什么？！"

"不要你管！"童染推他推不动，索性握拳开始捶他，"你去约你的会，你把儿子还我，我要回家……"

"谁约会了？！"

"你还骗我说你上班！你就是带着女人逛街！"

她越说越委屈，眼眶更红了。莫南爵薄唇紧抿，搂着她不放："童染，你敢哭一个试试看？"

"你还凶我！"

"莫太太，"一旁，白裙女人温柔地出声，"我忘了自我介绍，我是专业的孕妇调养师，我叫白慧，专门负责孕妇从怀胎到生产整个过程的调理。"

童染一怔，十几秒才反应过来："你……是孕妇调养师？"

"是的，我是拉斯维加斯做这一块很有名的，"白慧浅浅地笑，"爵少昨晚连夜让人找到我，说他妻子怀孕了，他还手写了你的身体状况，说普通的孕妇操很容易扭到腰，让我根据你的情况定制养胎方案。"

"今天要买一些孕期必备的东西，我本来说我来买就行了，可爵少不放心，非要亲自来挑选。"顿了顿，白慧笑着道，"莫太太，您真幸福。"

"……"

童染愣在原地，一时没能反应过来。

所以……他昨晚书房那些纸，都是写这些东西的吗？

他扭到腰……是提前替她尝试做孕妇操？

他推掉会议，特意过来的吗？

心底蓦地一暖，起初并不那么浓烈，可渐渐地那温暖蔓延开来，像是春日的暖阳，包裹着她整个身体，浸入骨髓。

温暖得令人颤抖。

莫南爵俊脸冷硬，冷瞥了眼白慧："谁让你说这些？"

"爵少不让我告诉您，"白慧笑着拉过童染的手，"爵少本来是想给你一个惊喜的。莫太太，怀孕的时候情绪起伏比较大是正常的，您要保持一个良好的心情，宝宝才会健康呢。”

童染忽然觉得自己有点小心眼，她站着没动，脑袋仍旧低着，莫南爵见状抿了抿薄唇，伸手搂紧她，目光紧盯着她的小脸：“装哑巴？”

“没有……”

“那你眼睛都不看我！”

童染靠在他怀里，握着莫曜辰软软的小手捏着，低声地道：“我……我以为你不喜欢我又怀了宝宝……”

“我什么时候说我不喜欢？”莫南爵搂在她腰侧的手紧了紧，冷哼一声，喘气声微微粗重，“再说，你的什么我不喜欢过？”

“我的什么你都喜欢吗？”

“我爱你你难道不知道？”

童染微愣。

一刹那，无限的喜悦砰的一声在心口爆炸开来。

她踮起脚尖，勾住男人的脖子，主动凑到他唇上，深深地吻住他。

“莫南爵，我也爱你。”

童染这一胎怀得很辛苦，孕吐嗜睡反应很大，可她却觉得很幸福。

她想，这世界上再没有一个女人，会比她更幸福。

自从她孕期反应开始，莫南爵就没有去公司上班，他每天都陪着她，不管是吃饭、睡觉、做孕妇操、胎教、产检……事无巨细。

他没有请专业的护工来服侍，每天起居与护理是他在照顾，甚至连孕妇餐都是他跟营养师学着做的，到后期熟练了他就一个人给她做，哪怕再麻烦的步骤他也没让别人插手过。

夸张点说，他真的是一步都没有离开过她。

童染怀孕大概六七个月的时候去了度假山庄，位于拉斯维加斯北部，环境怡人舒适，庄内的一切都像是专门为孕妇打造的，安全便捷。

后来她才知道，那山庄是莫南爵专门为她建造的。

他们结婚之后他就亲自设计了图纸，一直瞒着她秘密赶工，命名为“莫染韶光”。

莫染彼之流年，当惜今之韶光。

童染出现阵痛是在凌晨三点多，她才动了动腿，身侧本就浅眠的男人立即醒了，大掌握住她微汗湿的手心，低哑着问：“哪里不舒服？”

童染额头冒着冷汗，握紧他的手：“不是，我……我感觉我可能要生了。”

最后两个字出口，原本侧着的男人立即坐起身，动作飞快而有条不紊地替她穿好衣服，稳健地抱起她，通知陈安。

医院长长的通道里，童染躺在手术车上被往前推，一阵一阵的痛让她忍不住大叫，莫南爵长腿迈得很快，将她的小手完全包裹在手心：“别怕，我在。”

“你不许进来……”童染小脸布满汗珠，不忘着急地重复，“我们说好的，你不能进来的……”

莫南爵低下头，一吻深深印在她的额前，嗓音已然不稳：“我不进去，在这等你出来，回家。”

手术室的大门被合上。

莫南爵高大的身形站在门前，僵硬着没动，垂在身侧的手紧紧攥成拳。

他俊脸上没什么多余的表情，只是眉头紧皱，薄唇抿成一条直线，可却又能很明显地感觉出来，他在紧张。

罕见而又强烈的紧张。

童染生产，里面全安排了顶级的女医生，陈安自然不好进去，跟几个医生在手术室外交流等待，预防紧急情况。

莫北焱办了手续上来，一眼就看见自己平时能震慑全局的弟弟跟个傻子一样站在手术室门外，一动不动，明明隔着玻璃，他还是双眼紧盯着不放，仿佛能看见里面的情况。

千年难遇的画面啊。

莫北焱忙拿出手机偷拍下来，莫南爵竟连身后有人靠近都没听见，直到肩膀被一只大手握住：“爵，估计要很久，你不坐一下？”

莫南爵紧抿的薄唇动了动，半晌才吐出一个字：“不。”

莫北焱还想说什么，却忽然发现……他在抖。

肩膀在抖，垂在身侧的手在抖，整个身体都在抖。

他一愣，随即哈哈大笑："爵，你这是紧张得发抖？！"

"滚！"莫南爵回头冷瞪他一眼，但显然那眼神都没有平时的威慑力，他转过身，呼吸又粗又重，"谁说我紧张了？！你再说话我揍你！"

说着，他手朝裤袋摸去，却发现里面空空如也。此时恰好一个黑衣人过来，莫南爵伸手将他揪到身前，在他身上乱摸一气。

黑衣人吓得眼睛都瞪大了，又不敢动，任由自家少主在他身上摸出烟盒与打火机。

莫北焱看他看似冷静实则慌乱的动作，双手环胸，哼了一声："医院不能抽烟。"

再说，他八百年前就戒烟了，他是故意的还是……紧张得忘了？！

莫南爵仿佛没听见他的话，自顾自打开烟盒，许是动作太急，抽出烟时掉了一地，他似乎没看见，划开打火机，叼着烟就要点，可怎么点都点不燃。

黑衣人弱弱地提醒："少主，您……您烟拿反了……"

莫南爵罕见地微微一怔，随即抬起头来，那锋利如刀刃般的目光差点让黑衣人自动跳窗，忽然，手术室的门被人推开——

几乎是条件反射般地，莫南爵丢了手里的东西就转身冲过去，一把揪住出来的医生的衣领，双眸重重地收缩，咬着牙，每个字都是从牙缝内挤出来的："怎么样？生了没有？她痛不痛？说什么了？是不是在叫我？！"

医生吓得不轻，生怕下一秒就被他活剥了："爵、爵少，没这么快，才刚刚开始……"

莫南爵闻言呼吸声更加粗重了，狠狠地瞪着眼前的医生："那你出来干什么？！都开始了你还出来偷懒？！想下岗是不是？！"

医生也不敢去上厕所了，忙点头如捣蒜："是，我、我马上进去……"

莫南爵蓦地松开手，用力推了她一把："快点去！如果她出来说很痛我就让你下岗！把你发配到南非去！"

医生吓尿了，一溜烟蹿回了手术室。

外界都传言爵少是神一般的男人，可她怎么觉得有点傻……女人生孩子怎么可能不痛？难道出来要说很舒服吗？

医生回去后，莫南爵明显比刚才更焦虑了，也忘了自己想要抽烟这回事，就来回在门口走来走去，时不时用脚狠狠踢一下墙，甚至有把这里砸了的冲动。

没过多久，又有一个医生推开门出来，莫南爵立即就要冲过去，可能是心思太集中，转过身时只听哐当一声，整个人直接撞在了门上。

手术室的门材质都很好很硬，这一下撞得不轻，额头重重地磕上去，莫南爵眼前蓦地一黑，退后几步，一时没能缓过来。

黑衣人忙过来扶住他，莫南爵反手就揪住他，双眼微睁，显然还没看清，咬牙急切地问："童染出来了？是不是叫我了？"

黑衣人："……"

莫北焱在一边笑得直不起腰，用手机把这万年难遇的一幕全都录了下来……

焦急而难耐的等待就像是折磨，不知道过了多久，莫南爵从站着不动到四处乱走到坐着发呆再到揪人乱问……一阵婴儿的啼哭声狠狠震动了他紧绷的神经。

手术室的门终于再一次被推开。

陈安抱着小小的孩子出来，笑着打趣道："又是儿子，爵，八成又要跟辰辰一样皮，有你受的。"

莫南爵却无心看其他，他迈着长腿上前，双眸急切地搜索："童染人在哪？还没出来？！"

话音才落，几名护士推着手术车出来。

童染双眼微睁，莫南爵瞳眸重重一缩，几步冲过去，俯身握住她的手："童染？"

他难得轻声喊她，在他嘴里没那些花哨的称呼，老婆，宝贝，小染，这些他从来不叫。

他只叫她童染，他莫南爵一个人的童染。

童染听不真切，只是模糊地呢喃，声音又沙又哑，带着浓烈的疲惫："莫南爵……我要莫南爵……"

那一刹那，莫南爵只觉得浑身的血液都凝固了，神经的震动与颤抖从四肢百骸升起，侵占了他的身体，他的心，他的灵魂。

就像他爱她，时时刻刻都足以让他热血沸腾，那股深情挚爱经年不灭。

“我在这，”男人低下头，薄唇贴在她满是汗水的额头，一路轻吻而下，“童染，我一直在。”

他低沉磁性的嗓音响在耳畔，童染似是安心了，嘴角轻轻扬起。蓦地，有什么温热的东西滴在她唇上，她来不及弄清，男人的薄唇铺天盖地地压下来，深深地吻住她。

“My brave girl，我爱你。”